JN330912

Field trip in Paris, MAY 2013

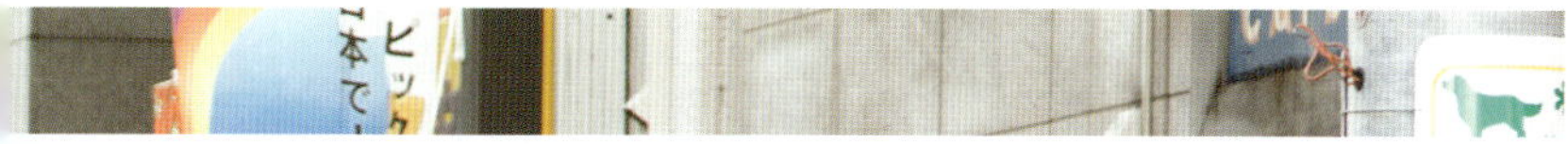

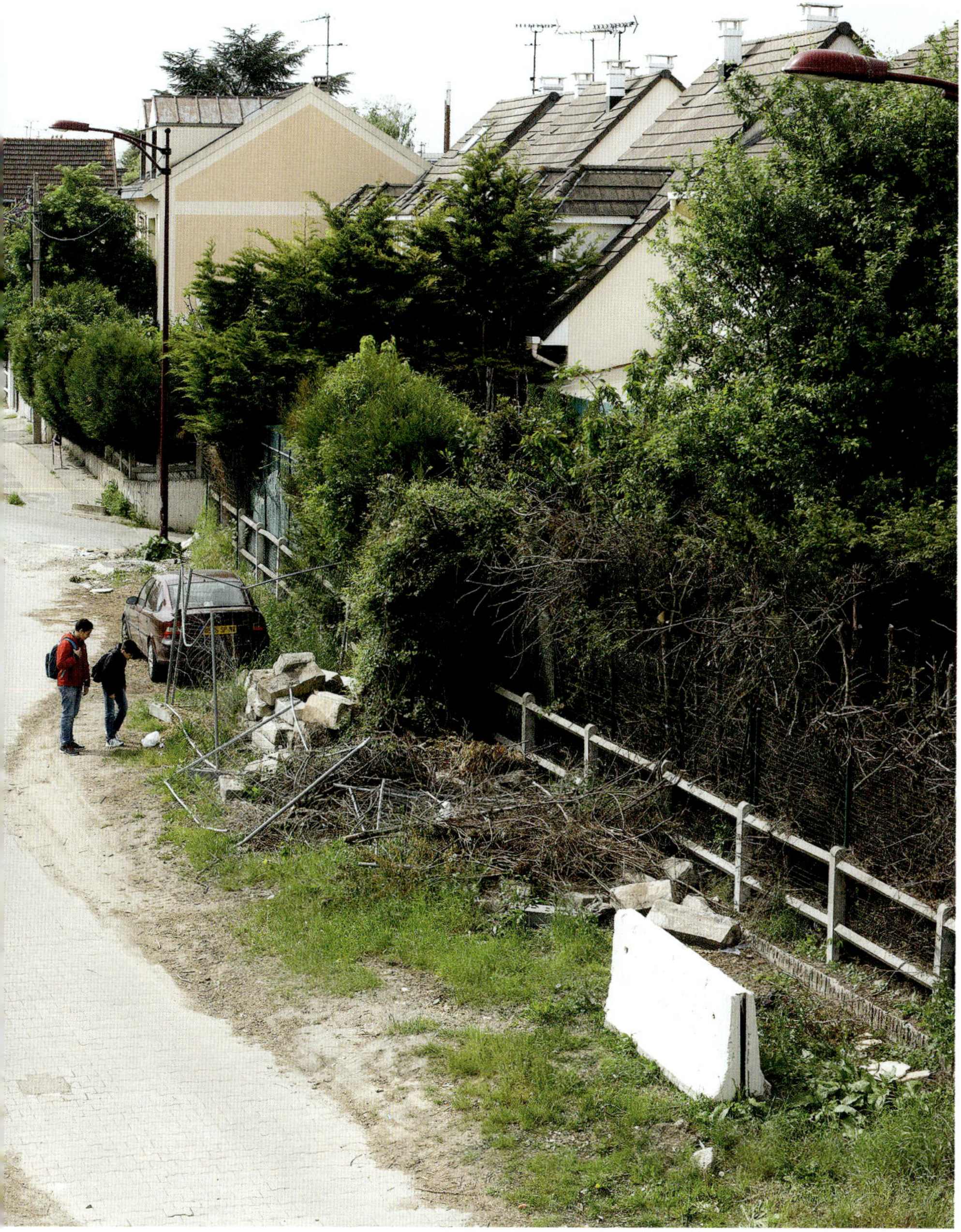

Field trip in Tokyo, MAY 2013

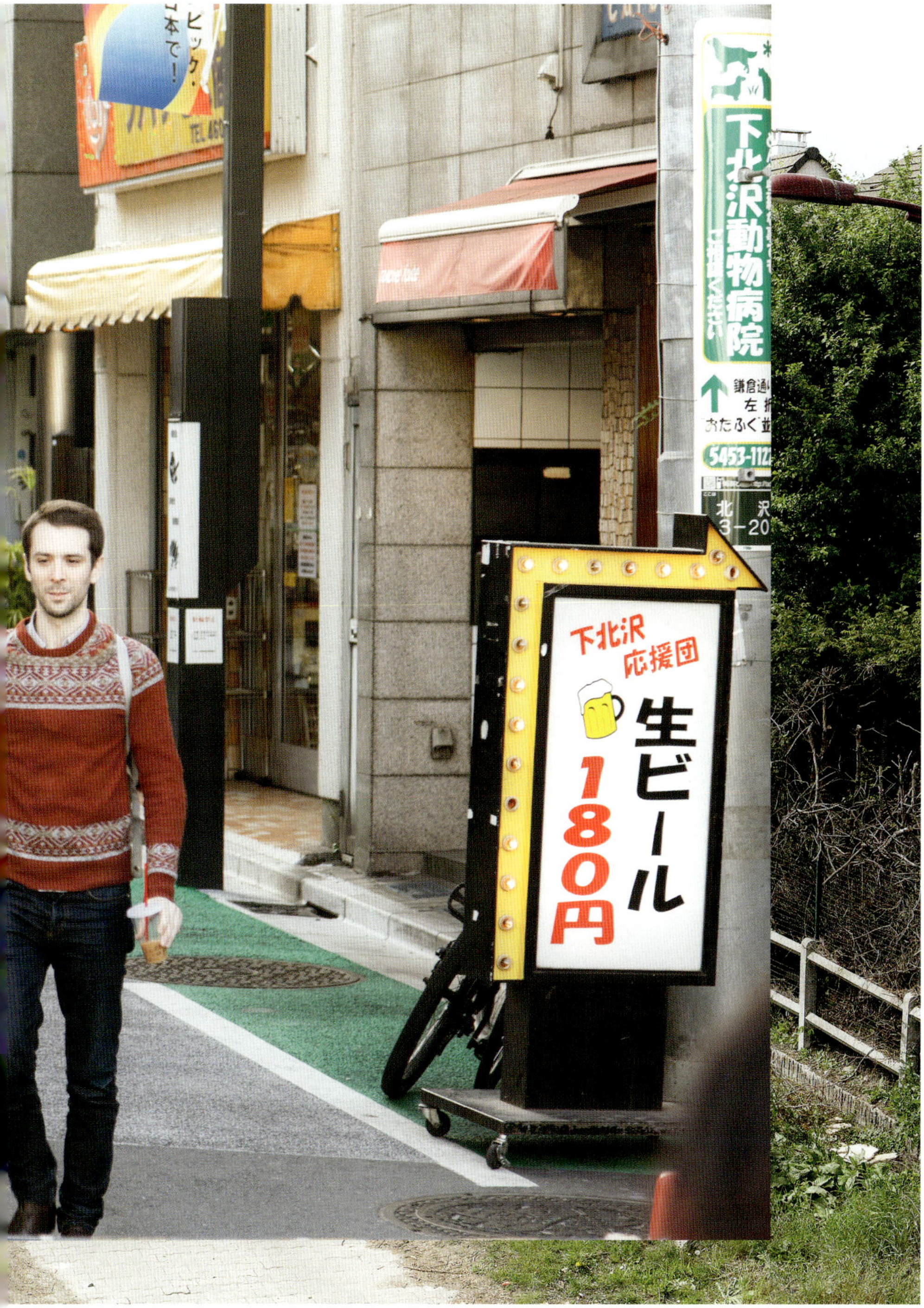
下北沢動物病院
下北沢
応援団
生ビール
180円

Exhibition in Paris, October 2013

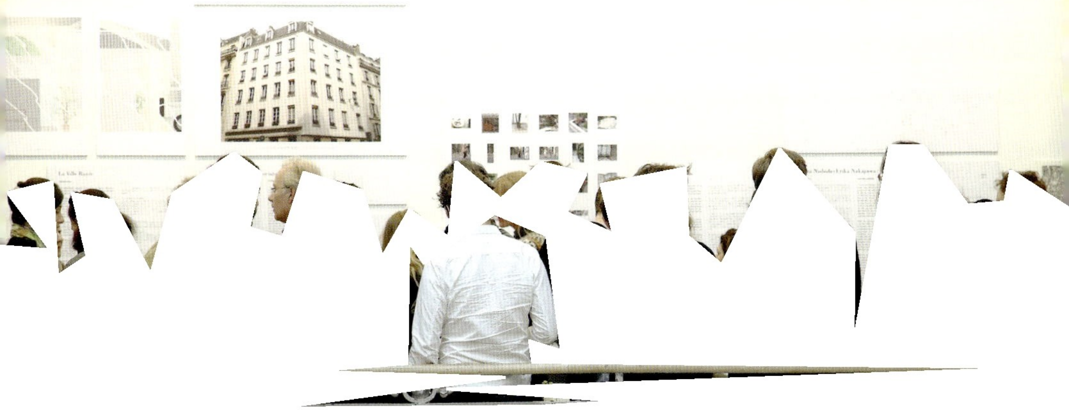

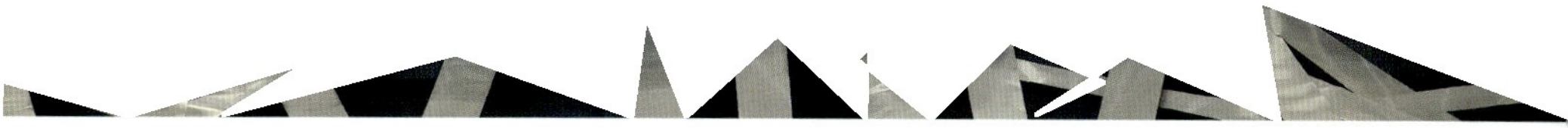

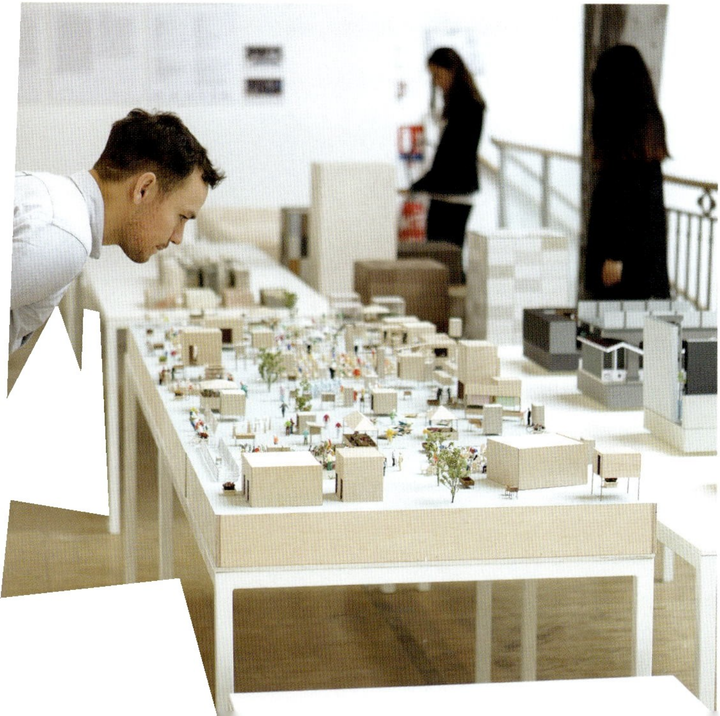

| SOMMAIRE | 目次 |

010 Préface ‖ Alexandre Labasse
014 Introduction KENCHIKU ARCHITECTURE ‖ Benjamin Aubry & Shinichi Kawakatsu
018 Pour refaire de la ville un lieu d'épanouissement des imaginations ‖ Shinichi Kawakstsu

---

Discussion & Essays

028 Paris, Tokyo : dialogue sur les nouveaux enjeux de l'urbanité, de l'espace public et de l'architecture ‖ Djamel Klouche + Yoshiharu Tsukamoto
055 Ville sans extérieur ‖ Djamel Klouche
058 Haute définition ‖ Simon de Dreuille
063 Architectures à l'âge des transactions haute fréquence ‖ Flavien Menu
068 Alice dans les villes aux merveilles ‖ Manuel Tardits
077 Topographie et ordre spontané à Tokyo ‖ Naohiko Hino
089 L'architecture comme pratique de partage ‖ Tove Dumon Wallsten
096 Type et token en architecture : réécriture et réinterprétation de la ville ‖ Kozo Kadowaki

---

Propositions

109 Lieux communs ‖ NP2F
117 Ville invisible ‖ ONDESIGN
127 Spécificité ouverte ‖ GRAU
135 HAUSSMANNISATION 2.0 ‖ Yasutaka Yoshimura
145 Ambiguës frontières ‖ Est-ce ainsi [Xavier Wrona]
153 Relation sans relation ‖ Jo Nagasaka [Schemata]
163 La dynamique des limites ‖ Thomas Raynaud [BuildingBuilding]
171 KIME de la ville ‖ TNA
181 Linéaments ‖ La Ville Rayée [David Apheceix, Benjamin Lafore, Sébastien Martinez Barat]
189 Format et règle du jeu ‖ Ryuji Nakamura
199 City Demolition Industry ‖ RAUM
207 Dispositif de succession de mémoire de la ville ‖ Yuko Nagayama

---

215 KA–Dates clés
216 Extraits

| 目次 | SOMMAIRE |

010 序 ‖ アレクサンドル・ラバス
014 イントロダクション KENCHIKU ARCHITECTURE ‖ 川勝真一 & バンジャマン・オーブリー
018 都市を再び人々の想像が花開く場として ‖ 川勝真一

Discussion & Essays

028 パリと東京：都市、建築、公共空間をめぐる対話 ‖ ジャメル・クルーシュ + 塚本由晴

055 外観のない都市 ‖ ジャメル・クルーシュ
058 ハイ・デフィニション ‖ シモン・ド・ドレイユ
063 高頻度取引時代の建築 ‖ フラビアン・ムニュ
068 不思議の都市のアリス ‖ マニュエル・タルディッツ
077 東京のトポグラフィーと自生的秩序 ‖ 日埜直彦
089 共有の実践としての建築 ‖ トーヴェ・デュモン・ヴァルステン
096 建築のタイプとトークン、または都市の書き換えと読み換え ‖ 門脇耕三

Propositions

109 コモンプレイス ‖ エヌ・ペー・ドゥ・ゼフ
117 目に見えない都市 ‖ ONDESIGN
127 開かれた特性 ‖ グラウ
135 HAUSSMANNISATION 2.0 ‖ 吉村靖孝
145 曖昧な境界 ‖ エ・サンシ [グザヴィエ・ロナ]
153 関係しない関係 ‖ 長坂常 [スキーマ建築計画]
163 制限の推進力 ‖ トマ・レイノー [ビルディング・ビルディング]
171 都市の肌理 ‖ TNA
181 リニアメント ‖ ラ・ヴィル・レイエ
189 形式とルール ‖ 中村竜治
199 都市解体産業 ‖ ラウム
207 都市の記憶継承装置 ‖ 永山祐子

---

215 KAの変遷
216 展示作品

Preface | 序

Alexandre Labasse | アレクサンドル・ラバス

Directeur du Pavillon de l'Arsenal

パヴィヨン・ド・ラーセナル ディレクター

L'Architecture c'est le monde qui demande à devenir cité.
——*Paul Claudel*

Kenchiku Architecture interroge le sens latent et diffus des métropoles. Loin des monuments qui les symbolisent ou les résument, ce laboratoire franco-japonais nous plongent dans l'identité ambiguë des villes. Aux frottements des phénomènes urbains contemporains, l'expérience cognitive proposée par une génération émergente d'architectes franco-japonaise aux attentions partagées, révèle l'ordinaire, parfois l'invisible, pour dresser un portrait poreux et stimulant de Paris et Tokyo.

En 2012, le pavillon japonais de la douzième biennale internationale d'architecture de Venise « Tokyo Metabolizing » confrontait, en avertissement, trois villes : Paris, « City of monarchism », New York « City of capitalism », Tokyo « Metabolizing city ». Les commissaires de *Kenchiku Architecture* et fondateurs des galeries-lab RAD Kyoto et Paris, Benjamin Aubry et Shinichi Kawakatsu prennent acte de cette opposition mais partent en quête d'une identité hybride et perméable aux deux capitales. Dans le dialogue qu'ils initient avec douze équipes d'architectes les certitudes s'estompent, les problématiques se rejoignent et les usages se croisent. Les différences qui préexistaient jadis entre ville monarchique ou métabolique s'estompent, s'hybrident et se dissolvent. Alors, la composition historique ordonnée se fond de façon passionnante au chaos éphémère et polycentrique.

« Ce qui m'émeut dans Paris - énonçait Le Corbusier - c'est sa vitalité ». Ce qui est saisissant, avec les travaux produits ici, c'est la capacité des projets à extraire ces énergies spontanées au travers d'analyses sensibles et pragmatiques. Plutôt que d'approcher la ville sous un angle programmatique, *Kenchiku Architecture* enquête sur l'âme et la chair des cités, ce que l'agence TNA nomme « kime » ou « la raison de la peau ». Les réponses allogènes des agences se traduisent dans des formes ou l'apparence n'est pas l'objet. Chaque sujet définit un potentiel, chaque projet restitue un processus, chaque construction ou aménagement stimule l'autre par réciprocité. Réalisé en couples binationaux, l'ensemble compose un répertoire d'opportunités entre domesticité et urbanité tout en affirmant la force de l'Architecture.

建築とは、都市になることを求める世界である。

―― ポール・クローデル

KENCHIKU | ARCHITECTUREは、東京とパリという2つの都市のここかしこに潜在する意味を探るプロジェクトである。都市を象徴するランドマーク的建造物には注目することなく、この日仏の建築リサーチプロジェクトは、都市の曖昧なアイデンティティーというものに私たちの注意を向ける。現代の都市が擁する現象に接し、共通の関心を持つフランスと日本の新しい世代の建築家たちが提案する考察からは、ありふれたこと、時には外には現れない面が照らし出され、ステレオタイプのイメージとは異なった、パリと東京の多孔質で刺激的なポートレートが立ちあがってくる。
2010年、第12回ヴェネツィア・ビエンナーレ国際建築展の日本館の展示はテーマを「TOKYO METABOLIZING」とし、「君主制の都市」パリ、「資本主義の都市」ニューヨークに対し、東京を「メタボリズムの都市」として、3つの首都を対置した。KENCHIKU | ARCHITECTUREのコミッショナーである川勝真一とバンジャマン・オーブリーは、この対置の公式を考慮に入れながらも、パリと東京、2つの首都の確固とした特徴ではなく、混成的で、外からの影響に開かれたアイデンティティーを探索する。彼らの主導による日仏の12の建築グループの対話においては、確信は不確かになり、互いの問題提起や慣例が合流し、交錯する。「君主制の都市」と「メタボリズムの都市」の間に先在したはずの違いはぼやけ、混ざり合い、溶解する。そして秩序立った歴史的構造は、儚く、多中心的なカオスへと融解する。
「パリで私を感動させるのは、その活力だ」と、ル・コルビュジエは語った。このプロジェクトが、緻密で実践的な分析を通して、ル・コルビュジエがパリに見たような、自然に生まれる都市のエネルギーを抽出し得ていることには驚かされる。KENCHIKU | ARCHITECTUREは、実用的な視点から都市にアプローチするのではなく、TNAが「KIME肌理」と呼ぶような、都市の肉体と魂を明らかにする。異なる土地に根ざす建築家たちは、形態の表現とは異なる形式で答えを提示する。それぞれのテーマが潜在する可能性をとらえ、それぞれのプロジェクトがある過程を再現し、それぞれの構築と調整が互いに相手を刺激する。日本とフランスの建築設計事務所のコラボレーションによって実現されるプロジェクト全体が、建築が持つ力を肯定しながら、ある国に特有の性質と都会一般にみられる性質との間で生まれる様々な可能性の目録を作成するのである。
制限、物質性、開放性、アイデンティティー、共有など、調査されるテーマの総体が研究の多義的なコーパスを形成する。異国趣味と好奇心は、関東平野の都市計画に関するフランス側の質問にも、オスマン都市計画からパリの場末、現代に至るまでの建築・都市計画の遺産に対する日本的再読の試みにも同等に読

Limites, forme, matérialité, ouverture, identité, partage... l'ensemble des thèmes explorés forment un corpus équivoque de recherche. L'exotisme et la curiosité s'imposent autant dans les questionnements français sur l'urbanisation de la plaine du Kantô (ndlr : région de Tokyo) et ses temporalités que dans la relecture nippone de l'héritage haussmannien, faubourien ou moderne. L'attention aux interstices urbains répond aux capacités des infrastructures et délaissés, la matérialité dialogue avec le vide, le caractère mutable de la ville s'enrichit de l'intensité du tissu constitué. Ainsi, les architectes engagent des possibles croisés et stimulants.

La leçon des figures endémiques de *Kenchiku Architecture* interpelle nos modes de vie mondialisés et génériques qui tendent à effacer les spécificités culturelles. Premier centre européen d'architecture et d'urbanisme, le Pavillon de l'Arsenal s'associe naturellement à ce laboratoire urbain qui explore notre paysage commun et vécu au travers de son quotidien. Le but de *Kenchiku Architecture* n'est pas nécessairement d'imaginer ici ou là un magnifique bâtiment mais de pénétrer ces nouveaux paradigmes... car, tôt ou tard, cette génération d'architectes façonnera nos métropoles.

み取れる。都市の間隙に注意を向けることで、見限られたインフラストラクチャーに可能性が見出され、物質主義が虚の概念と対話し、都市の変化は、構築される構造の強度によって充実する。こうして、建築家たちは、異種交配から生まれる刺激的な可能性を切り開いていく。

KENCHIKU | ARCHITECTUREに特有の探求のかたちはグローバル化され、文化的な特徴を消し去ろうとし、似通ってきた私たちの生活様式に問いを投げかけるものである。ヨーロッパ初の建築と都市計画に関する博物館、パヴィヨン・ド・ラーセナルが、私たちが日常を通して生き、共有する風景を探究するこの研究に関与するのは、ゆえに自然なことだろう。KENCHIKU | ARCHITECTUREの目的は、ここかしこに壮麗な建造物を構想することではなく、現代の新しいパラダイムに分け入っていくことにある。そして、早かれ遅かれ、この新しい世代の若き建築家たちは、私たちの首都の形を変えることだろう。

fig.1
PARIS TOKYO LANDSCAPE COLLAGE /
東京とパリの風景のコラージュ
Collage : B.Aubry

イントロダクション
KENCHIKU

パリと東京——先験的には、全てが対極にある2つの都市。一方はオスマンの都市計画と古典主義思考の継承者であり、他方は、幾度となく破壊され、再建された、新陳代謝する都市。それぞれの都市に、それぞれのアイデンティティー、歴史、そして文化がある——こう考えるのが、既存の枠組みでしょう。しかし、この2都市の現在の状況、少なくとも観光向けのステレオタイプなイメージを越えたところにある日常の都市の表情を描こうとすれば、ことはずっと不明瞭で微妙なものになり、さらに、それぞれの都市風景を構成しているものを列挙すると、2つの都市の違いはそれほど明確ではなくなってきます。観光客のひしめくパリ市内から、あるいは浅草から出てみましょう。見えてくるのは、高速道路、鉄道、大型ショッピングセンター、(モダニズムおよびポストモダニズム建築から生まれた)集合住宅、注文住宅、オフィスビル、電柱、電線、街灯、屋根の上に伸びるテレビのアンテナ……景色の概観だけでなく、ともすると通りの片隅の些細なディテールに至るまで、二つの都市の間に大きな違いを見つけることは難しいかもしれません。メラミン加工されたチェスト、3人がけのソファー、冷蔵庫、あるいは傘立て……私たちの家の中にある家具でさえ、パリと東京で、どれほどの違いがあるでしょうか。

KENCHIKU | ARCHITECTUREは、この事実に目を向けることから出発します。産業の近代化と、それに続く資本のグローバル化による、都市、建築、そしてより広範におよぶ空間環境の収斂は、日本とフランス、そしてヨーロッパの若手建築家の建築的実践を超えたところにある、根本的な問題のひとつです。簡単に世界を旅することができ、インターネットを通じて考えを流布し、参照すべき建築、イメージを組み合わせることが可能になり、一見すると各都市に均質的なアイデンティティーが生まれているかのようです。しかしながら、そのただ中においても刻まれ続ける都市の空間的差異に目を向け、その生成の現場に隠された秩序を明らかにし、共有することは、この均質化する諸力にたいする抵抗力を身につけていくことに繋がります。

我々RAD[*1] (京都／パリ) によるプロジェクトKENCHIKU | ARCHITECTUREは、こうした思考を温め開花させる、恒常的な構築状態にあるプロジェクトです。プロジェクトはまず、いずれも2000年代に設立された12の日仏の若手建築設計事務所 (フランス6、日本6) が提示

Kenchiku Architecture | Benjamin Aubry & Shinichi Kawakatsu

Introduction

ARCHITECTURE

Paris, Tokyo. Ce sont des villes qu'*a priori* tout oppose. L'une est héritière d'Haussmann et de la pensée classique. L'autre a été à de nombreuses reprises démolie puis reconstruite, elle est la représentante du métabolisme urbain. À chaque ville son identité, son histoire, sa culture. Voilà pour les cases. Et pourtant ! À décrire leur condition contemporaine, tout du moins le visage quotidien qu'elles donnent à voir, au-delà des clichés touristiques, les choses deviennent plus troubles, plus subtiles, les différences moins évidentes. D'ailleurs, à énumérer ce qui fait leur paysage on pourrait presque les confondre. Sortez du Paris-intramuros ou du quartier d'Asakusa[*1] : les autoroutes et les voies ferrées, les centres commerciaux, les immeubles collectifs, les maisons sur catalogue, les tours de bureaux, les poteaux et les fils électriques, les candélabres et les antennes télé sur les toits... Tout se mélange. Du grand paysage au petit détail confiné au coin d'une rue, jusqu'aux mobiliers de nos intérieurs : la commode en bois mélaminée, le réfrigérateur, le canapé trois places et le porte parapluie.

Kenchiku Architecture part de ce constat. La convergence des environnements urbains, architecturaux et plus largement spatiaux est l'un des enjeux déterminants qui transcendent les pratiques des jeunes architectes japonais et français – et européens. La diffusion exponentielle des idées, le mélange et la combinaison des références architecturales, des images et des influences au travers d'Internet et l'accès facilité aux voyages invitent à réfléchir à ce qui fait une identité commune aux villes et aux architectes. A même que cela nous incite à nous intéresser à la genèse des différences spatiales, à révéler leur richesse et à partager l'ordre caché propre à chaque lieu face à l'homogénésation générale de nos cadres de vie.

Incubateur d'idées, le projet *Kenchiku Architecture* initié et porté par RAD[*2] (Kyoto/Paris) est un projet en constante construction. C'est en premier lieu une sorte de « melting-pot » de pensées et de regards issus d'un cœur composé de douze agences d'architecture, six françaises et six japonaises, toutes fondées dans la première décennie des années 2000. Réunies à plusieurs reprises depuis quatre ans dans le cadre de rencontres et d'ateliers à Paris et à Tokyo, elles ont interrogé en chassé croisé, les codes, les pratiques et les usages intégrés dans nos espaces quotidiens.

する思考と視点の「メルティング・ポット」としての機能を果たしました。4年にわたり、これら12の建築設計事務所が何度も集まり、パリと東京でのミーティングやワークショップを通じて、日仏それぞれの日常の空間に潜むコード、慣行、慣習について、互いに意見を交換し、問いかけました。

こうした経験知的、主観的な行程をとり、考えを温め、交換する時間を持つなかで、しだいに最も本質的な考えが抽出されていきました。その考えはまず、2011年10月にパリ建築大学でおこなわれた最初の展覧会で見取り図的に示され、ついて2013年9月にパリ市都市建築博物館で行われた「KENCHIKU | ARCHITECTURE Paris - Tokyo」展において、発展した具体的な形として示されました。各建築設計事務所によるそれぞれに個性を持つアプローチからは、共通する熱望が透かし模様のように現れてくるのがわかります。重要なことはもはや、近代の先達たちが夢見たような、世界を完全に(再)構築することではありません。むしろ、世界を既にそこに存在している現象として扱うことにあるのです。過剰なまでに増殖し、多種多様な状況がひしめく世界。この多様な状況の集まりの中で、それぞれの状況から、教訓やプロジェクトの可能性を引き出すことができるでしょう。

本著は、このプロジェクトの歩みを提示し、4年間におよぶ意見交換と対話の成果を紹介するものです。それぞれの建築家によって取り上げられたテーマに呼応するかたちで、外部の専門家によるテキストが別の観点を加えてくれています。都市空間の描写であり、分析であり、宣言である、KENCHIKU | ARCHITECTURE は、こうしてパリと東京という2つの大都市、および若手建築家や景観デザイナーに内在する、共通の本質的な問題意識を明らかにしようとします。常に、注意深く、文化的な先験的判断や先入観を越え、そこから新たな豊かさを引き出そうとしながら。

バンジャマン・オーブリー＆川勝真一
KENCHIKU | ARCHITECTURE キュレーター
兼 RAD（京都／パリ）

[*1] RAD−Research for Architectural Domain は、京都とパリに拠点をおき、「建築の居場所（Architectural Domain）」をテーマに、調査と企画運営を行なっている。

Workshop à Paris, mai 2013

[*1] L'un des quartiers témoins du passé de Tokyo.

[*2] *Research for Architectural Domain* est une structure indépendante de recherche et de production de projets basée à Kyoto et Paris.

Dans une démarche empirique et subjective, le temps de l'incubation et de l'échange a permis d'extraire progressivement des idées plus fondamentales. D'abord ébauchées dans une première exposition à l'Ecole Spéciale d'Architecture en octobre 2011. Puis développées et matérialisées dans l'exposition « Paris Tokyo » présentée au Pavillon de l'Arsenal à Paris en septembre 2013.
De ces travaux, chacun singulier, on voit apparaître en filigrane des aspirations communes.
Chacun raconte une histoire, aborde un thème, extrait de leurs observations des idées d'une grande finesse. Tout est délicat. Il ne s'agit plus de (re)créer le monde dans son intégralité comme leurs aînés modernes ont pu en rêver. Il s'agit plutôt de l'aborder comme un phénomène qui existe déjà. Un monde nucléarisé, qui fourmille de situations diverses. Une sorte de constellation de situations dont l'on pourrait extraire de chacune une leçon, une opportunité de projet.

Cet ouvrage expose l'histoire du projet, présente le fruit des échanges et des dialogues qui ont eu lieu depuis quatre ans. Ils sont accompagnés d'éclairages par des personnalités extérieures qui font échos aux sujets soulevés par chacun des architectes. Tour à tour portrait, analyse et manifeste, *Kenchiku Architecture* tend ainsi à révéler des enjeux communs inhérents aux deux métropoles parisienne et tokyoïte aussi bien qu'à la jeune génération d'architectes et d'urbanistes. Avec le souci permanent de transcender les préjugés et *a priori* culturels pour mieux en faire ressortir leur richesse.

Benjamin Aubry & Shinichi Kawakatsu
Curateurs de *Kenchiku Architecture*
Et fondateurs de RAD (Kyoto/Paris)

都市を再び人々の想像が花開く場として

Pour refaire de la ville un lieu d'épanouissement des imaginations

川勝真一 | Shinichi Kawakatsu

Paris et Tokyo – deux villes qui connaissent déjà une certaine maturité dans ce monde de plus en plus urbanisé. Dans l'entretien de son paysage urbain historique, l'une séduit par la beauté harmonieuse de l'alignement des bâtiments, alors que dans la banlieue les habitations s'éparpillent. L'autre attire par son dynamisme qui efface le passé et se transforme sans cesse. Tout en étant dans cette phase de maturité, toujours plus de développement et de croissance sont demandés pour faire face à une compétition lancée entre les métropoles à l'ère de la globalisation. Et nous nous trouvons confrontés à la question suivante : peut-on renouveler la ville vers le futur tout en respectant la maturité d'un urbanisme qui s'est développé sur des siècles ?

F.A. Hayek, économiste, opposé aux constructivistes qui prétendraient construire rationnellement la société entière, considère l'ordre né du résultat de l'action d'un grand nombre d'hommes et pas d'un plan prédéterminé, comme un « ordre spontané ». Il prétendait qu'au travers du processus par lequel cet ordre est pris en conscience et partagé, chacun arrive à accepter la relation avec autrui tout en gardant la liberté de son comportement. On peut considérer que la ville aussi est une superposition synthétique formée non seulement de l'urbanisme et des règles établies, mais de l'histoire, des coutumes des habitants, de la forme conventionnelle d'aménagement, de la géographie et du climat. Même si la ville est basée fondamentalement sur un projet moderne, et que l'ordre préexistant du lieu a été complètement détruit, la ville marque toujours une différenciation dans l'espace. Et la vie des habitants ne cesse d'y donner un sens particulier. À ce moment-là, l'architecture peut faire émerger cet ordre spontané de la ville et fonctionner comme un cadre pour le partager. C'est-à-dire offrir un nouvel éclairage sur la présence de l'ordre spontané de la ville, pour y lire son développement et le rendre conscient par le biais de l'architecture. Cela nous permet de redessiner la ville comme lieu où les imaginations des habitants convergent, et non pas comme le résultat du capital global ou de la spéculation.

Cette exposition a ainsi pour objectif de dessiner, à travers la pensée architecturale, les aspects multiples de cet « ordre spontané » de l'espace urbain de Paris et de Tokyo. En comparant les situations de deux villes différentes, s'appuyant sur l'idée d'« ordre spontané » qui permet à chaque architecte de ré-examiner les métropoles par la pratique architecturale, elle met à jour le contexte de l'« Architecture » de Paris et de Tokyo.

Partage / Action

Afin de comprendre Tokyo, ville marquée par l'hétérogénéité, la mixité, la spécificité, il serait plus intéressant de prêter attention à des cas précis et marquants plutôt que de réfléchir sur des modèles conceptuels de la ville. Car c'est aussi un moyen d'adopter le point de vue des utilisateurs ou des habitants en plus de celui du dessinateur, et de s'approcher d'authentiques moments urbains. Les quatre maquettes que NP2F a minutieusement construit pour ce projet, illustrent l'accumulation des dispositifs qui créent des espaces variés habités par l'ambiguïté entre le public et le privé à Tokyo. Elles démontrent comment existent les phénomènes de partage de l'espace par les individus dans l'espace public et dans la ville de Tokyo même. Le lieu où les diverses choses coexistent d'une manière « surréelle » en manipulant leurs relations réciproquement ; n'est-ce pas là, le « réel » de Tokyo?

En concevant une telle réalité de manière

世界のあちらこちらで、日々、新しい都市が生み出されています。その一方で、すでに産業化と近代化を終え、成熟期を向かえている都市、パリと東京。歴史的な都市景観を維持し、調和のとれた美しい街並が人々を魅了する一方で、過去を絶えず消去しながらめまぐるしく変化するダイナミズムが人々を引きつけています。しかしながら、近年のグローバル化する都市間競争の波にさらされ、さらなる発展、成長が求められています。過去数世紀にわたる都市化がもたらした成熟を継承しながら、未来に向かってどのような都市を生成していくことができるのかが、今求められています。

経済学者のF・A・ハイエクは、社会全体を合理的に設計しようとする設計主義にたいして、人間の行為の結果であるが設計の結果とはいえない秩序を「自生的秩序」[*1]としてとらえ、それが意識化され、共有化されるプロセスを通じて、個々人が自由にふるまいながらも、他者との関係をうけいれることができると主張しました。都市もまた、都市計画や法のみならず、歴史、人々の慣習、地形、開発方式、気候などといったものの統合的な積み重なりとして理解でき、それぞれの都市が育ててきたこの自生的秩序へのまなざしを持つことが、都市の生成と継承を考えるうえで重要になってくるように思われます。よって本展は、この都市の自生的な秩序を意識化し共有する枠組みとして建築を機能させること、また建築を通じて都市の自生的秩序の有り様を逆照射することによって、都市をグローバルな資本や投機の結果としてではなく、そこで暮らす人々の実践の場へと移行させることを試みます。たとえ都市をかたちつくるベースが近代的計画で、さらにはその場に存在していたであろう過去の秩序がすでに破壊されていたとしても、空間は時間の流れにのって常に様々な差異をつくり出し、人々の生に個別の意味を与え、そこから新たな自生的秩序

の展開が予見されます。異なる都市の状況を合わせ絵とし、個々の建築家による一貫した職業的実践から見つめなおされる都市の「自生的秩序」から、東京とパリという2つの都市における「建築」のコンテクストのアップデートを試みます。

共生／行為

異質性、混在性、個別性によって特徴づけられた東京を理解するためには、概念的な都市のモデルを考察するよりも、より具体的で印象深い事例に目を向けることが重要になってきます。それは計画者としてだけではなく、利用者、生活者としての視点を取り入れ、真に現実的な都市的瞬間に迫っていくための方法でもあるからです。今回NP2Fが制作した4つの精密なモデルは、東京の様々な公/私のあいまいな空間を生み出している装置の集積を丁寧に描き出したものです。それは、公共の場における人々の、そして都市それ自体における共生という現象がどのように存在しているのかをみせつけます。種々の物事が相互の関係をつねに流動させながら「超現実的に」存在している場、それこそが「現実」の東京なのではないでしょうか。

一方で、そのような現実を建築的にとらえることで、ONDESIGNは物理的なものによらない人々の行為によって生み出される"不可視の都市"を提案しています。カフェのテラス、コンサート会場、演劇場など、都市を構成する様々な側面が解体され、都市の価値が建築物の美の中にではなく、意外性、関係性、近隣とのつながりを生みすポテンシャルの中に見い出されています。その思考の結果は、非常に精度の高い模型によって、実に多様な都市的状況が人々の行為と共に描き出されています。人々が集まり、行為を介して、ある空間をシェアすることにおいて都市は日々そのダイナミックなエネルギーをつくり出します。

constructive, ONDESIGN propose une « Ville Invisible » née du rassemblement et de l'action des personnes, une ville qui n'a pas recours à son aspect physique. Par la déconstruction des divers espaces publics qui constituent la ville, par exemple une terrasse de café, un hall de concert ou un théâtre, la valeur de la ville est aperçue, non pas dans la beauté même de l'architecture mais dans l'inattendu, la relation, la potentialité de produire un lien avec ceux qui l'entourent. Le fruit de ces réflexions est présenté dans une maquette de très haute précision, avec des situations urbaines étonnamment diverses et la vie des personnes qui y vivent. Par l'action des personnes qui se rassemblent et partagent un espace, cette ville invisible est animée chaque jour d'une nouvelle énergie dynamique.

Ouverture / Plan

Aujourd'hui à Paris, les nouveaux projets urbains recherche en permanence la « diversité ». Cependant, la plupart n'arrivent pas à créer une vivacité et un charme comme celui du centre de Paris. Est-il possible de dessiner et construire une ville aussi bien à travers l'accumulation d'actions produites par un grand nombre d'habitants ? Yoshimura remarque que plutôt qu'inventer de nouveaux dispositifs de développement, il est plus important d'envisager un urbanisme qui puisse succéder au charme inépuisable de la situation urbaine du centre de Paris. Il propose ainsi une déconstruction et un renouvellement des dispositifs urbains historiques qui composent Paris, comme « Boulevard », « Rond-point », « Façade », « Square » ou « Monument ». Les projets sont basés sur l'urbanisme d'Haussmann, développé sous le puissant Empire de Napoléon. Les 15 idées, nommées « Haussmannisation 2.0 », supposent la participation de capitaux contemporains de petites échelles et des utilisateurs. Elles sont conçues pour Paris mais suggèrent la possibilité d'être exportées. Au lieu de l'urbanisme moderne, le modèle urbain d'une ville en maturité comme Paris, peut être utilisé pour la construction permanente de nouvelles villes dans les pays en développement. Les idées de Yoshimura nous offrent un éclairage sur la capacité d'ouverture des idées fondatrices de la ville et sur leur capacité d'application à l'échelle métropolitaine dans le contexte actuel de mondialisation.

Les membres du GRAU ont analysé la possibilité d'importer dans Paris la qualité urbaine de l'espace public de Tokyo. Tenants d'une approche pluridisciplinaire de l'architecture et de la ville, ils ont déjà conçu plusieurs projets dont l'un des principes est de servir de « levier » à l'économie et aux usages urbains, par des collaborations variées avec des économistes, urbanistes, ou paysagistes. Ils ont découvert dans Tokyo une situation urbaine qui est celle de l'hybridité du public et du privé : par exemple le « *kokai kûchi* (espace ouvert) » dans les quartiers d'affaires, où l'espace privé des entreprises est ouvert comme « public », ou à l'inverse des lieux où divers éléments privés sont exposés sur l'espace public. Les membres d GRAU remarquent qu'à l'opposé de celui de l'Europe, l'espace public de Tokyo, tout en étant public mais dominé principalement par la notion de possessions privées, est composé par un rapport de dépendance réciproque entre le privé et le public. Cette qualité urbaine de la ville de Tokyo, nommée « Spécificité ouverte » est présentée par une maquette de quatre bâtiments et leurs espaces extérieurs respectifs. Tokyo est représenté comme une ville où des éléments divers débordent sur la rue et créent une continuité d'ensemble avec les arbres et les réverbères qui bordent la rue. GRAU trouve dans cette ville du Japon la possibilité de dessiner une nouvelle qualité urbaine pour une ville française.

Frontière / Relation

Ce phénomène de débordement des éléments privés sur la rue publique dans l'espace urbain tokyoïte intéresse Jo Nagasaka par sa qualité de « frontières ambiguës ». Il a entamé son projet en cherchant ce genre d'espace dans Paris. Ce qu'il a enfin découvert était des espaces abandonnés autour du boulevard périphérique qui sépare Paris et la banlieue. C'est une accumulation de situations imprévues, nées de l'affrontement des idéaux d'aménagement urbain qui diffèrent entre l'intérieur et l'extérieur de Paris. Afin d'intervenir dans ces « frontières ambiguës »

オープン／計画

パリでは現在、様々な手法を模索しながら都市再開発が進行しています。しかしながらその多くは結果的に、パリ中心部のような活力と魅力を思い通りに生み出すことができていません。様々な人々の行為の集積としての都市を計画し建設することは可能なのでしょうか。吉村は、そのように新規の開発手法を生み出すことよりも、むしろパリ中心部の衰えることの無い魅力的な都市環境を継承しうる都市開発のパターンを考えていくことが重要ではないかと指摘します。そこで"ブールバール（大通り）"や"ロン・ポワン（円形交差点）"、"ファサード"、"スクワール（小広場）"、"モニュメント"といったパリを構成する歴史的な都市原理の解読と更新をおこないました。皇帝ナポレオンの強力な権力のもと、オスマン市長によって実施された都市改造をベースに、現代の小さな資本、あるいはユーザーの関与を前提に構想された15のアイデアは"オスマニアン2.0"と名付けられます。それらは都市化のパターンとして理解でき、時に単独で、また組み合わされながら種々の状況に開かれています。それらはパリに対するものであると同時に、現在も途上国で続く新たな都市の建設において、パリのような成熟した都市パターン（モデルではなく）の輸出可能性に言及しています。グローバル化する現代において、都市レベルでその生成のアイデアをオープンにしていくことの視座を提供してくれています。

GRAUは、東京の都市、そして公共空間の質を、パリに持ち込むことの可能性について分析をおこないました。建築と都市を横断的にアプローチすることを得意とする彼らは、これまでも経済学者、都市計画家やランドスケープアーキテクトなどの多様なコラボレーターとの協働を通じ、都市の経済や用途における"てこ"を発見するために、実践を続けてきました。彼らが発見したのはオフィス街の公開空地のように個人の所有である空間が"公共"空間として開かれている状況や、逆にパブリックである通りに面して様々な私的な表現が表出している高密度な都市の姿でした。ヨーロッパのそれと異なり、東京の公共空間は、私有の要素が優勢的に構成されており、それら様々な要素の相互依存的な関係によってつくり出されていると彼らは指摘しています。この「開かれた特性」と名付けられた都市の質が、4つの建物とそれに対応する外部空間から紹介されています。様々な要素が街路にあふれだし、一列に並んだ街路樹と街灯が全体の連続性を生み出す東京。そこにフランスの新しい都市の質を計画するための可能性が見いだされます。

境界／関係

このように、東京の都市空間において私的な行為が敷地をこえ街路へとはみ出している現象を、長坂常は「曖昧な境界」としてとらえ、むしろそれと同じような質の空間をパリの中に探し求めました。そこで彼が発見したのは、"郊外"とパリを隔てる環状高速道路（ペリフェリック）周辺にみられる遺棄された空間でした。そこはパリの内と外の異なる計画理念が衝突した結果生み出されてしまった、意図せざる状況の集積といえる場所です。さらに長坂は、その非計画的に生み出されている曖昧な境界へと介入するために"関係しない関係"の構築を提案しています。それは予定調和的な全体計画によって個々の要素を関係づけるでのはなく、それぞれの場所の自由な振る舞いを最大限許容するよう、お互いがあらかじめ関係づけられないような境界の設定です。隣接する要素に強いコントラストを与えることによって、その隣接のための根拠があいまいなままコンフリクトをつくり出し、それが結果的に生き生きとした都市の空気を生み出すことが目論まれています。また展示されている模型の台座は、日本の典型的な単身者用アパートにあった日用品が用いられています。なんの脈略もなく唐突にもちこまれたこれらのオブジェが、パリの都市的な状況を支える

nées de manière non intentionnelle, Nagasaka propose de concevoir une « Relation sans relation ». Il s'agit de l'établissement de frontières par lesquelles l'un ne puisse pas se lier à l'autre, pour que chacun tolère l'aménagement libre de l'autre, au lieu de lier préalablement chaque élément par un plan général d'harmonie établie. Par conséquent, Nagasaka considère que ce contraste fort né aux frontières des espaces contigus, créera une tension positive et générera une ambiance urbaine animée. Nous pouvons également noter que l'architecte utilise pour les socles de sa maquette les produits du quotidien qu'on peut trouver dans l'appartement typique du célibataire japonais. Ces objets introduits soudainement, sans aucun contexte, soutiennent la situation urbaine parisienne proposée : un autre exemple de « Relation sans relation ».

Par leur projet de taille et de budget modestes comme la cuisine ou la salle de bain de la maison d'un particulier, *Est-ce ainsi* (Xavier Wrona) approche des problèmes divers, de nature sociologique, politique et philosophique, du point de vue architectural. La recherche de l'humanité dans un large contexte mène leur action vers la pratique politique et littéraire qui ne se limite pas au domaine purement bâti. Dans cette exposition, ils examinent l'arrière-plan de l'architecture du Japon contemporain en se référant à des phénomènes plus globaux, qui sont inhérents à la société japonaise, comme la présence des Etats-Unis au Japon, les vêtements japonais inspirés des occidentaux, ou l'accident de Fukushima. Ils en font émerger une forme qui sert de « matrice » de l'architecture. Leur réflexion, décomposant les divers aspects de l'architecture japonaise contemporaine, nous propose de penser Tokyo sous une autre interprétation.

Unité / Multiplicité

S'appuyant sur une notion de « KIME » (littéralement *la raison de la peau*) *TNA* (Makoto Takei, Chie Nabeshima) démontre que la ville est organisée comme une « entité » constituée uniformément de plusieurs grains et ne peut pas être divisée par les usages ou les quartiers. Leur démarche est de considérer la ville comme une continuité qui partage une « raison », en substituant le cadre cognitif de Macro/Micro par le cadre fractal qu'est « KIME ». Sur la maquette de la ville qui nous fait découvrir ce « KIME » apparaît une structure immense à carreaux qui lient des scènes différentes de la ville et qui rend ainsi visible le potentiel de ce lieu. *TNA* considère l'architecture comme ce qui révèle, à travers sa forme, ce « KIME » qui tisse la ville.

De l'autre côté, Thomas Raynaud (Building-Building) attire l'attention sur l'espace vacant né fortuitement en marge de l'immeuble alors que les villes sont de plus en plus homogénéisées par le fonctionnement et l'usage. Il découvre ainsi des espaces vides qui ont des fonctions différentes entre Paris et Tokyo. L'une est construite plutôt de manière homogène et l'autre est constituée d'immeubles divers. Il montre que ces lieux sont ouverts à divers usages de la ville. Il lit la spécificité physique d'un espace vacant créé fortuitement en en éliminant d'autres au hasard, au lieu de dessiner un espace par un plan rationnel. Il démontre ainsi que la diversité des actions est le gage de l'existence d'un espace.

Forme / Liberté

On peut dire que les immeubles haussmanniens, qui créent un paysage urbain harmonieux au centre de Paris, sont une construction claire sur le plan de la forme, et homogène dans un sens. Cependant, les Parisiens contemporains les utilisent comme résidence, bureau, ou boutique et une multiplicité étonnante de fonctionnements est produite. Alors que l'urbanisme moderne échoue dans son objectif d'atteindre la variété, les appartements parisiens montrent l'initiative des personnes qui y habitent et qui en profitent malgré la contrainte formelle. Intéressé par ce point, Nakamura mène sa réflexion sur la diversité de la forme et de l'action nées par l'adoption de règles strictes. Sa proposition de renouvellement d'un appartement parisien composé de dessins et sous un maquette désigne librement la forme spatiale et les possibilités produites par la contrainte. Sa réflexion sur la forme haussmannienne nous montre le dynamisme de la ville d'un autre angle.

という、「関係しない関係」の一例が示されています。Est-ce ainsi（グザヴィエ・ロナ、メレディ・ブラック）は、個人宅のキッチンや浴室といった家具に近く低予算な小さなスケールのプロジェクトを通じ、建築から社会学的、政治的、哲学的諸問題へとアプローチしています。それら幅広い文脈からの人間性への探求が、彼らの実践を建築的コンセプトにとどまらない、政治的、文学的実践へと導いています。今回の展示において、現代の日本建築の背景を、日本におけるアメリカの存在、洋服の採用、福島の問題など、日本社会に内在するグローバルな現象との関連から検討しています。その中から見いだされた建築の"雛形"となる形態についての考察は、現代の日本建築の多様な側面を解きほぐし、我々に東京を異なった解釈において思考することを提案しています。

単一性／複数性

TNA（武井誠、鍋島千恵）は、"きめ"（「きめ細やか」の"きめ"）という概念によって、都市が様々な用途やエリアによって分割可能なものではなく、数多くの粒によって一様に構成されている"全体"として組織されていることを示します。それはマクロ／ミクロといった認識のフレームを「肌理」というフラクタルなフレームに置き換えることで、都市をスケールレスなある「理=rules」を共有した連続体と捉えることでもあります。その肌理が表現された都市模型の上には都市の異なる場面を結ぶ巨大な格子状の構築物が構想されその場のもつポテンシャルを可視化しています。彼らにとって建築とはまさにそうした都市のおりなす肌理を、ある形式性のもとに顕在していくものとして考えられます。

一方で、BuildingBuilding（トマ・レイノー）は、都市が機能や用途によって均質化されていくなかで建築物の余白として偶然的に生み出される空地に注目します。そして比較的一様な作られ方をしているパリと、ばらばらな構築物によって構成されている東京という2つの都市で異なる特徴を持った空地を発見し、その場所が都市の様々な用途に開かれていることを提示します。合理的なプログラムによって空間を計画するのではなく、偶然的につくられた空地の物理的な特徴を読みとり、その他の偶発性を取り除くことで、行為の多様性が空間内に担保されることを示しています。

形式／自由

パリ中心部の調和のとれた街並を生み出しているオスマン時代の建築物は、形式的には明快で均質な構築物だということができるでしょう。しかしながら、現在のパリジャンたちは、そこを住居やオフィス、ショップとして使用し、機能面で驚くべき多様性が生み出されています。時に近代的な都市計画が多様性を目指しつつも失敗してきているのとは対照的に、パリのアパルトメントにはある種の形式的不自由さの中にその場所を使いこなす人間の主体的な姿を見いだすことができます。そのことに注目した中村竜治は、厳格なルールの適応によって生まれるカタチと行為の多様性について考察をおこないました。ドローイングと模型によって示されているパリのアパートの改築の提案は、そうしたあるルールによって生み出される空間形式と、その可能性を自由に描き出したものです。彼のオスマニアンの形態に関する考察は、私たちに都市のダイナミズムを異なる角度から提示しています。

La Ville Rayée（ダヴィッド・アフェセックス、バンジャマン・ラフォール、セバスチャン・マルティネス・バラ）の制作した「リニアメント」は、都市空間を構成する様々な物（家、車、ゴミ箱、傘など）と区別なしに、3次元的にその特徴を辿りながら東京固有の形式の不在を強調しています。3Dプリンターを用いて制作された模型は、ある方向からは子どものいたずら描きのような曲線のように、また別の角度からは平行する複数の直線に見えるような、厳格な幾何学性と自由さを併せ持った複

Presque en homothétie avec l'idée d'une forme contrainte et prédéfinie, les « Linéaments » de La Ville Rayée (David Apheiceix, Benjamin Lafore, Sébastien Martinez Barat) soulignent l'absence de formes spécifique à Tokyo, en détournant par un trait en 3 dimensions, les objets qui composent l'espace urbain sans en distinguer les échelles (maisons, voitures, poubelles, parapluie…). Créée avec une imprimante 3D, la maquette reprend les contours d'objets qui possèdent plusieurs aspects à la fois libres et strictement géométriques : elle peut être vue d'un certain angle comme des gribouillages d'enfants, et d'un autre comme des lignes droites convergentes. Cette forme n'a pas de fonctionnalité particulière, elle est conçue de manière purement autonome, et peut-être immergée dans la ville dans toutes les situations, provoquant des usages spontanés, et influençant les phénomènes qui les entourent. Différents objets pourraient ainsi s'y adapter et l'utiliser de manière spontanée, que ce soit dans les situations de Tokyo et de Paris. La Ville Rayée nous font apercevoir le rôle de la forme, élément fondamental, dans la ville contemporaine à laquelle la relation ou l'autonomie s'imposent. Ils attirent aussi notre attention sur le jeu de façonnage réciproque qu'entretiennent la forme et les hommes.

Mémoire / Matière

À la différence de Paris, Tokyo est dans un cycle permanent de destruction et de renouvellement. Comment cette ville pourrait-elle donc véhiculer la mémoire de ses habitants ? RAUM tente de répondre à cette question en réfléchissant sur la matière et son recyclage, et la possibilité de lui attribuer une nouvelle esthétique. Ce qu'ils proposent, en choisissant Yanaka comme lieu d'expérimentation, est de recycler les déchets de bâtiments détruits et de les utiliser pour d'autres bâtiments à construire dans ce quartier. En transformant les matériaux inutilisés pour construire de nouveaux bâtiments, ils proposent un processus d'écosystème de la ville. Faisant face à un souci environnemental de plus en plus fort, ils indiquent un nouveau domaine de l'architecture qui assure le métabolisme de la ville au niveau matériel, tout en respectant l'originalité et l'histoire du quartier.

En considérant que l'aspect agréable de la ville résulte de mémoires empilées en couches épaisses, Nagayama propose une série d'objets qui représentent les matériaux spécifiques du Tokyo contemporain, comme le carrelage, le béton, ou la mosaïque. Sa démarche ne consiste pas simplement à s'intéresser aux aspects matériels ou fonctionnels de chaque matériau, mais tente aussi de faire émerger la mémoire ou l'image qu'elles contiennent et de renouveler ainsi le sens de l'architecture dans la ville. Par la succession des mémoires à travers les matériaux, elle vise à susciter l'attachement des habitants dans des villes qui se renouvellent sans cesse en créant un lien mental entre la ville et les hommes.

« Je crois comprendre que « l'urbanisme », ne consiste non pas à ce que le concepteur ajoute son invention à la ville, mais consiste plutôt en un travail de suivi de la « nature » inhérente à la ville et d'aider cette « nature » à circuler sans contradiction », disait Hideaki Ishikawa, premier urbaniste japonais. Les douze propositions faites par les architectes de ce projet n'ont pas pour objectif de dessiner la figure idéale de la ville ou de rechercher un aménagement concret qui pourrait se traduire dans une réglementation. La démarche est de dessiner de plusieurs points de vue quelque chose d'inhérent à la ville que Ishikawa appelle la « nature ». Cette posture est liée à l'idée de rendre conscient, comme nous l'avons déjà indiqué en haut, « l'ordre spontané, c'est à dire l'ordre né du résultat de l'action d'un grand nombre d'hommes et non d'un plan prédéterminé », de le partager, et en conséquence d'inviter les habitants à clarifier le sens de l'espace caché dans la vie quotidienne. Au-delà de cette démarche, on voit la figure de la ville comme lieu de pratique, dans lequel chaque habitant considère l'espace urbain comme l'aboutissement de son imagination. À ce moment là, ne peut-on pas situer l'architecte comme un être qui rétablit, par la pensée architecturale, l'accès à la ville ?

数の側面を持つものです。それは特定の機能を与えられず、純粋に自立的なカタチとして構想され、それゆえあらゆるケースにおいて都市に入り込み、自発的な使われ方を誘発し、それを取囲む事象に干渉していきます。東京とパリ、この異なる状況において適応し、機能する可能性をもったオブジェとして検討されています。関係性や自律性が重視されがちな現代の都市において、形と人間の相互干渉の効果に注目することで、形というもっとも根源的な要素が果たす役割の豊かな可能性に気づかせてくれます。

記憶／物質

破壊と再生が繰り返される東京において、人々の記憶を宿す装置としての都市はどのようにその役割を担っていくことができるのでしょうか。RAUMは素材とその再利用、またそこに新しい美学をつくり出す可能性を追求することでひとつの解をあたえようと試みます。東京の谷中を舞台に彼らが提案しているのは、解体された建物の廃材をリサイクルし、その地域内に建設される建築物に流通させていくというものです。建築廃材を新しい建物を建設するためのエレメントとして変換し、都市のエコシステムとして提示しています。今後も求められるであろう環境への配慮に向き合いつつ、その界隈の固有性と物語を継承する、都市の新陳代謝をマテリアルベースで実装する建築の新しい領域を指し示しています。

また永山は、都市の心地よさは重層的に積み重なった記憶によって生み出されているとの認識に立ち、タイル張りやコンクリート、モザイクといった現代の東京に特徴的な物質性を継承する一連のオブジェを提案しています。それは単にマテリアルが持つ物質的、性能的な側面に注目するのではなく、マテリアルによって内包されていく記憶やイメージを浮かび上がらせ、都市における建築の持つ意味を更新を試みるものです。素材を通じた記憶の継承によって、更新されつづける都市に対する人々の愛着を生み出し、都市と人の間の精神的なつながりを生み出すことを目指しています。

「『都市計画』は『計画者が都市に創意を加えるべきものではなくして』、それは都市に内在する『自然』に従い、その『自然』が矛盾なく流れ得るよう、手を貸す仕事である——という理解である」[*1]とは、日本の都市計画家石川栄耀の言葉です。本書で示されされている建築家による12の提案は、理想的な都市の姿を描き出したり、有効な法整備のありかたを具体的に模索するというようなものではなく、ここで石川が「自然」という言葉で表している都市に内在する何ものかを複数の視点から描き出すものです。それは先に述べたように、人間の行為の結果であるが設計の結果とはいえない秩序としての「自生的秩序」を意識化し、共有することによって、人々がその日常生活のうちに潜む空間の意味を明確化することへとつながっていきます。その先にあるのは、そこに暮らす一人ひとりが都市空間を自らの想像力の向かう先としてとらえる、実践の場としての都市の姿ではないでしょうか。その時、建築家とは都市へのアクセスを可能ならしめる回路を、建築的思考でもって開く、そのような存在として位置づけることができるのです。

[*1] ここではハイエクのとなえた自生的秩序という概念を新自由主義的立場を擁護するものとしてではなく、むしろ決して合理的でも理性的でもないばらばらの個人が自由に生きることの出来る社会がいかに成り立つのかを考えるための社会理論としてとらえている。興味深いのはハイエクはこの秩序を形成する人々のふるまいのルールが持つ「一般的かつ普遍」であるという性質に着目していることにある。このようにある特定の目的や機能を意図することよりも、そうした価値判断から一歩引いたところで可能になる空間のつくり方への志向は今回の参加建築家の中にも見て取れる。
引用：石川栄耀『新訂都市計画及び国土計画』序文、産業図書（1954年）

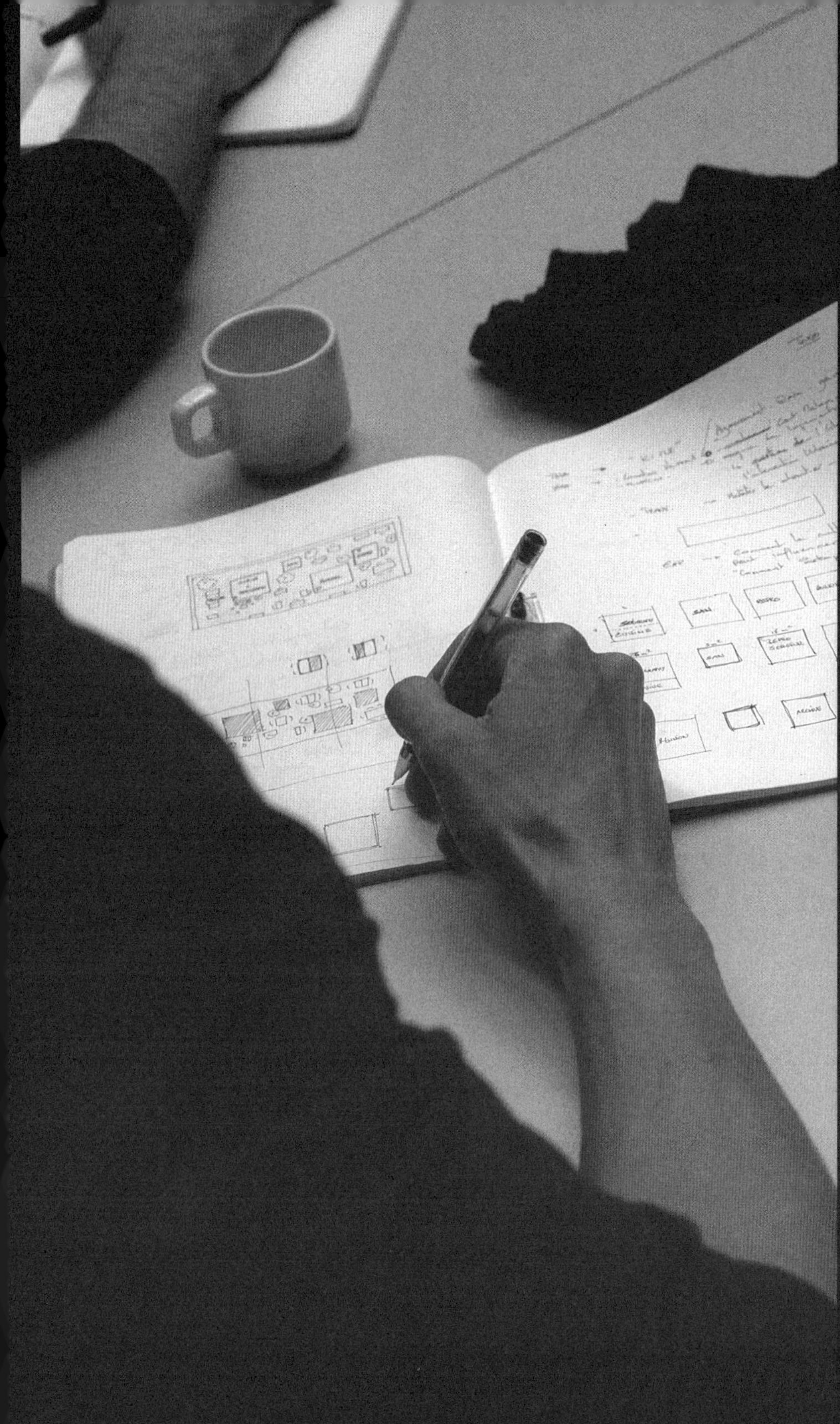

Discussion and Essays

01

パリと東京：都市、建築、公共空間をめぐる対話
Paris, Tokyo : dialogue sur les nouveaux enjeux de l'urbanité, de l'espace public et de l'architecture

ジャメル・クルーシュ＋塚本由晴
Djamel Klouche + Yoshiharu Tsukamoto

パブリックスペースの原則、建築家の役割、メトロポール。建築と都市計画をまたいで活躍するジャメル・クルーシュ（l'AUC）と塚本由晴（アトリエ・ワン）との対話は、パリと東京という大都市における議論の外形を浮かび上がらせ、お互いに異なる見解をもちつつも「共有」という論点が浮かび上がる。それは各自の語彙によって定義されており、ジャメル・クルーシュにとって「公共から共有へ」というテーマは、我々がいだくパブリックスペースの再定義の必要性を警告する。一方で、塚本氏は「コモナリティ（共有性）」というテーマによって、建築の実践が個人的な表現の世界になってしまったなかで、より一般性を持った建築の意味を（再）構築させる必要性を示す。今日の都市と建築の実践にどのようなヴィジョンをみいだすことができるのだろうか。

K 60〜70年代を通してパリでは「都市再生」とよばれる政策が存在していました。それは複数の住区を破壊し現代的な高層ビルを建設するという計画です。パリの13区から始まったのですが、とても多くの人々による歴史遺産の保存運動によってそれらは中止においこまれました。それがパリを横切るように断片的に近代建築が存在している理由です。政策というものが都市の異なるエリアをどのように変えたのかを知るためにそれらの関係性を学ぶ事は大変興味深いと思っています。

T 私の主な関心は都市化のプロセスです。東京の場合60〜70年代というのは郊外が拡張していく時代です。民間の鉄道会社が多くの衛星都市を、新しく引かれた沿線沿いに建設し、それは都心を中心としてまるで手のひらのように外に向かって広がっていきました。地方から東京にやってきた多くの人々はこれらの東京の中心から60〜100km離れたあたりに建設された小さな郊外都市に移り住みました。そうした新しい住人達はその地域の歴史を知る由もなかったし、もしくは興味があまりなかったので、結果的にこの都市化のプロセスによって小さな都市の歴史性は消去されていった。そこを完全にまっさらな土地だとみなす事で、いかなるアイデンティティからも自由であるという感覚で住みはじめる事ができた。これらの都市は90年代までは時間や歴史感覚を持つこと無しに成長してきました。その結果生みだされたのは非場所というべき空間です。

K それはたとえばどんな都市にあたりますか？

T たとえば、わたしたちが現在関わっている北本という街があります。私たちはここの駅前広場の再整備をおこなっています。この街の人口の大部分

は60〜70年代に新しく引っ越してきた人々です。これらのニューカマーは日本の人口の大部分を占めるベビーブーマー世代にあたります。ちょうど現在この世代は定年を迎え、会社を辞めていきます。結果、彼らの所得が減るので、街は急速に税収を失うことになります。

K それは問題ですね。

T そう。市長は街の持続性を心配しています。街は、異なる世代、人口グループ、そしてコミュニティがばらばらな状態でした。そこにもともと住んでいた農家のコミュニティがあったにもかかわらず、外部からの移住者達はそこに別の新しいコミュニティをつくってきました。東京都心へ通勤する事ができたので、極端な話、この2つのグループは40年間互いに関わりをもたなくても暮らしてこれた。しかし、定年退職した今、彼らはこれまで以上にこの街で時間を過ごす事になります。そこで市長は市民が集まり、出会うための場所をつくりたいと思っていました。そして駅前広場をそのための場所として考えたのです。

K 交通のハブの隣にあるからですか?

T そうです。駅は街の中で最も活用されている場所でした。私は駅の役割というのは昔と大きく異なってきていると思います。以前であれば駅は人々を郊外都市から都心に向けて送り込むポンプのような施設でしたが、これからは地域住民が出会う場所になりうると思います。そこで私たちは駅前広場の車のための割合を圧縮し、代わりにカフェやマーケットのためのオープンスペースをつくりだしました。また、異なるグループの人々を招いてワークショップを行ない、この新しいパブリックスペースにおいて実際に実践できる人材を発掘していきました。

ヨーロッパと日本のパブリックスペース
--

K 日本ではパブリックスペースというものが、このように新しく議論されはじめているのですか?

T はい。重要になりつつあります。

K それはどうしてですか? パブリックスペースはヨーロッパではずっと重要なトピックでした。パリにいる私たちは、おそらく建築について十分語ってこなかったのに、パブリックスペースについては話しすぎたように思います。

T [笑]。

K 私は日本の建築家が語ってきた建築についての多くのことに大変感銘を受けてきました。けれど現在日本において興味の重心が建築からパブリックスペースへとシフトしているように感じています。そして建築より人間についてますます語られる傾向にあるように思います。フランス人建築家達が東京を訪れると、まったくこんな感じです「ワオ!」っと。なんて素晴らしい都市だろうと。私たちはおそらくその

北本駅西口駅前広場　Place de la gare Kitamoto-Nishiguchi ©Atelier Bow-Wow

無秩序さ、もしくは建築物の純粋な過密ということに魅力を感じています。また、日本人の建築家がパリ来ると、彼らはパブリックスペースの持つ均質性、連続性、秩序性に魅了されますね。2009年に私たちはサン・ドニに近いパリ北部の郊外エリアを対象としたコンペティションに参加しました。私はこのエリアは20〜30年後には潜在的に小さな東京のようになれるかもしれないと感じています。それはその無秩序さという点においてでした。高層ビル、小さな住居、パブリックではない空間、様々なインフラストラクチャー、などなど。

T おそらくそうですね。だけど私たちは伝統的なパブリックスペースというものを、日本の街も持っているということに意識を向けないといけません。それらはヨーロッパとは異なるものかもしれませんが。ヨーロッパの広場が教会や市役所に面してつくられ空間として日常的に規定されているのに対して、日本のパブリックスペースは空間的には緩い領域感覚しかなく、よりタイミングに依存するもので、時間(契機)の共有という側面が強いのです。例えば神社が祭りの時間、参道は普段とはまったく異なる様相を呈し、仮設のランタンや夜店によって祭りの雰囲気が演出されます。人々は、お菓子を買ったり、おしゃべりをしながら、その雰囲気を楽しみにやってきます。空間というよりもむしろその時間を共有することで、人々はコミュニティの一員になっていきます。他にも、江戸時代には橋がかりという場所がありました。当時の橋は木製でしたから火事の火が燃え移らないように、橋の周りにはオープンスペースが設けられていました。結果それが人の集まる場所になり、芝居小屋のようなものもそこに立ちました。また通りというものも、自動車の登場以前は、交通だけでなく商売なども展開するパブリックスペースでした。私はこの他者との時間の共有という感覚は今日の東京にも息づいていると考えています。

K それは激しい近代化という状況にあってもですか?

T 特に自然とも時間を共有する感覚は非常に興味深い。例えば花見というものがあります。桜が咲く時期に人々は木の下に集まり花を愛でます。人々は都市の至る所で木のそばに集まり飲んだり食べたりして楽しんでいます。そのときばかりは人々はとても開放的で、知らない人であってもその集まりに招かれるようなことも起こり得ます。これは日本の都市のもっとも気持ちのいい瞬間ではないでしょうか。

K それはある種の自然へ讃歌のようなものですね。

T はい。そこには桜の花という自然の持つ振る舞いと人間の振る舞いとの共振があります。これが日本のパブリックスペースの重要な原理なのではないかという仮説を私は持っています。しかしながら第二次大戦後、新たに民主主義が推進されていく中で、建築家はヨーロッパの広場のタイポロジーを日本に導入しようとしてきました。こうした空間は市民広場と名付けられましたが、カフェもショップもなく、そこには街路レベルの刺激が欠如していた。

K それは本当の広場ではないですね。

T いまだにそのような広場をいたるところで目にする事ができます。それは市役所の前にオープンスペースをつくりさえすれば、そこは人が集う場所に

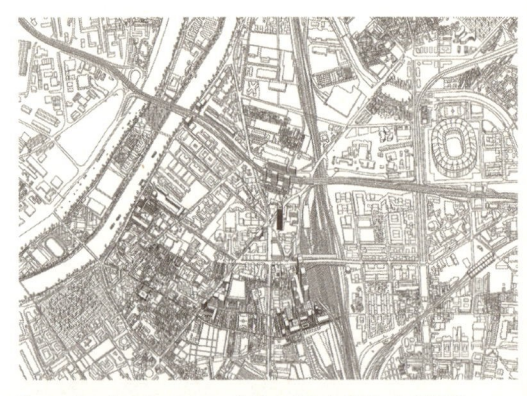

Future gare du métro express du Grand Paris, St.Denis ©l'AUC

Djamel Klouche + Yoshiharu Tsukamoto

防火帯に囲まれた東京の戸建住宅地 Un quartier des maisons individuelles entourés par une bande coupe-feu
©Atelier Bow-Wow

なるだろうと信じられてきたからです。けれど実際には何もおこらない。むしろ人々は横丁や商店街に行くことを好んだんですね。ヨーロッパ風の広場は日本社会の中には本当の意味で移植できなかった。第二次大戦後の日本は戦争による破壊から、社会を復興するという非常に強いモチベーションを持っていました。建物を建てる事は復興をドライブさせるエンジンです。政府は人々が自分自身の資産をもち、家を建てる事を推奨していました。そこで人々が低い金利でローンを組めるようにして、住宅を建てるインセンティブをつくりだしていきました。戦後の政府の建築政策というのは最初は面積制限などがありましたが、基本的にはリベラルなものだったんです。建築規制を最小限に設定することで、ビルを自分達で建設する事を推奨し、それによってすばやく戦争からの復興を目論みました。結果、今では東京の土地は180万人もの個人オーナーによって所有されるに至りました。このような民間による土地所有の状況において、巨大な都市開発はやりにくくなっています。

K だけど、私は東京はとてもフレキシブルだと感じていますよ。

T それは、おそらく東京では継続的に建物が更新されているからだと思います。それは一種の都市開発の戦略と見ることができます。建築の規制基準は日本のどこかで大きな災害がおこる度に引き上げられてきました。それによって古い建物は新しい基準を満たさなくなり、このことがビルオーナーに対して建替えのインセンティブになるのです。

一方で、建物の価値というものが20年でほぼゼロにまで下落するのにたいし、土地の価格はますます高く上昇するという事実によっても建替えは促されます。土地の方が建物よりも高価になるからです。たとえば1974年に導入されたゾーニング規制は商業エリア、居住エリア、などなどを定義していくまさに典型的な近代的都市計画です。東京ではこれが、安全な避難道路をつくり出すという防災的な配慮によって決定されています。主要道路沿いが商業ゾーンに指定され、防火性能を持たせるという条件のもと、高い容積率が与えられました。このような主要な通り沿いの絶え間ない建物の建替えは高密度に建設された防火建物によって構成される防火帯をつくり出していった。そしてその背後に容積率の低い2、3階建ての住宅地が形成されています。

K 通常ヨーロッパではそのような都市組織の改編は受け入れられません。なので私たちからすると、東京は何でも受け入れ、どのような建築物も取り込んでいくように思えるのかもしれません。

意図された秩序のない都市、東京

--

T 私からすると、日本の個人的な建築物は外国人、特にヨーロッパの人々から、よく見られすぎているように思いますね。

K 過剰に？［笑］

T そう思います［笑］。

K なぜそうなると？

T その理由は主に大工とその建設の文化があるからだと思います。私たちはとても長い木造の歴史を持っていますし、いまだに木造については、優れた大工と手の届く価格で仕事できます。その文化的精神は巨大な建設会社にも受け継がれ、それによって日本の建設レベルは非常に高く維持されています。各職人が自分の仕事の質によって満足を得ることに重きを置く文化です。それは権利の保護を主張する組合に守られた労働者という考えとはまったく異なるものです。建設現場はプロジェクトに参加している各個人の仕事が反映されると考えられています。この精神の共有による個人の集まりというのは良い建築をつくるのに非常に有用なのです。彼らはとても良い仕事をします。もう一つの理由としては、人々が自分の住宅を持てるように進めてきた日本政府の政策があったために、家をデザインする多くの機会が建築家に提供されてきたことがあげられます。若い建築家であってもそのキャリアの始まりを小さな住宅の設計から始める事ができます。住宅設計は日本の建築家にとってインキュベーターとしての役割を果たしました。つまり概念的な次元と実践的スキルの両方を実際に建てる事を通じて発展させることができました。これは日本の建築文化を考える上で非常に大事な観点だと思っています。

K フランスでは正反対の状態があります。建築家が住宅をつくるのに建築家は必要とされていません。つまり建築家にはデザインする住宅が無いのです。そしてそのことが若い建築家がキャリアを始めるのを難しくしています。

T 日本とフランスの違いがここにありますね。日本人建築家が関わっている小スケールの民間の仕事では、クライアントやプロジェクトに関わるプレーヤーを納得させる事が比較的容易です。また職人の技術とレベルが非常に高いので、建築家は限られた予算であってもとても興味深い試みができます。建築家は特に積極的な建設の時代であった過去50年間に多くの実験をおこなう事ができた。この時期は日本の現代建築の質を高めるのに非常に有意義だったと思います。しかしながら、我々はそうした個々の建物の質を評価しているとはいえ、集合的に考えてみた時に、そこには何も言うべき事柄を持っていません。集合的に見た時の評価が非常に難しい。

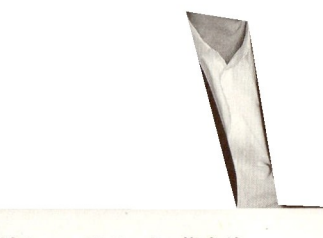

K 単に密集しているだけということですか。

T そうです。意図された秩序の無い密集。だれも現在の都市の状況を言い表す他の言葉を持っていません。日本人は常に「都市には秩序が無く」そして「通りはちっとも美しくない（愛らしくかわいらしいパリの街路風景とはちがって）」と苦言を呈します。彼らは自分が住んでいる場所について自信も誇りも持ち合わせていません。たとえ東京での生活を楽しんでいたとしても、そこには何かが足りないと

Djamel Klouche + Yoshiharu Tsukamoto

感じています。私が思うにそこで失われているのは「共有性（コモナリティ）」と言うべき感覚だと思います。都市空間について言えば、それは建物のある形式が反復されることで生みだされるものです。近代以前、日本も連続する町家によってつくられる美しい街路景観が存在していました。京都や金沢に行くと、そのような街路景観と町家が連なる風景を今でも目にする事ができます。そしてかつては人々は自分の住んでいる建物がどのようにできているのかを知っていました。それは人間の存在にとってとても重要な誇りと自信を与えてくれます。しかしながら今日、ほとんどの人はそんな事をまったく知らないという状況に生きています。

共有性とこれからのパブリックスペース

--

K 建築家としてこの状況を変えたいと思いますか？

T そうですね。私は都市や建物のデザインを通してこの共有性の領域をもう一度つくりだしたいと思っています。我々が有しているもののうちで建築は、人々の間に共有と連帯の感覚をつくりだすのにもっとも有効な手段であると信じています。もしかしたら建築家はこうした建物に対する人々の一般的知識の欠如を利用して、現在の無秩序な状況を自由として楽しんでしまっているのかもしれません。いつの日か人々はこれらの建築家たちに非難の目を向けるのではないかと思います。多くの建物が過去50年間で建設されましたが、この共有性の実現のための実践としての建築は、かなりの割合で市場にむけて商品を提供するという行為に変質してしまった。

かつて町家の連なりによって形成されていた街路景観は産業によるものではありませんでした。家を建てる事は産業的な行為だと見なされてはおらず、それは生活と文化の一部と見なされていました。近代化と、資本主義の拡大は、この文化的営為を、国のGDPを上昇させるための産業的な実践へと変化させました。これは世界中で起きていることですね。収入が増え人々は豊かになる。しかし彼らは自分の手と頭で自分たちの居場所をつくるための知識も自立性も失ってしまった。これがパブリックスペースの質が低下した原因ではないでしょうか。パブリックスペースは商業空間によって飲み込まれています。今や人々は擬似的なパブリックスペースである商業空間で多くの時間を過ごしています。これはまた空間の均質化の過程の結果であると感じています。空間はますます秩序づけられ、決して起らない出来事と、決してやってこない未来にむけて備えるようになってきている。

K つまりイベントスペースのようですね。

T こういうイベントの多様性というのは常に予想の範囲内です。それは想定内の振る舞いしか生みだしません。このことは日本のパブリックスペースに深刻なダメージを与えていると思います。私は建築家の実践の焦点をパブリックスペースに戻し、人々が再び空間に参加しはじめるように促すことに興味があります。共有性の感覚はパブリックスペースを維持するのにとても重要です。それは個人とマーケットの間にある種のバッファーを提供する中間領域となります。市場は何ひとつ身につけずにいる我々に向かって今すぐにでも砲撃を始めるかのようです。なので、私たちはこの中間領域

を再び創造しなければなりません。

K そこで言われているパブリックスペースは、本当の意味では個人によって生みだされている空間ですね。

T そうです。

K それはヨーロッパでも同じですよ。自治体はそのようなパブリックスペースをつくろうとしません。なので人々は再びそのような共有性の感覚を自身の手でつくりだそうとしています。私たちはボルドーで、ボルドー5万住戸というプロジェクトを計画しました。この仕事と同時期に私たちは、この「共有」へ向かうために必要なすべての思想を持って、パブリック分野から抜け出そうと提案しました。今日、私たちの日常にみられるものは、特別パブリックのみから構成されてはおらず、パブリックなものと個人的な意思と多くの他のものとから構成された雑種です。

もしこの共有を、コミュニティの土台を築き、全体像を再確認させるものととらえるならば、それは居住都市の条件を明快にするための興味深い分野になるはずです。経済危機で公共出資が稀なこの時期では、その反応として再開発計画の中でのパブリックスペースを縮小へと、我々の仕事に限って正確に言えば、努力は主に住宅へと向けられるでしょう。私たちが多くの建築家たちと良い住宅とは大きく広い住宅だという意見を共有しても、良い住宅とは都市のパブリックスペースの関係によって自然と高められた住宅であるように私たちには思え、それは大都市圏の空間全体と繋がり共に機能するのです。住まわれる大都市圏をつくることは、大きなスケールでの関係の繋がりの中に住宅を考えることであり、住宅を私たちが都市や大都市圏に提供するサービスや設備の主要な入り口とさせることです。

主要な問題はつまり：どのように差異を、中和でも消去するのでもなく、それと共に共有をつくるのか。私たちの知っている計画手法は、今日この問いには答えることが不可能なのです

T そういえば、パリでは非常に多くのイベントが街中でおこなわれていますね。たとえば「Nuit Blanche」「Paris Plages」や「Fête de la Musique」。

K それに「Voies sur berge」もありますね。セーヌ川沿いをオルセー美術館から3、4kmに渡って交通をとめてフェアをおこなうのです。これらのイベントはとても人気で、それを観るために多くの人がパリを訪れます。イベントによって管理されているので、私からすればそれらはパブリックスペースを担ってはいません。パブリックスペースとはより自由をともなっているものですよね。それはあなたが避けようとしているものであり、同時に、これらはプロモーションイベントの一種でしかありません。それは大きなショッピングセンターのようなものです。ヨーロッパ人はパブリックスペースが大好きで、そしてたくさんつくってきました。けれどそうした空間は今では単なる商業空間に変化してしまい、日本と同じように失われてしまっています。あなたが何か飲みたいなら、カフェに行かなければならず、そしてもしビールを飲むために腰を下ろしたならば、あなたは6〜7ユーロを支払わなければならないのです。

T 日本では、そのようなヨーロッパの建築家が直面してきた問題を今まさに理解しようとしているところだと思います。20世紀を通じて莫大な数の建物の建設によって、ほとんどの必要とされる公共施設が各自治体に建設されました。残っているのはその中間の空間だけです。建物がすべて建てられていながらも、そこにはお互いに何の関係もない。建物の間の空地と通りの次元における組織化の欠如が存在しています。ヨーロッパの建築家は、この問題に広範囲にわたる住宅建設が終わった80年代に直面していたように思います。

Djamel Klouche＋Yoshiharu Tsukamoto

K はい。60〜70年代の近代的都市開発の後、そうした空地をどのようにデザインするのかということはたくさん議論されました。それは我々の世代にとって非常に大きな課題になりましたね。明確な境界を定義することだけが関心のクラシックな方策が実施されていたのです。それに対して東京には解放へと向かう感覚がある。我々ヨーロッパの建築家が東京に惹かれる理由はそこにあります。おそらく東京にとっては、逆に問題ととらえられているのかもしれませんが。

T そうですね。この自由さということは外国の建築家からは高く評価されていますね。でも一方で一般の日本人にはそうではありません。日本人建築家は世界でかなり有名だけれど、日本の人々は建築家が試みようとしていることに対してあまり注意を払っていません。この分裂はかなり激しく、例えば伊東豊雄さんのような建築家はこのことに非常に悩んできました。彼は国外では高く評価されているけれども、ここ数年日本ではひとつも大きな仕事をしていません。彼は常に日本の建築には未来が無いというふうにぼやいている。しかしながら、津波の後で彼はその言説を完全に変えてしまいましたが。

経済危機、震災を経て
--

K 津波は何か新たな始まりを記すような、ある種の断絶を生みだしたと思いますか?
T いいえ、それは単に1992年のバブル経済の崩壊以降ずっと続いてきた変化のプロセスを加速させただけではないかと思いますね。
K 我々は日本のそのような経験から学ぶことは多いと思います。今我々は自身の崩壊に直面しています。つまりヨーロッパでは経済危機が今まさに始まったところであり、この問題は我々にとっては新しいものなのです。

T そうですね。新しい出発点としてポストバブル的状況は非常に重要だと思います。
K 『アトリエ・ワン・フロム・ポスト・バブル・シティ』であなたが記しているように、バブル以降の日本の建築家はとても小さなものを建てる事にシフトしましたね。おそらくギリシャのような国は、その危機によって建築家が新しい種類の建築を発明するための実験場となるのではないでしょうか。そこで興味があるのは、建築家がどのように人々にとって魅力的で開かれたものを建てることができるかです。今や資本によって建築は生みだされないのですから。私は先ほどまでフランスの住宅についての打ち合わせをしていたのですが、そこでも今や住宅は国民の大部分にとって非常に高価なものになっていることが話題になりました。特にパリやボルドーやリヨンやリール、マルセイユなどの大都市では。家を持つ事はとても困難なのです。たとえば平均的なパリジャンは90年代には80㎡のアパートを手に入れる事ができたが、今では30㎡になってしまっている。

T 本当に? 30㎡! 東京みたいだね。
K たった20年で。これは問題ですよね。土地と建設費の高騰が原因です。なので、たとえばボルドーでも、市長はどのように都市を建設し、そして人々が家を持つための手段を手に入れるかという課題についての政策を打ちだしています。

T なるほど。60〜70年代の単なる住宅不足から、現在では住宅問題は入手可能性の問題に移行しているのですね。
K そうです。ただボルドーにおいて興味深いのは入手可能性の問題が、どのように都市を建設するのかと一緒に考えられている点です。60〜70年代には、都市問題ではなく単に住宅危機が問題となっていました。彼らは近代的ビルの反復によって大量の住宅を建設しなければならなかった。し

かし現在では入手可能性の問題と、多様な人々によって形成される共有の都市空間をどのように形づくるのかの両方が議論されています。2つの側面を持つ問題を同時にあつかっていくことは非常に興味深いと思います。

意多様な個人の集団としての「人々」
--

T あなたは議論のなかで「人々」をどうとらえていますか？「人々」の定義は普遍的でなく、どのようにも一般化できません。60〜70年代においてこの言葉は同じようなタイプの人間集団を現していると考えられていました。

K 今日では、多様な個人の集合として人々を理解しています。

T そうですね。我々は「人々」について非常に具体的に考える必要がありますね。2年前にスペインに教えに行った時、1人の生徒が非常に興味深い場所を見つけてきました。それはバルセロナの外側に位置している丘の上でした。30年代にアンダルシアからの多くの移民がやってきて、自分たちの家をひとつずつ手で、それも彼らが働く建設現場から持ってきたレンガを用いてつくりだした場所です。家々は急斜面の丘に建てられたので、まるでバルセロナの中のアンダルシアのようになっていました。そこは長い間非合法の住居でしたが、徐々に都市の合法的な部分に組み込まれていき、環境が改善されることで、彼らは電気や下水そして地下鉄の駅までも手に入れる事ができたのです。その近隣には新しい広場があって、たくさんの男達が鳥かごに入った鳥を自慢し鳴き声を聞くために持ってきていました。それはアンダルシアの男たち特有の趣味なんだそうです。ただ広場の形状はここを利用する人々の振る舞いにたいして何の考慮も示していませんでした。広場はバルセロナの市街と海に対しての非常にすばらしい眺望を持っています。奇妙でファンシーな手すりがその縁にそって設置されていました。そしてこの広場をデザインした建築家はベンチを広場の中心に設置しているのですが、今では男達の鳥かご置き場になっています。他に適当なものが何も無いからです。そうすると鳥かごを見るためには中心に向かうしかなく、結果バルセロナの街に背を向けてしまっていたのです。それを目にした人からすると彼らの振る舞いがうまくいっていないことは明らかなはずです。あなたは思わず、なぜバルセロナの街への美しい眺望を楽しまないの？ あの人達は何をしているの？ と疑問を持つでしょう。もし建築家がこの人々の振る舞いを初めから理解していれば、男達が鳥かごを手すり沿いに置き、鳥も眺望も共に楽しむ事ができるようにデザインすることもできたでしょう。それはとても洗練された、美しいパブリックスペースだと言えるのではないでしょうか。これは建築家が場所に固有の振る舞いにたいして、どのように考慮できるかの良い例です。そのような振る舞いは、すばらしいパブリックスペースを生みだすための重要な種となりますし、私が考えているのはこうしたディテールなのです。私は振る舞いに興味がありますが、それはそれぞれの個人に属しているものでありながら、同時に共有されているものだからです。

これは近代主義的ソーシャルハウジングがベースにおいていたものとは異なる「共有性」についての考え方です。ソーシャルハウジングの枠組みでは、建築家は全員に対して等しく配分されるべき必要容積と政府からの予算を与えられました。平等というアイデアがはらむ問題は、ある総量を等しく分割するという考え方がベースにあるように思います。その結果として、このプロセスに参加できない人、同じ量を受け取るための権利を持つとはみ

Djamel Klouche + Yoshiharu Tsukamoto

なされないマイノリティが生まれます。一方で振る舞いというのは既にあなた自身の何かなので、みな自身の振る舞いを持っていて、同時にある特定の振る舞い方によって他者と空間や時間を共有することができます。我々がパブリックスペースや建物をデザインするときにこの観点から建築を考える事はとても重要ではないでしょうか。ある振る舞いに従うことで人は共に参加し協力できる。そしてそのような振る舞いは学習することが可能です。人間は学び、そして変わることができる。これは共有におけるよりオープンで、平等で、民主的なアイデアだとおもいます。分配という考え方以上にね。

K 私は何度かフランス国内でソーシャルハウジングのコンペに参加したことがあります。そこで私が目指したのは、この平等性という問題を、特異性を導入する事で多様性を生みだそうという異なるやり方へと置き換えようとしました。しかしフランスではそれは非常に難しいんですね。秩序立った型に嵌まった分配をベースとした平等性の文化が刻み込まれているからです。しかしそれは平等性ではなく、いうなれば平均化なのです。70年代を通じて建築家は群衆のために建物を建ててきた結果、だれもが等しい広さを持った同じようなアパートに住むことが可能になりました。多くの住宅をたくさんの人にむけて建設する必要があるという意味では、我々はいまだにそのような群衆を相手にしています。しかし今必要なのは固有性を持った個々の建物なんです。課題は中間層の市場力に合わせて、質と固有性の両方をどのようにあつかうか。あなたはパリのアパートメントのプロジェクトでこの問題に向き合ったんじゃないでしょうか。

T そうですね。そこに市場とどう関わり合うかが反映されています。近代的なアパートメントは、個々の住居単位を反映した構造単位をともなって、規則正しい分割という理念を表象している。しかしながらフレンチウインドウがくりかえされるパリのアパートメントは、かならずしも居住単位を表していないですよね。そこが私の気に入っているところです。

K それを利用しましたか？

T はい、近代的なソーシャルハウジングであるよりもパリのアパルトマンをつくりたいと考えました。おそらく日本人建築家が連続するフレンチウインドウのソーシャルハウジングをデザインするのは奇妙かもしれません。しかしパリのアパルトマンから近代的な集合住宅への移行についてはただならぬ関心を持っていました。まずそこで住人が近隣住民とかかわりを持つための通りに面することを介したパブリックスペースとの関係性が取り去られたと感じています。また、フレンチウインドウの連続は、その中に差異をともないながら、通りに興味深い個性を与えてくれました。差異は小さいのですが、しかし効果はとても興味深いものに思われました。そしてフランスの若い建築家との協働の中で、彼らがこれらの建築的なタイポロジーに何の理解も示さないということに驚きました。彼らは創造性と独創性を最も重要なものとして考えているようでした。私は彼らに歴史を無視し、新奇さに夢中になっている日本の若い建築家の作品から学ばないように警告したいです。［笑］

Logements Sociaux Rue Rebiére ©Atelier Bow-Wow

多様性と正当性とプロセス
--

K 我々はフランスのクラシックな建築から学んでいくべきですか?

T そうですね、ある意味では。私は建築家の役割とは今日の社会に対し非常に長いスケールの時間感覚を持ち込む事だと考えています。長い歴史を持つ建築をあつかっているからこそ建築家にそれが可能なのです。建築の文化は非常に長い歴史を持っています。建物は人類の各世代を超えて存続することができます。建築は深くそして強い時間感覚を現在へとたずさえてくるのです。そして現在は市場がもたらす短い時間のサイクルによって支配されています。市場は投資にとって有利になるように、すべてが迅速に生産されることも求めます。都市もまた建築と同様に、それを形成してきた歴史的観点からよりよく理解することは重要です。そのような歴史的視点をもてば我々は遠い未来に向かって提案をおこなうことができます。この長い時間感覚を理解することで投資家達も利益を得る事ができると思うんですけどね。同時に、空間は何か実体のないものだという事を覚えておく必要があります。ふれることができず、多くの物事の均衡の中に存在している。しかしそれが生みだされるプロセスに断絶が生じると、それらの均衡を元に戻すのは非常に難しい。建築家は今おこなわれているプロセスに介入することで、触ることのできない空間をあつかうための戦略と能力を持つ必要があります。

K ここで再び共有という問いが現れてきますね。

T そうですね。空間の非可触性ということを議論するにおいて、コモンという問いは基本的なテーマになりますね。そしてまさにコモンにはふれることができません。それが存在していることは知っているのに。人はこの領域に介入する術を心得ていませんね。私は建築をつくる行為というのはこのコモンという不可触の領域を触ってあつかえるようにするための重要な手段だと考えています。

K あなたも知っているように、次のベネチアビエンナーレ建築展のテーマは「fundamentals」です。フランスパヴィリオンは1914〜2014の建築の100年のサーベイを展示するでしょう。それは20世紀の初頭、近代化、ポスト近代、バブル経済、そして経済危機までおよびます。この100年、私たちはいくつもの建築的な時代性を通過してきました。なのでこの長い時間をともなった建築という問

Djamel Klouche+Yoshiharu Tsukamoto

いは非常に興味深いものだと思います。しかし近代主義による歴史の重荷は非常に大きい。現在では、住人から市長、専門家にいたるまで、だれもが近代主義的な都市計画を拒否します。高層ビルとソーシャルハウジングが原因ですね。あなたは連続する町家やある種の秩序を持った地区全体の計画ということについて話しましたが、それらは今のフランスでは不可能です。例えばZACという都市再開発事業がありますが、そこでは都市計画家がマスタープランを作成し、それを30から40の建築家によってデザインした小さな建物へと分割しています。パリの人々は建築に多様性が欲しいと考えているのです。しかしこれこそがZACの問題だと思っています。なぜならそれはお互いが違うものをつくろうとした、建築家が設計した建物の博物館のようになってしまっています。

T 動物園のようですね。

K そう、それらはまさに動物園です。もしあなたが何か均質的なものをデザインしようとするなら、それは過去の代物だとみなされます。現在のヨーロッパにおいてこのような考えを押しだす事はとても困難です。多様性を愛するが故にすべてが断片的になっています。しかしそれは本当の意味での多様性ではないのです。ファサードだけが多様性を表現しようとしています。しかしその背後にあるのは同じような住居です。同じルールに従っているのですから。そしてフランスのアパートへの規制は特別厳しいのです。我々が議論しなければいけないのは均質な都市風景の中にどのように差異と多様性を認識できるかということではないでしょうか。

T そう思いますね。

K 我々は多様性という浅はかな考えをとらえ直す必要がある。今日には対象とすべき「人」「暮らし方」「家族構成」といった重要な多様性があります。これまで議論してきたのはマスと単一性を位置づけなければならないという矛盾ではないでしょうか? 均質性と特異性、そしてコモンと親密さ。私はこのような対立と矛盾に関する問いをあつかうのに興味があります。都市はそれ自体対立で満ちています。そのような対立に和解をもたらすのに興味があるのではなく、そのような対立が興味深いものとなるような状況を達成したいのです。そうした対立が空間として現れてくる場所が都市であり、そういう空間をつくることが建築家としての役目なのです。もし解決したり調和を図ったりしようとしないならば、矛盾はポジティブな質とみなすことができます。これは私が建物や都市の部分をデザインする時の方法です。

T 私は建築的観点からこれらの矛盾を理解し、これとやりあうには、正当性という感覚を導入する事だと思います。空間における矛盾はそこに正当性というものがなければ捉える事はできません。おそらく建物を特定の方法によってつくらないといけない状況に迫られながらも、なおかつ状況と状態がそれをゆるさないという場面に直面することがあるでしょう。これは建築や空間へと変換できる矛盾でしょう。建物のタイポロジーの系譜学における私の興味によれば、この矛盾は非常に重要です。このプロセスは古いタイポロジーから新しい世代を生みだすための潜在力を持っています。新しいタイポロジーというのは過去と現在がクロスするところに現れます。そしてそれはその社会にとても強い影響を持ち、同時に建築表現としても強いものだと思います。私は若い建築家達が歴史に対する深い理解を持つことを期待しています。建築の正統性は、その建築家の歴史認識に結びついているものだからです。

建築家による社会構築——パトロン制を超えて
--

T 最後に「共有性」の問題は建築家の仕事の仕方にまでおよぶことについて議論したいと思います。20世紀は「分業」という思想に支配されてきました。この考えの元、プロジェクトの背後にある目的と資金は異なる専門家の間で分割されていました。各専門家は仕事を与えられ、お互いに自分の領野の範囲内で働き、最後にプロジェクトを統合するために一緒になります。この歴史的に細分化された労働は建築の精神をまさに変化させました。本来建築は社会構築にかかわるものです。カテドラルがどのように建てられたかを考えたときに、実際の建設が始まる前でさえ、建設に必要な様々な人々の間でコンセンサスを築き上げ、プロジェクトのムードを組み立てる必要があったでしょう。それは社会構築です。しかし分業化は、建築家にこの社会構築という側面の重要性を忘れさせることにつながりました。建築家は今ではプロジェクト全体の流れの中で、河口付近で待っているだけの存在になってしまった。

K [笑]。

T 建築家は極上のパトロンに釣り上げてもらうために、どうみても奇妙としか言いようのないデザインをするための武器を研ぎすますことに余念がない。しかしこのような取り組みも終わりに近づいているのではないでしょうか。社会は分業から脱しようとしています。分業ではなく協業にむかって再び実践と理解を移行させる時期なのです。若い建築家にとって最も重要な役割とは、彼らがアクティブなファシリテーターとなり、様々な人々とのコラボレーションを開始することでプロジェクトを生みだしていく事だと思います。そうなれば、お金はプロジェクトの後ろについてくるものになる。分業の場合、まずお金ありきで、これを何に使おうかと考えるようになり、建築にでも投資しようか、となる。これはまさに20世紀の日本における公的資金による公共建築のつくられ方には、こういうものが多く含まれていた。しかし今ではそれは不可能です。納税者が激減する中で政府はそのようなお金をもう持っていませんから。

K おそらくこれは寄与をベースとする考え方へのシフトだと考えられるかもしれませんね。それぞれの建築家は何かをつくるという事でどのように貢献できるか考えないといけません。

T 我々建築家はプロジェクトを生みだすための先導者もしくは調整役になるかもしれませんね。このような働き方はアメリカでは"Beyond Patronage"という名前で議論が行なわれています。社会的プロジェクトに参加する事によって建築家としての仕事を見つけようとする若い建築家にとって、プロボノ(Pro-bono)というデザイン実践はますます重要になってきています。これはまだまだ初期の段階なので、そこで十分な資金を得るには苦労がともないます。ただ私はここに強い関心をもっています。しかしもちろん、私は今でもとても素晴らしく気前の良いパトロンにも釣られてみたいと思っていますが[笑]。

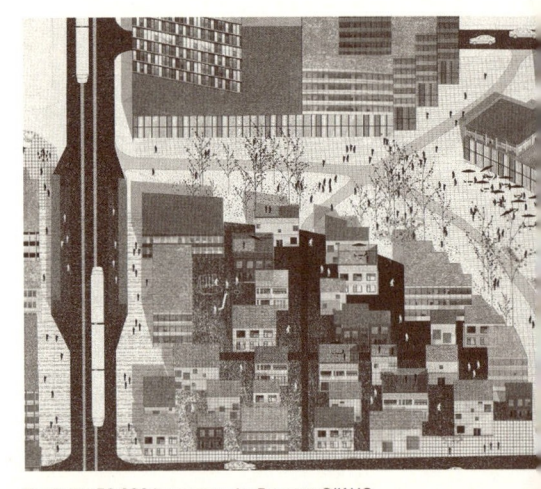

Bordeaux 50.000 logements, Le Bouscat ©l'AUC

Djamel Klouche+Yoshiharu Tsukamoto

塚本由晴
--
1965年神奈川県生まれ。1987年東京工業大学工学部建築学科卒業。1987〜88年パリ建築大学ベルビル校 (U.P.8)。1992年貝島桃代とアトリエ・ワン設立。1994年東京工業大学大学院博士課程修了。Harvard GSD客員教員。UCLA客員准教授を歴任。主な著書に『メイド・イン・トーキョー』(鹿島出版会、2001年)、『アトリエ・ワン・フロム・ポスト・バブル・シティ』(INAX出版、2006年)、『Behaviorology』(Rizzoli、2010年)などがある。日常的な風景へのまなざしや、人々の振る舞いや共生に注目し、そのデザイン実践と独自のグラフィック表現は、日本のみならずヨーロッパの建築家に影響を与えている。

ジャメル・クルーシュ
--
建築家、都市計画家。1966年アルジェリア、トゥレムセン生まれ。Ecole des Hautes Etudes en Sciences Socialesにて都市計画分野の修士号を、そしてパリ科学技術大学にて修士号取得。その後、フランシス・デコスターとカロリン・ポリーンとともに都市と建築を扱う事務所「l'AUC+l'AUCas」を設立。現在、ベルサイユ建築大学教授。2010年フランス建築ビエンナーレ「Stim Métropoles Millionnaires」キュレーター。2008年には、Grand Parisに最年少チームとして関わる。都市計画の分野において、様々な分析手法を取り入れながら、実践的かつ、分野横断型のアプローチをおこなう。フランスの建築・都市計画界において確固たる地位を築き、若い世代へ影響を与えている。

Yoshiharu Tsukamoto = **T**
Djamel Klouche = **K**

Essence des espaces publics, rôle de l'architecte, métropole. Cette conversation libre entre deux figures majeures de la théorie de l'architecture et de l'urbanisme que sont Djamel Klouche (l'AUC) et Yoshiharu Tsukamoto (Atelier Bow Wow), tentent de dresser un portrait des enjeux métropolitains de Paris et Tokyo.
Différents, ils se retrouvent sur un enjeu partagé : celui du « commun ». Un enjeu partagé que chacun définit avec son propre vocabulaire. Le terme « du Public au commun » pour Djamel Klouche fait appel à la nécessité de réinventer notre définition de l'espace public. « Communality » terme employé par Yoshiharu Tsukamoto fait référence au besoin de (re)générer du sens, de l'intérêt général dans un monde éclaté où la pratique de l'architecture s'est confinée dans des postures autonomes et (trop) individualisées. Comment (re)créer du sens ? Quelles visions renouvelées de la ville et de la pratique de l'architecture apparaissent aujourd'hui ?

Rénovation urbaine à Paris et périurbanisation de Tokyo
--
K Dans les années 1960-70 à Paris, une politique nommée « rénovation urbaine » a été mise en place. Elle impliquait des plans de démolition de plusieurs quartiers afin de les reconstruire en quartier moderne sur le système dalle et tour. Cette politique a été mise en œuvre dans le 13e arrondissement mais a dû s'arrêter à la suite de protestations prônant la préservation de l'héritage. C'est la raison pour laquelle on trouve aujourd'hui à Paris des fragments d'architecture moderne qui forment une sorte de constellation. Il est très intéressant d'étudier ces relations, entre modernité et héritage, pour se rendre compte en quoi cette politique a changé différents espaces de la ville.

T Je porte beaucoup d'intérêt à ces processus d'urbanisation. Dans le cas de Tokyo, les années 1960-70 furent le temps de l'expansion suburbaine. Des compagnies ferroviaires privées ont produit de nombreuses villes satellites le long de leurs nouvelles lignes de chemin de fer qui s'éloignaient du centre de Tokyo comme des filaments. Beaucoup de personnes qui vivaient en dehors de Tokyo sont venues s'installer dans ces petites villes satellites qui furent créées dans une aire comprise entre soixante et cent kilomètres de distance de la partie centrale de Tokyo. Ce processus a effacé l'histoire des petites villes qui existaient dans ce périmètre depuis la période Edo, puisque les nouveaux habitants ne la connaissaient pas – ou n'étaient pas intéressés – par l'histoire locale. Pensant que ces terres étaient totalement neuves, ils ont commencé à y vivre sans avoir la moindre information sur l'identité des lieux. Ces villes ont continué à croître sans le moindre sens du temps ou de l'histoire jusqu'aux années 1990 donnant comme résultat la création de « non-lieux ».

K De quelles villes parles-tu par exemple ?

T Par exemple Kitamoto, où nous avons retravaillé la place de la gare. La majorité de la population de la ville est constituée d'immigrants qui sont arrivés dans les années 1960-70. Ces nouveaux venus sont issus de la génération du baby-boom qui compose la majeure partie de la population du Japon. Cette génération partant maintenant à la retraite fait que la ville perd rapidement les ressources liées aux taxes locales.

K Ce qui est problématique...

T Oui, le maire est inquiet sur l'avenir de la ville. Les différentes générations qui composent la ville ont été déconnectées les unes des autres. Les immigrants forment une communauté tandis qu'une autre communauté est formée par les fermiers qui étaient les habitants natifs de ces lieux. Les deux groupes n'ont jamais interagis les uns avec les autres durant ces quarante et quelques dernières années puisque les premiers travaillaient dans la partie centrale de Tokyo. Désormais à la retraite, ils vont donc passer plus de temps dans leur propre ville ; mais parce qu'ils n'y a pas de liens entre eux, le maire a voulu créer un lieu pour les habitants où chacun puisse passer du temps et se rencontrer. Il a identifié la place de la gare comme un site approprié pour ce projet.

K Puisque c'est proche d'un hub de transports ?

T Oui. La gare est l'espace le plus fréquenté de la ville. Je pense que le rôle des stations de train peut prendre une tournure très différente que dans le passé. Auparavant elles fonctionnaient comme des pompes qui envoyaient les gens des villes satellites à Tokyo, mais elles sont maintenant devenues des lieux de vie pour les communautés où les gens interagissent entre eux. À Kitamoto, nous avons optimisé les surfaces de trafic automobiles afin de créer un espace ouvert qui puisse accueillir un marché, des cafés et d'autres activités urbaines. Nous avons aussi mené des ateliers dans lesquels nous avons fait participer différents groupes de personnes de la ville afin d'identifier les programmes qui pourraient être réalisés et les activités qui pourraient être pratiquées dans ce nouvel espace public.

K Est-ce que tu veux dire qu'au Japon les espaces publics sont devenus un sujet nouveau à repenser?

T Oui, cela devient un sujet important.

K Pourquoi ça? En Europe, à l'inverse, l'espace public a toujours été un sujet très important. A Paris peut-être même que nous discutons trop de l'espace public et pas assez d'architecture.

Djamel Klouche + Yoshiharu Tsukamoto

T [rires]

K J'ai cette impression que les architectes au Japon ont beaucoup parlé d'architecture mais relativement peu d'espaces publics. J'ai désormais ce sentiment qu'il y a maintenant un glissement de l'intérêt des japonais de l'architecture vers l'espace public et qu'il y a cette orientation chez toi à plus parler des gens que d'architecture en soi. Quand pourtant, nous architectes français, venons à Tokyo nous avons comme réaction « Wow ». C'est une ville fascinante. Nous sommes peut-être fascinés par son désordre, ou par sa densité abrupte liée à sa substance architecturale. À l'inverse, je pense que lorsque vous, architectes japonais, venez à Paris vous êtes fascinés par son homogénéité, sa continuité, l'ordonnancement et la linéarité des espaces publics. En 2009, nous avons participé à cette consultation sur le Grand Paris, durant laquelle nous avons travaillé entre autres sur un territoire suburbain au nord de Paris proche de Saint-Denis. Je sens que ce territoire peut potentiellement devenir comme un petit Tokyo dans vingt ou trente ans dû à son « désordre ». Il y a des dalles, des tours, des petites maisons, des espaces qui ne sont pas réellement des espaces publics, des infrastructures variées, etc.

T Peut-être en effet. Mais je dois dire que bien sûr nous avons aussi au Japon des espaces publics traditionnels qui nous sont propres, qui sont très différents des espaces publics européens. Quand les espaces publics européens sont organisés face à des bâtiments publics ou institutionnels, tels que des églises ou des mairies, l'espace public au Japon est lui plus lié à la temporalité et aux moments partagés. Un exemple traditionnel est celui du *Matsuri*, festival japonais qui prend place dans les temples. Le chemin d'approche en direction du temple est totalement transformé par des placements temporaires de lanternes et petits magasins, créant une ambiance festive. Les gens prennent le temps d'apprécier l'atmosphère tout en achetant des confiseries et en parlant les uns aux autres. Le *Matsuri* offre aussi une opportunité importante pour les gens de montrer qu'ils font partie d'une communauté en participant à cet événement et en prenant part à l'espace public, qui est plus lié au moment plutôt qu'à l'espace lui-même. Un autre exemple pourrait être celui des ponts durant l'ère Edo. Les autorités étaient effrayées par l'idée de la prolifération du feu depuis les ponts vers la ville puisqu'ils étaient faits en bois : ils ont donc créé des espaces dégagés et ouverts sur leurs alentours qui sont devenus des lieux importants de rassemblement. Des événements tels que des pièces de théâtre prirent place en ces lieux. Les rues aussi au Japon servaient d'espace public avant que le trafic automobile ne se développe et qu'il soit dangereux d'y marcher. Elles étaient très animées par les activités commerciales. Je pense que le sens de « partager un moment » avec les autres a survécu à Tokyo aujourd'hui.

K Même dans le Tokyo moderne ?

T Oui. Par exemple, il y a toujours ce moment de *Hanami*. Au moment de la floraison des cerisiers, les gens se rassemblent sous les arbres pour apprécier les fleurs. On peut voir des gens partout dans la ville apprécier un repas et boire près des arbres. Les gens peuvent être très ouverts et tu pourrais être invité à rejoindre un groupe sous un arbre par quelqu'un que tu ne connais pas. C'est l'un des moments les plus précieux pour les villes japonaises.

K C'est une forme de célébration de la nature...

T Oui. Il y a ce synchronisme entre le cycle naturel de floraison des cerisiers et celui des gens. J'émets l'hypothèse qu'il s'agit là d'un des grands principes de l'espace public japonais. Toutefois, après la seconde guerre mondiale, quand la démocratie a commencé à être promue, les architectes ont essayé d'introduire la typologie du square européen au Japon. Ces espaces ont été nommés avec des noms tels que « la place des citoyens », mais ils étaient conçus sans cafés ou magasins et manquaient de toutes stimulations au rez-de-chaussée.

K Il ne s'agissait pas réellement de places alors...

T On peut encore en voir beaucoup d'exemple partout. À cette époque, les architectes croyaient que s'il prévoyait un espace ouvert face à la mairie, cela deviendrait un lieu de rassemblement pour les gens. Mais en fait rien ne s'y est réellement passé. Les gens préféraient aller au *Izakaya* (ndlr : bars japonais) ou au pub. Donc, tous ces espaces publics européens n'ont jamais vraiment fonctionné au sein de la société japonaise. Le Japon a fait preuve d'une grande motivation pour revitaliser la société après les dommages de la seconde guerre mondiale et la reconstruction de bâtiments était considérée comme une force conductrice pour le rétablissement du pays. Les autorités ont autorisé les gens à acheter leur propre propriété et à y construire leur propre maison, en incitant à l'endettement par la mise en œuvre de taux d'intérêt très bas auprès des banques. Les politiques des gouvernements après la guerre étaient très libérales. Ils ont institué un minimum de règles sur les constructions afin d'encourager les gens à construire leur propre bien pour rapidement relever le pays des dommages causés par la guerre. Le résultat est qu'aujourd'hui l'aire totale de Tokyo est possédée par plus de 1.8 million de propriétaires individuels. Ce qui est considérable. Dans ces conditions, on ne peut réellement mettre en place de grands plans urbains.

K Oui, mais toutefois on a toujours cette impression que la ville est très flexible.

T Oui. Peut-être est-ce parce que les bâtiments de Tokyo sont constamment renouvelés. Cela se produit ainsi à cause des autorités qui ont mis en place un stratégie pour remplacer les « vieux grains » de la ville. Par exemple en augmentant régulièrement les standards des réglementations de la construction. Cela a comme conséquence que les vieux bâtiments ne sont plus aux normes face aux standards les plus récents, incitant de fait leur propriétaire à les remplacer par des bâtiments neufs. Ils sont aussi encouragés par le fait que la valeur des bâtiments anciens tombe à presque zéro vingt ans après leur construction tandis que les prix des terrains, eux, augmentent considérablement. Le terrain est devenu plus cher que le bâtiment. Les standards du code des bâtiments sont toujours relevés après un fort tremblement de terre au Japon. Par exemple, un nouveau code de zonage fut introduit en 1974. Il se basait sur la stratégie caractéristique de l'urbanisme moderne en définissant des zones : zones commerciales, zones résidentielles, etc. mais il a été mis en œuvre surtout avec l'idée de créer des routes d'évacuation plus sûres. Les autorités désignèrent des rues principales comme zones commerciales autorisées à une plus grande densité de construction sous la condition que ces constructions devaient être résistantes au feu. La régénération continue des bâtiments le long de ces rues principales a donné comme résultat la création de rues coupe-feu consistant en une densité linéaire de bâtiments résistants au feu, protégeant ainsi les quartiers arrières, de plus faible densité avec des maisons de deux à trois étages.

K Toute tentative de modifier le tissu urbain de cette façon est généralement impossible en Europe, donc pour nous, on a l'impression que Tokyo peut tout accepter et absorber n'importe quel type d'architecture.

Djamel Klouche + Yoshiharu Tsukamoto

Tokyo : une ville sans ordre intentionnel

T J'ai l'impression que l'architecture japonaise, notamment celle des bâtiments individuels, est beaucoup estimée par les étrangers. Surtout par les européens.

K Trop ? *[rires]*

T Je pense que oui. *[rires]*

K À ton avis, pourquoi cela ?

T Je pense que c'est grâce à nos charpentiers et à leur culture de la construction. Nous avons une longue histoire de construction en bois, et nous avons encore aujourd'hui de très bons charpentiers, très abordables et disponibles. L'esprit de leur culture a été intégré au sein des grandes entreprises de construction, la qualité a donc été maintenue à un très haut niveau. Cette culture met l'accent sur la satisfaction du travailleur sur la qualité de son propre travail. C'est très différent de l'idée d'union des travailleurs. Les chantiers sont perçus comme le reflet du travail de chaque individu participant au projet. L'association d'individus partageant cet esprit aide vraiment à créer une bonne architecture. La qualité de leur travail est toujours très haute. Une autre raison peut être attribuée aux politiques menées par les gouvernements japonais de sorte à ce que les gens désirent posséder leur propre maison. Cela a donné aux architectes de nombreuses opportunités de travail pour concevoir des maisons. Les architectes peuvent débuter leur carrière même à de jeunes âges en dessinant des maisons. La maison individuelle sert d'incubateur pour les architectes, puisqu'ils peuvent développer à la fois leurs idées conceptuelles et leurs compétences pratiques au travers de bâtiment réels. Je pense que ce point est un trait important de la culture architecturale japonaise.

K En France c'est l'opposé. Il n'est pas nécessaire de faire appel à un architecte pour faire une maison, donc il n'y a pas de maisons à concevoir, et c'est très difficile pour les jeunes architectes de débuter.

T Oui, il y a cette différence entre le Japon et l'Europe. La petite échelle des commandes privées, sur lesquelles les architectes japonais travaillent, leur permet de faire accepter leurs idées plus facilement par le client et par tous les acteurs impliqués dans le projet. Aussi, parce que la qualité de l'artisanat est si haute au Japon que les architectes peuvent faire des choses très intéressantes même avec un budget modeste. Les architectes ont pu mener de nombreuses expériences surtout durant la seconde moitié du siècle dernier, qui était une période de construction extrêmement active. Cette période a aidé à améliorer la qualité de l'architecture japonaise contemporaine. Néanmoins même si les gens apprécient la qualité des bâtiments individuels, quand on les considère collectivement, personne n'a rien à en dire. Ils sont très difficiles à juger quand ils sont regardés ensemble.

K Ils forment juste des agglomérations.

T Oui. Des agglomérations dépourvues d'ordre intentionnel. Personne n'a les mots pour décrire la situation urbaine. Les gens au Japon se plaignent, « Ah, les villes ne sont pas ordonnées » et « Les rues ne sont pas belles comme les rues parisiennes, si charmantes et si jolies ». Ils ne sont ni fiers ni confiants à propos des endroits dans lesquels ils vivent, ainsi même s'ils apprécient la vie à Tokyo, ils ont quand même le sentiment que quelque chose manque. Je pense que ce qui manque est le sens de ce que j'appelle « *communalité* » [*1], qui est générée par la répétition d'immeubles collectifs. Si on revient à l'ère avant la modernisation, le Japon avait de magnifiques paysages de rues formés par la répétition de maisons de ville. Si tu vas à Kyoto ou Kanazawa, tu pourras encore trouver ces typologies de rues et d'immeubles. Les gens savaient comment concevoir leur propre bâtiment. Cela leur procurait un sentiment de fierté et de confiance qui je pense est important pour notre existence en tant qu'être humain. Toutefois, aujourd'hui nous sommes dans une situation où la plupart des gens ne savent pas comment construire un bâtiment.

« Communalité » ou du public au commun
--
« Le processus par lequel de nombreux bâtiments ont été conçus dans la dernière moitié du siècle dernier a transformé la pratique de l'architecture au service de cette idée de communalité en une pratique de l'architecture pour le marché. »

K Est-ce que tu souhaites changer ça en tant qu'architecte ?

T Oui, je voudrais à nouveau créer une sphère de *communalité* à travers la conception d'immeubles et de villes. J'estime que l'architecture est le moyen le plus puissant que nous possédons pour créer un sens de *communalité* et de solidarité entre les gens. Malheureusement, beaucoup d'architectes semblent simplement profiter du désordre de la situation actuelle en prenant avantage du manque général de connaissance sur les bâtiments. Je pense qu'un jour dans le futur on regardera ces architectes comme des criminels. Le processus par lequel de nombreux bâtiments ont été conçus dans la dernière moitié du siècle dernier a transformé la pratique de l'architecture au service de cette idée de *communalité* en une pratique de l'architecture pour le marché. Les paysages de rues formées par la répétition de maisons de ville n'étaient pas les produits d'une industrie. L'acte de construire une maison n'était pas considéré comme un fait industriel, cela faisait partie de la vie et de la culture. La modernisation et l'émergence du capitalisme ont transformé cette pratique culturelle en une pratique industrielle susceptible d'augmenter le PIB du pays. Cela se produit partout dans le monde. Les revenus ont augmenté et les gens sont devenus plus riches, mais ils ont perdu la connaissance et l'autonomie de créer leurs propres espaces de leurs propres mains et avec leur propre tête. C'est selon moi ce qui dégrade la qualité des espaces publics. L'espace public est absorbé par l'espace commercial. Les gens vivent aujourd'hui dans des espaces commerciaux qui sont quasiment des espaces publics. Je pense que c'est aussi le résultat du processus d'homogénéisation des lieux. Les espaces urbains deviennent de plus en plus ordonnés, et ils sont destinés à des futurs qui n'arrivent jamais et pour des activités qui ne se déroulent jamais.

K Ce sont comme des espaces événementiels ?

T Oui, mais les événements sont toujours attendus. Ils génèrent seulement des comportements prévisibles. Je pense que c'est vraiment ce qui altère notre sens de l'espace public au sein de notre société japonaise. Ce qui m'intéresse vraiment c'est de ramener le centre d'attention de la pratique architecturale du côté de l'espace public et d'encourager les gens à en faire de nouveau partie. Le sens de *communalité* est très important pour maintenir l'espace public. Il joue le rôle de sphère intermédiaire qui produit une sorte de tampon entre l'individu et le marché. Nous devons à nouveau créer cette sphère intermédiaire parce qu'actuellement c'est comme si nous étions nus face à un marché qui nous bombarde.

K L'espace public dont tu parles est en fait un espace produit et conçu par le privé, n'est-ce pas?

T Oui.

K Je pense que c'est la même chose en Europe. Les municipalités n'essaye pas de faire de tels espaces publics, donc les gens s'organisent entre eux pour créer ce sens de « communality ».

Nous avons fait un projet à Bordeaux, appelé Bordeaux 50 000 logements. Lors de notre contribution nous avons proposé de quitter la sphère du public avec toutes les idéologies que cela porte pour aller vers cette notion de « commun ». Aujourd'hui, la perception que nous avons tous de notre environnement de tous les jours n'est pas exclusivement celle du public, elle est un hybride constitué de choses publiques, de volontés personnelles ou individuelles et d'agencements de bien d'autres choses.

Si l'on considère le commun comme ce qui fonde une communauté, ce qui permet de reconnaître un ensemble, cela devient une catégorie intéressante pour expliciter la condition métropolitaine habitante. Bien que l'on dépasse la stricte notion du public, le « commun » réinterroge de façon nouvelle la manière dont on doit aborder la question de l'espace public contemporain dans la ville et la métropole.

Dans cette période de crise et de rareté des finances publiques, le réflexe pourrait être de réduire la part de l'espace public dans l'ensemble des opérations d'aménagement et, précisément dans le cadre qui nous importe ici, de reporter l'ensemble des efforts sur le logement. Même si nous partageons l'avis de beaucoup d'architectes qui affirment qu'un beau logement est un logement grand et spacieux, il nous semble qu'un beau logement est aussi un logement qui est naturellement augmenté d'un réseau d'espaces publics métropolitains le mettant en réseau et en prise avec l'ensemble des espaces de la métropole. Faire métropole habitante c'est aussi penser le logement dans une chaine relationnelle de grande échelle, faire du logement un point d'entrée primordial dans les services et aménités que nous procure la métropole et la grande ville. La question essentielle que nous devons nous poser serait alors : comment faire du commun avec des différences et sans neutraliser ni effacer ces différences. C'est précisément à cette question que la planification telle que nous l'avons connue est aujourd'hui incapable de répondre.

T La dernière fois que j'étais à Paris, j'ai remarqué qu'il y avait beaucoup d'évènements dans la ville, comme la nuit blanche, Paris Plages, et la fête de la musique.

K Il y a aussi Voies sur berge, lorsque le trafic est interrompu sur trois ou quatre kilomètres à partir du Musée d'Orsay pour faire une fête foraine. Ces évènements sont très intéressants et des milliers de personne visitent Paris pour les voir. Mais cependant, ce sont des événements contrôlés, donc pour moi, ils ne produisent pas d'espace public. Je pense que l'espace public est quelque chose de plus libéré. Il s'agit d'un endroit où tu peux te retirer et te réfugier, mais ceux-ci sont des sortes d'événements promotionnels. Ils sont comme de gros centres commerciaux. Même si nous apprécions beaucoup l'espace public en Europe et que nous en possédons beaucoup, je pense que nous l'avons aussi dans un sens perdu parce que ces lieux sont juste devenus des espaces de consommation. Il faut boire ; il faut prendre un café ; et si tu t'assois pour prendre une bière ça va te couter six ou sept euros.

T Au Japon, je pense que nous sommes tout juste confrontés aux problèmes auxquels les architectes européens ont déjà eu à faire face. En produisant autant de bâtiments au XXe siècle, la plupart des équipements publics indispensables ont maintenant été construits dans toutes les municipalités. Ce qui reste à faire sont les espaces entre, parce que bien que les bâtiments aient tous été construits, ils n'ont aucune relation les uns aux autres. Il y a un manque d'organisation au niveau de la rue et des espaces entre les bâtiments. Je pense que les architectes européens ont déjà été confrontés à ce problème dans les années 1980 après la construction massive de maisons individuelles.

K Oui, après le développement moderne des années 1960 et 70, cet enjeu de concevoir les espaces libres de la ville a beaucoup été discuté. C'est aussi devenu une question lourde pour notre génération. Des stratégies très classiques dont le seul but était la définition de limites claires ont été établies. Je pense que c'est pour cette raison que les architectes européens sont fascinés par Tokyo, parce qu'il y a un sentiment de liberté qui est peut-être perçu comme un problème là-bas, mais que nous considérons comme libérateur.

T Oui, cette liberté est très appréciée des architectes étrangers, mais elle n'est pas appréciée des habitants au Japon. L'architecture japonaise est assez réputée dans le monde, mais les gens ne portent pas vraiment attention à ce que les architectes essayent de faire. Cette déconnexion est extrêmement forte, et je pense que les architectes comme Toyo Ito en ont vraiment souffert. Il est hautement apprécié en dehors du Japon, mais durant ces dernières années, il n'a pas eu de commissions majeures au Japon. Il se plaignait constamment du fait que l'architecture japonaise n'avait pas d'avenir. Néanmoins, il a maintenant complètement changé de discours après les désastres du tremblement de terre et du tsunami de 2011.

Après le désastre et la crise économique
--

K Penses-tu que le tsunami ait causé une sorte de rupture qui a marqué le début de quelque chose de nouveau au Japon ?

T Non, cela a juste accéléré le processus de changement qui avait déjà commencé après l'éclatement de la bulle économique en 1992.

K Nous devons apprendre du Japon maintenant que nous vivons notre propre effondrement. La crise économique commence tout juste en Europe et les problématiques auxquelles nous faisons face sont encore nouvelles pour nous.

T Oui. Je pense que la situation post-bulle peut être très importante.

K Comme tu l'as écrit dans ton livre sur l'architecture «*post-bubble*»[*2], les architectes japonais après la bulle économique ont évolué vers la construction de très petites choses. Peut-être que des pays comme la Grèce vont également devenir des laboratoires où les architectes vont inventer des nouveaux types d'architecture à cause de la crise. Je m'intéresse à la manière dont les architectes là-bas peuvent construire ensemble quelque chose d'attirant et accessible à tous, car l'architecture conduite par le capital n'est maintenant plus vraiment possible. J'avais une réunion plus tôt pour discuter du logement en France. Le logement est devenu très cher pour la majorité de la population, surtout dans les grandes villes comme Paris, Bordeaux, Lyon, Lille, et Marseille. Il est vraiment difficile de s'offrir un logement. Pour exemple, le Parisien moyen pouvait obtenir un appartement de quatre vingt mètres carré dans les années 1990, mais maintenant la moyenne est passée à trente mètres carré.

T Vraiment ? Trente ? Wow !

K En seulement vingt ans ! C'est un problème. C'est parce que les coûts des terrains et de construction ont augmenté. Donc, à Bordeaux, par exemple, le maire veut développer les politiques sur les manières de construire la ville et de donner aux gens les moyens de se loger.

T Je vois. Donc, du problème de la pénurie de logement dans les années 1960 et 70, le problème du logement s'est maintenant déplacé vers la question de l'accessibilité.

K Oui, mais ce qui est intéressant dans le cas de Bordeaux c'est que la problématique de l'accessibilité est considérée conjointement avec la problématique de la construction de la ville. Dans les années 1960 et 70, les problématiques urbaines n'étaient pas la question. La crise du logement était le problème. Ils avaient seulement à construire des milliers de logements avec des barres répétitives, mais maintenant, nous devons discuter à la fois de la problématique de l'accessibilité et de comment former des espaces urbains communs qui doivent être partagés par différents types de personnes. C'est plus intéressant maintenant parce que nous devons traiter un problème à deux facettes.

Behaviorlogy
--

Je pense que le « comportement » est quelque chose de très important qu'il faut intégrer dans la conception architecturale lorsque nous travaillons sur des espaces publics ou des immeubles
—— Tsukamoto Yoshiharu

Nous sommes toujours confrontés à [la production de] masse dans le sens où nous devons beaucoup construire pour beaucoup, mais ce qui est nécessaire maintenant ce sont des bâtiments singuliers et très spécifiques. Il s'agit maintenant de savoir comment traiter à la fois de quantité et de spécificité, avec les forces économiques entre les deux.
—— Djamel Klouche

T Qu'entends-tu par « personne » dans tes propos ? La définition des personnes n'est pas universelle et ne peut plus être généralisée. Dans les années 1960 et 70, le terme était utilisé pour décrire une masse d'un type similaire de gens.

K Aujourd'hui, nous comprenons «les personnes» comme une multiplicité d'individus.

T Oui, nous devons penser aux personnes de manière très spécifique maintenant. Lorsque j'enseignais en Espagne il y a deux ans, un de mes élèves trouva un secteur très intéressant dans les collines de Barcelone. Ce secteur était encore en dehors de la ville dans les années 1930. Beaucoup de personnes migrèrent dans ce quartier depuis Barcelone et commencèrent à construire eux mêmes une par une leurs propres maisons, avec des briques qu'ils prirent des chantiers de la partie centrale de la ville. Les maisons étaient construites sur les collines abruptes, comme un bout d'Andalousie à Barcelone. C'est resté une colonie illégale pendant longtemps, mais elle fut progressivement intégrée à la partie légale de la ville. Elle a été améliorée depuis, ils ont donc l'électricité, les égouts et même une station de métro. Il y a une nouvelle place dans ce quartier où j'ai vu beaucoup d'hommes amener des oiseaux en cage pour les faire voir et les écouter. Ce doit être un passe-temps pour les hommes en Andalousie. La configuration de la place n'indique pas vraiment que le comportement de ces hommes qui habitent là ait été d'une manière ou d'une autre pris en considération. La place a une très belle vue sur Barcelone et la mer. Il y a une balustrade – une très étrange et fantaisiste balustrade – le long de sa limite. L'architecte qui a conçu la place a disposé des bancs au milieu. Les hommes mettent leurs cages pour oiseaux sur les bancs car il n'y aucun autre endroit où les mettre. Afin de pouvoir admirer leurs cages, ils doivent se tenir debout face à l'intérieur de la place, le dos tourné à Barcelone. Je pense que leur comportement n'apparaît pas très sophistiqué aux yeux des personnes qui les voient. Cela te donne envie de demander, « Que font-ils ? Pourquoi ne profitent-ils pas de la vue sur Barcelone ? » Si l'architecte avait pris connaissance du comportement de ces personnes, je pense qu'il aurait pu concevoir la place de sorte que les hommes puissent poser leur cage le long de la balustrade et contempler en même temps leurs oiseaux et Barcelone. Cela aurait créé une scène publique très belle et sophistiquée. C'est un des exemples qui montrent comment un architecte aurait pu considérer un comportement spécifique déjà inscrit dans un lieu. Un tel comportement peut déterminer le choix d'un dispositif important pour la création d'un bel espace public agréable, qui je pense tient entièrement à ce genre de détails. Je m'intéresse au comportement car c'est quelque chose qui émane de chaque individu, mais qui peut également être partagé. C'est une idée différente du partage, différente de celle sur laquelle reposait le logement social moderne. Dans le cas du logement social, les architectes recevaient typiquement un volume et un budget du gouvernement à partager équitablement entre tous. Dans le cas du comportement, le comportement est quelque chose qui est déjà en vous. Vous avez votre propre comportement. En même temps, vous pouvez partager un moment en temps et en espace avec les autres en engageant un certain comportement. Je pense que le comportement est quelque chose de très important qu'il faut penser d'un point de vue architectural lorsque nous concevons des espaces publics ou des immeubles. Je pense que le problème avec l'idée d'égalité consistant en une division d'une quantité réduite de quelque chose en parties égales, c'est qu'il en résulte toujours quelqu'un qui n'est pas dans le processus – une minorité dont on ne considère pas qu'elle ait le même droit d'accès à sa portion méritée. Avec l'idée de prendre compte le comportement, tous ceux qui s'engagent dans un certain comportement peuvent se rassembler et participer ensemble. Le comportement peut aussi s'enseigner, parce que les êtres humains peuvent apprendre et évoluer. Je pense qu'une idée du partage plus ouverte, égalitaire et démocratique doit primer sur une idée du partage basée sur la division.

K Nous avons travaillé sur plusieurs concours pour des logements sociaux en France à travers lesquels nous cherchions à aborder la question de l'égalité d'une manière différente et essayions de créer de la diversité en introduisant une certaine spécificité. Mais nous nous sommes rendu compte qu'il était très difficile d'agir ainsi en France, parce que la culture de l'égalité basée sur une division utilisant une grille régulière est inscrite dans la culture architecturale. Ce n'est pas de l'égalité. C'est seulement une moyenne. Dans les années 1970, les architectes construisaient pour la masse et tout le monde recevait les mêmes appartements avec la même surface. Nous sommes toujours confrontés à cette masse dans le sens où nous devons beaucoup construire pour beaucoup, mais ce qui est nécessaire maintenant ce sont des bâtiments singuliers et très spécifiques. Il s'agit maintenant de savoir comment traiter à la fois de quantité et de spécificité, avec les forces économiques entre les deux. Je pense que tu as abordé cette problématique à travers ton projet de logements à Paris.

T Oui, il révèle une sorte de jeu avec le marché. Des appartements modernes basés sur une trame structurelle qui reflète les unités des appartements suivant l'idée d'une division régulière. Les appartements parisiens, en revanche, avec leur répétition de fenêtres françaises n'exposent pas les unités d'appartements. C'est quelque chose que j'aime vraiment beaucoup.

K Tu les as utilisé dans ton projet.

T Oui, parce que je voulais concevoir un projet de logement social parisien et non un projet moderniste. Peut-être que cela semble bizarre qu'un architecte japonais conçoive du logement social avec des fenêtres françaises répétitives. Mais je me suis senti réellement préoccupé par le glissement opéré entre l'appartement parisien et l'appartement moderne. Ce glissement a supprimé la relation entre les unités, nécessaire à l'interaction des habitants avec leurs voisins. La répétition des fenêtres françaises m'a également permis de donner à la rue une identité intéressante avec une variété intégrée. Ces différences sont légères, mais je pense que l'effet qu'elles produisent est très intéressant. J'étais surpris d'apprendre en travaillant avec de jeunes architectes français qu'ils n'apprécient pas ces typologies architecturales existantes.

Il semble qu'ils donnent la priorité à la créativité et à l'originalité comme éléments les plus importants, mais je voudrais les mettre en garde contre le travail des jeunes architectes japonais car ils sont tout simplement fou ! *[rires]*

Multiplicité, authenticité, processus
--

« le rôle des architectes est d'amener à la société d'aujourd'hui une échelle de temps beaucoup plus longue »
« Les architectes doivent avoir les stratégies ou les compétences pour traiter de cet espace intangible en intervenant d'une certaine manière sur les processus à l'œuvre. »
—— Tsukamoto Yoshiharu

« Tout est devenu fragmenté en France parce que nous adorons la multiplicité, mais ce n'est pas une diversité réelle. Seules les façades essayent d'exprimer l'idée de diversité, mais derrière on y trouve les mêmes logements. Ils sont les mêmes parce qu'ils suivent les mêmes règles, et les normes pour les appartements sont particulièrement rigides en France. »
« Les questions que nous venons d'aborder sont toutes contradictoires dans le sens où nous devons examiner le massif et le singulier ; l'homogène et le spécifique ; le commun et l'intime [...] La ville est l'endroit où les contradictions peuvent être représentées comme espaces, et c'est notre travail en tant qu'architectes de créer ces espaces. La contradiction peut être considérée comme une qualité positive si tu n'essaies pas de faire la paix à partir d'elle ou de la synthétiser. C'est de cette façon que je travaille quand je conçois des parties de villes et des bâtiments. »
—— Djamel Klouche

K Doit-on alors apprendre de l'architecture classique française ?

T Oui, je pense que le rôle des architectes est d'amener à la société d'aujourd'hui une échelle de temps beaucoup plus longue. Les architectes peuvent le faire parce qu'ils traitent de bâtiments qui ont de longues histoires. La culture de l'architecture a une histoire extrêmement longue. Les bâtiments ont également une durée de vie plus longue que celle des être humains. Les bâtiments du passé peuvent nous dire à quoi ressemblait la société des centaines d'années auparavant. Ils apportent une conscience très forte et profonde du temps dans le présent, actuellement dominé par des cycles courts commandés par l'économie. Le marché s'applique vraiment à rendre tout bref et rapide parce que c'est soi-disant mieux pour faire des investissements. En tant qu'architectes, il est important que l'on comprenne mieux nos villes en fonction des processus historiques qui leur ont donné forme. Nous pouvons projeter très loin dans le futur si nous prenons en compte cette perspective historique. Cela devrait également séduire les investisseurs car je pense qu'ils peuvent aussi tirer parti d'une considération à long terme. En même temps, on doit se rappeler que l'espace est quelque chose d'immatériel pour tous. On ne peut pas le toucher. Il existe entre beaucoup d'acteurs. C'est vraiment très dur pour nous de retravailler un espace après qu'il ait subi autant de processus distincts. Les architectes doivent avoir les stratégies ou les compétences pour traiter de cet espace intangible en intervenant d'une certaine manière sur les processus à l'œuvre.

K Cela nous ramène une fois de plus à la question du commun.

T Oui, la question du commun est un thème récurrent des discussions sur l'immatérialité de l'espace. On ne peut pas vraiment toucher le commun, même si nous savons qu'il existe. Personne ne sait comment intervenir dans son champ. Je pense que l'acte même de concevoir l'architecture est un moyen important pour transformer ce champ du commun.

050--051

K Comme tu le sais, le prochain thème de la Biennale de Venise est « *Fondamentals* ». Le pavillon français y présente un panel de cent ans d'architecture de 1914 à 2014. Il s'étendra du début du xxe, la modernité, la postmodernité, l'aire dirigée par le marché, jusqu'à la crise économique. Nous avons traversé plusieurs périodes d'architecture durant ce siècle, alors je pense que la problématique de l'architecture à long terme est pertinente. Mais le poids de l'histoire de la modernité est tellement lourd. Tout le monde aujourd'hui – les habitants des villes, les maires, les spécialistes, etc. – refuse toute planification urbaine moderne en raison de l'histoire des tours et barres et du logement social. Tu as parlé de la conception de maisons de ville répétitives ou de la planification de quartiers entiers pour obtenir une sorte d'ordre, mais il n'est maintenant plus possible de le faire en France. Par exemple, nous avons ce que nous appelons des ZAC (Zone d'Aménagement Concerté), des opérations au sein desquelles un planificateur décide du plan général et le divise en trente ou quarante petits bâtiments à concevoir par des architectes. En France, les gens veulent maintenant une diversité d'architectures, mais je pense que c'est un problème dans les ZAC car ces aires urbaines deviennent des musées de bâtiments créés par des architectes qui essayent tous de faire quelque chose de différent.

T Elles deviennent des zoos.

K Oui, ce sont des zoos. Si tu tentes de concevoir quelque chose d'homogène, c'est considéré comme appartenant au passé. C'est problématique d'appuyer ce genre d'idées en Europe. Tout est devenu fragmenté en France parce que nous adorons la multiplicité, mais ce n'est pas une diversité réelle. Seules les façades essayent d'exprimer l'idée de diversité, mais derrière on y trouve les mêmes logements. Ils sont identiques parce qu'ils suivent les mêmes règles, et les normes pour les appartements sont particulièrement rigides en France. Je pense que nous devons discuter de comment apprécier la différence et la diversité au sein d'un paysage urbain homogène. Ce pourrait être un bon exercice de discuter ce type de diversité.

T Oui, je le pense aussi.

K Nous devons renouveler cette idée superficielle de la multiplicité. Nous avons affaire aujourd'hui à une incroyable multiplicité de gens, de styles de vie, de types de famille. Les questions que nous venons d'aborder sont toutes contradictoires dans le sens où nous devons examiner le massif et le singulier ; l'homogène et le spécifique ; le commun et l'intime. Je pense qu'il est intéressant de traiter de problématiques si antagonistes et incompatibles. La ville elle-même est remplie de contradictions. Néanmoins, ça ne m'intéresse pas de rétablir la paix entre les fronts qui s'opposent. Je souhaite aboutir à des situations dans lesquelles les contradictions deviennent intéressantes. La ville est l'endroit où les contradictions peuvent être représentées comme espaces, et c'est notre travail en tant qu'architectes de créer ces espaces. La contradiction peut être considérée comme une qualité positive si tu n'essaies pas de faire la paix à partir d'elle ou de la synthétiser. C'est de cette façon que je travaille quand je conçois des parties de villes et des bâtiments.

T Je pense que la façon de saisir et de jouer avec ces contradictions, d'un point de vue architectural, est d'introduire une forme d'authenticité. Les contradictions ne sont pas réellement captées dans un espace s'il ne possède pas une forme d'authenticité. Tu devras peut-être faire face au cas où un bâtiment doit être conçu d'une certaine façon mais la situation et les conditions ne le permettent pas. Ce serait une contradiction susceptible d'être traduite dans l'architecture et dans l'espace. Je trouve ce processus très important car il est lié à mon intérêt pour la généalogie des typologies de bâtiment. Ce processus a le potentiel de produire une nouvelle génération à partir d'une typologie ancienne. Les nouvelles typologies apparaissent là où le passé et le présent se croisent. Elles peuvent avoir un effet très puissant sur la société et sont également très puissantes comme expressions architecturales. J'espère que les jeunes architectes cultivent une plus grande compréhension de l'histoire parce que l'authenticité de l'architecture est liée à la perspective historique de son architecte. Le XXe siècle était dominé par l'idée de division du travail. De ce point de vue, la motivation et l'argent à la base d'un projet sont divisés entre différents spécialistes. Chaque spécialiste se voit confier un travail, chacun travaille de son côté, et ils se rassemblent à nouveau à la fin pour synthétiser le projet. Cette pratique de subdivision de la force de travail a vraiment changé l'esprit de l'architecture. L'architecture, à la base, concernait davantage la construction sociale. Si tu penses à la manière dont on construisait une cathédrale, par exemple, avant même que ne commence la construction de la structure physique, il y'avait d'abord le besoin d'élaborer l'esprit du projet et de construire un consensus entre les différentes parties nécessaires à sa conception. C'était une construction sociale. Mais la division de la force de travail a rendu l'architecte ignorant de l'importance de cet aspect. Maintenant les architectes attendent seulement qu'un bon projet leur tombe dessus.

K *[rires]*

T Les architectes aiguisent leurs armes en concevant de très étranges formes, etc. et attendent tous les jours d'être pêchés par un bon client. Mais cette pratique prend fin. La société s'éloigne maintenant de cette notion de division du travail. Il est temps de déplacer notre compréhension et l'ensemble de nos pratiques vers une collaboration plutôt qu'une division. Je pense que le rôle le plus important des jeunes architectes est de devenir eux-mêmes actifs en initiant des collaborations entre différentes personnes. L'argent suivra maintenant le projet. Dans le cas de la division du travail, l'argent venait en premier. Le processus était « ok, réfléchissons à comment utiliser cet argent », « ok, faisons quelque chose, » et ensuite « ok, maintenant investissons ». C'était le processus de construction des bâtiments publics au XXe siècle au Japon, mais je pense que c'est impossible maintenant parce que le gouvernement n'a plus d'argent puisqu'il perd des contribuables.

K Peut-être que ça peut également être perçu comme une avancée vers un état d'esprit basé sur la contribution. Chaque architecte doit penser à comment contribuer pour faire quelque chose.

T Oui. Nous architectes devons devenir des initiateurs ou facilitateurs pour faire émerger des projets. Ce mode de travail devrait porter un nom. Aux États-Unis, ils en parlent déjà sous le titre, « *Au delà du patronage* ». « *Pro bono* » design devient une part importante de la pratique des jeunes architectes qui essayent de trouver du travail dans le domaine architectural en participant à des projets sociaux et en y contribuant comme architecte. Néanmoins ce n'est que le début donc ils rencontrent encore des difficultés à gagner suffisamment d'argent. Je pense que c'est assez intéressant. Mais, personnellement, je préférerais toujours être pêché par un très gentil et généreux client. *[rires]*

[*1] Communalité est le terme choisi pour retranscrire le mot « Communality » inventé par Yoshiharu Tsukamoto (ndlr).

[*2] *Bow Wow from Post Bubble city*, Ed.Inax, Tokyo, 2006

Yoshiharu Tsukamoto
--
Né à Kanagawa en 1965, architecte diplômé de l'Institut de Technologie de Tokyo en 1987, après avoir passé notamment une année à l'Ecole Nationale Supérieure d'Architecture Paris Belleville (U.P.8), Yoshiharu Tsukamoto fonde en 1992 avec Momoyo Kajima Atelier Bow-Wow, agence célèbre tant pour ses productions théoriques que ses réalisations architecturales. Co-auteur d'ouvrages majeurs et influents tels que « Made in Tokyo » (2001, Kajima Institute), « Bow-Wow from POST BUBBLE CITY » (2006, INAX), « Behaviorology » (2010, Rizzoli). Yoshiharu Tsukamoto est aussi titutlaire d'un doctorat en ingénierie à l'Institut de Technologie de Tokyo depuis 1994. Il est par ailleurs professeur invité à Harvard GSD, professeur agrégé invité à UCLA et professeur agrégé à l'Institut de Technologique de Tokyo. Revendiquant un intérêt renouvelé pour la ville et les architectures 'banales', sa posture théorique, pratique ainsi que ses travaux graphiques continuent d'influencer tant les architectes japonais qu'européens.

Djamel Klouche
--
Présentation
Né en 1966 à Tlemcen en Algérie, Djamel Klouche est architecte et urbaniste diplômé d'un post-master de l'Ecole des Hautes Etudes en Sciences Sociales (DEA, territoires urbaines) et de l'Institut des Sciences Politiques de Paris (DESS aménagement et urbanisme).Il co-fonde en 1996 avec François Decoster et Caroline Poulin les sociétés d'architecture et d'urbanisme, l'AUC+l'AUCas basées à Paris. Professeur à l'Ecole Nationale d'Architecture de Versailles, il préside son conseil d'administration depuis 2013. Commissaire de la biennale d'Architecture de 2010 à Bordeaux (Agora), « Stim Métropoles Millionnaires', son agence est la plus jeune des dix équipes commissionnées pour la consultation du Grand Paris en 2008. Développant depuis plusieurs années une posture singulière dans le paysage français, Djamel Klouche affirme une approche pragmatique et pluridisciplinaire mettant la pratique de l'architecture et de la ville au croisement de plusieurs champs d'analyse et de projections. Djamel Klouche représente une figure influente de l'architecture de l'urbanisme en France, et tout particulièrement pour la jeune génération d'architectes et d'urbanistes.

Djamel Klouche + Yoshiharu Tsukamoto

02

Ville sans extérieur | 外側のない都市
Djamel Klouche | ジャメル・クルーシュ

« La métropole n'est pas un lieu que l'on peut dessiner. C'est une condition, que l'on peut décrire. »

--

Lors de notre contribution pour le Grand Paris, nous n'avons proposé ni modèle, ni plan, ni image d'une métropole idéale de l'après Kyoto ou du Grand Paris du futur. Nous sommes partis du constat que la métropole de demain est très largement déjà là, et que le fait métropolitain est avant tout un enjeu culturel, mondialisé, et que son intérêt réside dans l'affirmation de son caractère multiforme.

La métropole n'est pas un lieu que l'on peut dessiner. C'est une condition, que l'on peut décrire.

Comment, alors, appréhender, analyser et agir sur cet archipel métropolitain qui n'est pas une forme identifiable par sa limite mais un ensemble de situations ?

L'exemple japonais a constitué, pour nous, un contre-point utile. Au Japon en général et à Tokyo en particulier, la centralité ou l'urbanité apparaît moins caractéristique d'un lieu que d'un usage. Il n'existe pas de bonne traduction française du terme *Sakariba* que l'on traduit habituellement par « quartier fréquenté ». Mais *Sakari* ne connote pas seulement l'énergie ou l'abondance ; le mot renvoie aussi au temps qui passe. Les *Sakaribas* sont des concentrations éphémères de l'urbanité ; des « coeurs de villes nomades ». Aux formes matérielles que privilégient les représentations occidentales de la ville, la culture nipponne oppose la plasticité des formes tangibles et, au contraire, la permanence des formes intangibles.

« *A city without exterior, and a labyrinthine interior that one inadvertently enters at some points: this is the mysterious character of the city called Tokyo* ».

Toyo Ito, *what is the reality of architecture in a futuristic city ?, in Tarzans in the media forest*, Toyo Ito, Architectural Association London, Architecture words 8.

Est-ce que le paradigme dans lequel se forge une génération nouvelle d'architectes est celle de *la ville sans extérieur* ? La ville qui ne se donne pas à voir du premier coup d'œil, la ville dont on ne comprend pas la logique, la ville qui a refusé toute aliénation au « Centre », la ville qui ne se laisse pas circonscrire dans une représentation possible, la ville qui interdit que l'on parle en son nom, la ville en résistance, la ville qui a dorénavant pris son autonomie et sa totale liberté.

La lecture radioconcentrique de Paris (encore trop présente), la métropole, qui oppose centre dense et périphérie diffuse, nous empêche d'analyser et d'agir dans les frontières externes en mutation de la métropole. Il est toujours plus simple d'analyser la périphérie depuis le centre. La pensée de la métropole parisienne est encore inscrite dans le régime de l'unilatéral : du centre vers la périphérie. Alors qu'avec l'expansion de sa sphère d'influence sur des aires de plus en vastes, la métropole parisienne s'est libérée de la dominance de son centre. La distance entre centre et périphérie est parvenue à un point de rupture irréversible. La métropole est devenue multipolaire et hybride, très difficile à appréhender dans

054--055

sa globalité : une structure aréolaire, un fonctionnement en réseau, en saillance et en creux (des pôles de compétitivité jouxtent des zones reléguées, des quartiers d'habitat pavillonnaire jouxtant des nœuds d'infrastructures rapides, un village et un aéroport international...) jusqu'à la schizophrénie et l'autisme.

C'est probablement pour ces raisons que la « ville sans extérieur » devient un vecteur stimulant pour activer, révéler des situations dans les parts invisibles de la ville et de la métropole et de les rendre habitables. Cette habitabilité s'exprime par des architectures discrètes au propre comme au figuré : discrètes parce que ne cherchant pas une visibilité ostentatoire, discrètes – au sens scientifique du terme – parce que discontinues, situées, ponctuelles et précises.

Il ne s'agit donc pas de chercher à construire une représentation définitive des territoires métropolitains, mais bien de les acclimater à ce « commun » que l'on cherche désespérément, par le truchement d'images-projets situées quasi-réelles rendant possible de multiples récits et mettant en tension des *situations habitantes métropolitaines*. Cela nous permet de percevoir, dès lors que l'on accepte d'y entrer par inadvertance, le potentiel de confort et de liberté qui y règne.

グラン・パリのプロジェクトに参加するにあたり、私たちは、いかなるモデルも設計図も、京都議定書以降の理想的な都市のイメージも、未来のグラン・パリのイメージも提示しなかった。私たちは、明日の都市は既におおかた存在していて、大都市であるという事実は何よりもまず、都市の多面的な特徴を肯定することの重要性をともなう、グローバルで文化的な取り組みであるという言明から出発した。首都は、設計できる「場所」ではない。そ

れは、言葉で描写できる「条件」なのである。それでは、どのようにして境界線で切り取れる形ではなく「様々な状態の総体」である「都市という群れ」を分析し、理解し、そこに働きかけることができるのだろうか。

日本は、私たちにとって興味深い副次的な例である。日本では一般的に、特に東京では、都市の中心としての性質、あるいは都会的な性質は、場所そのものが持つ特徴よりも、どのようにその場所が使用されているかで決まる。「人がよく集まる地区」と慣例的に訳される「盛り場」という言葉にぴったり対応するフランス語は見つからない。「盛り」という言葉はエネルギーや豊潤さだけを含意するのではなく、時間の流れも意味する。「盛り場」は、都会的な性質が、僅かのあいだ凝縮する場所、つまり「移動する都市の中心」なのだ。西洋の都市の景観においては物質的形態が重視されるのに対し、日本の文化においては、触れることのできる物質的形態が表す造形性が、反対に触れることのできない形象の持つ永続性と対比される。

「外側のない都市、いつしか迷宮のように内側にさまよい込んでいる都市、それが東京という都市の不思議な性格である。」

伊東豊雄「未来的都市における建築のリアリティとは何か」『透層する建築』青土社、2000年、18頁

新しい世代の建築家たちが思い描くパラダイムは、「外側のない都市」のパラダイムなのだろうか。一見して形をとらえることのできない都市、そこを支配するロジックを理解することのできない都市、一つの「中心」へと収束することを拒絶する都市、ある決まった景観にその表象を限定されることを拒む都市、その名で語ることを禁じる都市、抵抗する都市、自律し、完全な自由を獲得する都市。

Djamel Klouche

拡散した周辺部に対し密集した中心部を持つ大都市パリという、未だ非常によくみられる、中心から放射状に広がる都市としての読みに留まっていては、都市が変化するなかで、境界を越えて分析し、働きかけることはできない。中心から周辺部を分析する方がいつだって容易い。より広範な区域へと影響領域を拡大し、パリという首都は中心の支配から解放されたというのに、その思考はまだ、中心から周辺部へという一方方向の規則に支配されている。中心と周辺部の間の隔たりは、元に戻せないほど決定的になった。都市は多極的で混成的になり、その全体像を掴むのは難しくなった。波紋状の構造や、網状あるいは凹凸状の機能の仕分け（競争の多極化が、高速道路等インフラストラクチャー、村と国際空港を隣接させ、見放された地区と郊外住宅地区を隣接させる）が、同時に複数のことが行われながら、それぞれの間に対話がない状態を引き起こしている。

おそらくこうした理由から、「外側のない都市」の概念は、都市の不可視の部分における様々な「状態」を明らかにし、活性化し、そうした不可視の部分を居住可能な場所へと変える刺激的なベクトルとなる。比喩的な意味でも字義通りの意味でも「控えめな」建築――これ見よがしの外観を持たない「控えめな」建築、そして語の学術的な意味として、離散的で、環境に応じ、局部的で正確な、「控えめな」建築――が、この居住性を表現できる。重要なのは、首都という領域の決定的な景観を構築することではなく、都市の様々な居住状態を描き出し、多様な物語を提示する、ヴァーチャルに再現されたプロジェクト・イメージを介して、私たちが虚しく探している多様性の中の「共通項」に首都を適応させることだ。おもいがけずそのイメージの中に身を置いたとき、そこにあふれる快適さと自由の潜在的可能性を認識することができるだろう。

03

Haute définition

ハイ・デフィニション

Simon de Dreuille

シモン・ド・ドレイユ

Il y a cette idée classique de la ville comme une forme finie, claire, avec un centre et une périphérie. Les bâtiments donnent sa figure à l'espace public. L'espace public est structurant, plus ou moins spectaculaire. On peut représenter cette ville et l'aménager à partir d'un plan. L'idée classique de la ville a dominé longtemps la conception de la bonne ville. Et dans le même temps, inéluctablement, la ville classique s'absentait de la majorité de l'espace urbain. C'est le résultat d'un accroissement inouï de cet espace, l'effet de l'économie de marché, qui a produit des objets désirables pour les individus (maisons et autres), des objets à l'économie efficace, mais qui a produit peu de cohérence au sens classique, peu d'articulation, des formes inédites ou faibles de continuité.

On a essayé, en dehors du centre, à plusieurs endroits du domaine urbain, de construire des fragments de la bonne ville qui n'ont pas fonctionné comme prévu faute de pertinence. On a compris progressivement que l'idée de la ville classique était pratique mais pas infaillible, qu'il était devenu difficile de décrire et de penser la ville à partir de sa forme.

Une réponse parmi d'autres à ce constat est certainement partagée par les architectes participants au projet *Kenchiku Architecture* : il est plus pertinent de décrire la ville non plus à partir de sa forme et d'une représentation classique mais à partir de la manière dont on l'habite – dont on l'habite au sens large – comment on se loge, comment on travaille, on se déplace, on interagit avec les gens et les objets. Le déroulement du quotidien s'inscrit dans des continuums urbains suffisamment cohérents et structurants pour être décrits, faisant partie d'un tout complexe qui échappe à une compréhension globale unanime. On peut appeler ces continuum « écologies » dans le sens que donnait au terme Reyner Banham*, et le tout s'approche de la notion de Lagos décrite par Rem Koolhaas, une ville qui a l'air chaotique mais qui contient de l'ordre. C'est une manière simple de lire une réalité complexe, peut-être de l'aménager.

D'une exposition d'architecture, *a fortiori* une exposition qui présente les travaux de jeunes agences, on attend généralement des signes de créativité, au mieux la révélation d'un mouvement, d'une théorie commune. Cela ne devrait pas être le cas dans Kenchiku. Il y a d'abord chez les architectes présentés une certaine méfiance vis à vis de la théorie et des idéologies. Sans doute parce que récemment les positions les plus affirmées sont devenues des marques, qui peinent à formuler autre chose que ce que le marché propose déjà (voir *superdutch*, la *french touch*…) Méfiance également vis à vis de l'injonction générale de créativité ; une force dont l'importance et les effets ont été surévalués. Dans Kenchiku, les architectures sont calmes, neutres d'une certaine manière, retenues dans leur expression. Il y a peu d'astuce dans les projets, peu de démonstrations immédiates. Il faut chercher ailleurs, des signes du temps, des attitudes et des méthodes qui ne construisent pas un mouvement mais qui visent une situation partagée.

Deux notions concernant l'époque, l'espace urbain, donnent des points d'entrée utiles dans les travaux présentés par Kenchiku, deux notions qui mènent à l'idée qu'on construit la métropole en l'habitant à petite et à très grande échelle.

CHAÎNES
--

Nous sommes à l'époque des grands ensembles métropolitains, de nouveaux jeux d'alliances territoriales, d'une possible pensée de la coopération, de la redistribution, entre territoires à forte et à faible valeur ajoutée, entre les agglomérations et leurs gisements de ressources naturelles, à l'époque de la stimulation des différences, de la mise en évidence de circuits économiques spécialisés et de géographies urbaines hétérogènes sous le masque des infrastructures standardisées de la ville globale.

Dans ce contexte un enjeu pour les architectes est de parvenir à intervenir dans des chaînes relationnelles de grande échelle et à développer, habiter les zones d'intersections entre ces chaînes.

COMMUN
--

Nous sommes au moment où la sphère domestique s'étouffe dans la crise du logement, où la sphère publique s'essouffle face aux étendues prodigieuses du domaine métropolitain, où plus que jamais, l'idée de vivre ensemble apparaît comme structurelle, plausible, peut-être désirable.
Entre le privé et le public, la définition et la construction de l'espace du commun, un espace intermédiaire, hybride qui mélange à la fois dans ses configurations et dans ses processus de production le privé et le public, l'habitat et le travail, l'individu et le collectif constitue une formidable occasion de vivre ensemble, mais aussi un filtre entre l'individu et la métropole. Une manière de participer ou de se retirer.
Il y a dans cette alternative, dans cet espace de détente entre la métropole et l'individu, une idée qui rassemble certainement une jeune génération d'architectes. Une génération qui s'est formée après que les grands récits sur la métropole, sur les mégalopoles, sur la ville globale, aient été écrits, et qui en tire un rapport moins

fasciné, plus libre avec la métropole. Des architectes moins portés à la célébrer, à la radicaliser qu'à penser sa substance jusque dans le micro détail, son opérationnalité, à faire advenir la métropole habitante en haute définition.

[*1] Dans son livre Los Angeles : *The Architecture of Four Ecologies*, publié en 1968, Reyner Banham observe de manière inédite l'environnement construit de L. A., portant un regard neuf sur les manifestations de la culture populaire, du génie industriel, aussi bien que sur les modes traditionnels de l'architecture résidentielle et commerciale.
Son système de quatre écologies analyse les relations qu'entretiennent les habitants avec la plage, les collines, la plaine, les autoroutes.

Simon de Dreuille
--
Simon de Dreuille, né en 1980, est diplômé de l'Ecole Nationale Supérieure d'Architecture de Clermont Ferrand en 2005. Il vit à Paris et travaille à l'AUC, avec Djamel Klouche, Caroline Poulin et François Decoster. Il a collaboré à "Frog Magazine" comme éditeur associé pour l'architecture. Il a enseigné à l'école nationale supérieure d'architecture de Paris Malaquais. Pensionnaire de l'Académie de France à Rome 2013-2014, il a consacré sa résidence à l'étude de relations fortes entre la Nature, la sphère domestique et la sphère urbaine en s'intéressant notamment à la place qu'occupent les plantes domestiques dans nos vies, dans les environnements construits, autour de la planète.

都市は中心と周辺が存在している単一の形、そして完結した実体である、という伝統的な考え方がある。建物はパブリック・スペースを輪郭づけ、パブリック・スペースは構造的で、多かれ少なかれスペクタクルなものである。そして都市は2次元のプランで表象され、整備されてきた。この伝統的な都市の概念は長い間「良い都市」の定義となってきた。しかしながら、実際には都市の中にそうした伝統的な都市空間は不在であった。市場経済の影響による都市空間のかつてない発展の結果、個人の所有欲求をくすぐる（家やその他の）製品がつくりだされ、これらの製品は経済的効果がありながらも、継続性が欠如し、伝統的な観点における一貫性をほとんど生みださなかった。

中心部の外側にある様々な都市的領域で、「良い都市」の断片を建設する試みが幾度もなされてきたが、いずれも妥当性に欠けていたため予想されていたようには機能しないものばかりであった。伝統的な都市の概念は実際的ではあるが必ず効果のあるものではないということ、都市の全体像を描き構想することは困難であるということがわかってきた。

KENCHIKU | ARCHITECTURE で紹介されている建築家たちはおそらく共有しているであろうが、こうした分析への応答は、伝統的な表現方法によって描き出される都市とは何の関係もないということだ。むしろ、どのように生活するのか、つまりどのように住まい、仕事をし、通勤し、人やモノとの関係をつくり出すのか、ということから都市を描き出すというほうがより的を得ている。

日常生活のプロセスは、都市の表象をつくり出すために充分に構造化され論理的な都市の連続体を導き出す。概して言えば、単一で包括的な理解

をゆるさない複雑な全体を構成する。この連続体をレイナー・バンハムの言葉を借りて「生態系」*と呼ぶこともできるだろう。そうすると、この複雑な全体はレム・コールハースが「ラゴス」から読み取ったように、混沌としたように見えて秩序を内包している都市という概念に近づく。複雑な現実を解読し、展開するためのひとつの方法である。

建築に関する展覧会、とくに若手建築家の作品を紹介する展覧会においては、一般的に新しいムーヴメントの兆しや、創造性、共通の理論の明示が期待される。しかし、KENCHIKU | ARCHI-TECTURE はそのケースに当てはまるべきではない。この展覧会で紹介されている建築家たちの間には、目新しい理論やイデオロギーに対する警戒心が感じられる。昨今、確固たる地位を築いたムーヴメントの多くが安易にブランディングされ、マーケットで提示されている以上のものになり損なった(スーパー・ダッチ、フレンチ・タッチ等が例として挙げられる)。彼らはまた、その重要性と効果が過大評価されてきた創造性という考え方へついても疑いの目を向けている。プロジェクトにおいて、デザインはおだやかで、ある種中立的であり、ひかえめな表現をとる。それぞれのプロジェクトは仕掛けや、即物的なデモンストレーションに乏しいが、まさにそうした点以外を見る必要があるのだ。時代の兆候、態度と方法、そしてひとつのムーヴメントを構成するのではなく、共有された状況を喚起する集合的で個別的な決定のすべてを。

そして都市空間に関する2つの観点がKENCHIKU | ARCHI-TECTUREで紹介されているプロジェクトへの入り口になっている。それは、生活することによって築き上げられる都市という考え方を導く2つの観点だ。

連鎖
--

私たちは現在、大都市圏の時代、新しい領土的同盟の時代、そして高付加価値を有する領域とそうでない領域の間、密集市街地と天然の後背地の間での再分配と協同が可能になった時代にいる。それぞれの違いは強調され、様々な経済的回路がグローバル経済の仮面の裏側をあからさまなものとする。

こうした背景の中で、建築家にとっての取り組みとは、大きなスケールの関係性の連鎖(地理、経済、経験)に介入し、そしてこれらの連鎖の交差するゾーンに介入し、発展させることにある。

共有点
--

現在の住宅危機は家庭の領域を息苦しいものにし、同様に大都市圏の驚くべき拡張は公的領域を脅かしている。こうした中で共生という考え方は、建設的でもっともらしく、望ましいものである。それぞれの状況と生産の過程における公と私の関連づけ、家と職場、個人とコミュニティとを結び合わせることで、共有空間の創出は共生のための素晴らしい機会を提供する。そしてそれはまた、個人と大都市の間のフィルターをつくり出すことにもなる。そこに参加するかしないかを選ぶことが出来るのだ。このオルタナティブな、都市と個人の間のおだやかな空間に、若い世代の建築家を呼び集める考え方が存在している。彼らは、大都市や超都市、そして世界都市についての大きな物語が書かれた後に教育を受け、先達たちに比して大都市に魅了されすぎずに、より自由な関係を築いている。

ゆえに、都市をむやみに賞賛したり先鋭化したりせず、ミクロにいたる細部までその内容や実用性を考察し、高解像度でもって住むための都市を生み出していくのである。

[*1] 1968年に出版された著書『Los Angeles : The Architecture of Four Ecologies』の中でレイナー・バンハムは前例のない方法でロサンゼルスのつくられた環境を、ポップ・カルチャーの出現や産業の特徴に対して同様、住宅や商業建築の伝統的な形式に新しい視点をもたらしながら観察している。彼の考案した4つの環境のシステムは、住人と海岸、丘陵、平原、そして高速道路との関係を分析している。

シモン・ド・ドレイユ
--
1980年フランス、アリエ生まれ。2005年The Architecture School of Clermont-Ferrand卒業。2007年からFrog magazineの建築部門の編集を担当。2013年よりヴィラ・メディチ、フランスアカデミーの特別研究員としてローマに滞在。私たちの身の回りの世界をつくり出し、重要な役割をになっているものとして、家庭内の植物に特別な注意を払いながら、自然と家庭的な空間、都市空間の間のつながりについて研究をおこなっている。

Simon de Dreuille

04

Architectures à l'âge des transactions haute fréquence
高頻度取引時代の建築

Flavien Menu | フラビアン・ムニュ

Il est 11H47 à Tokyo et la dernière cellule du Nagakin Capsule Hotel touche Terre. L'architecture métaboliste vient de perdre son denier représentant. Pas de destructions spectaculaires, pas d'explosions, les ouvriers agissent en plein cœur de Ginza, un des plus chers de la ville.
Cette mort succède à un changement de paradigme architectural dans la métropole tokyoïte. C'est un phénomène régulier qui arrive environ tous les 26 ans, précipité par la faible durée de vie des bâtiments et le prix du foncier qui les excède. La construction n'existe plus seulement pour elle-même mais appartient à un ensemble plus grand, celui de la métropole. Les parcelles y rétrécissent sans cesse, en raison de l'obligation d'en céder une partie pour pouvoir conserver sa propriété. Elles accueillent des bâtiments plus inventifs puisqu'obligés de négocier, collaborer avec une échelle de plus en plus réduite et un environnement qui se resserre en permanence. Il en résulte un tissu urbain archaïque, organique, bricolé se conglomérant autour des stations de trains, seuls repères dans une ville sans centre.
Cette fragilité se retrouve aussi dans son histoire. Seule métropole à avoir été détruite deux fois, très souvent soumise à des phénomènes extérieurs qui la bouleversent – bulles spéculatives financières, tremblements de terre – sa vulnérabilité semble être devenue sa condition.
Ville de l'humilité, Tokyo a appris au fil des évènements à se réinventer, elle n'est pas limitée à un jeu spécifique de valeurs mais peut varier de façon infinie à l'intérieur d'un continuum, intégrant ainsi le fait que la planification rationnelle n'est seulement qu'un système parmi tant d'autres. Dans une ville sans adresses, où les idéologies n'ont pas d'échos, sa représentation ne se fait pas à travers le plan mais bien par l'espace. Cette absence de repères géographiques communs oblige les habitants à utiliser leurs outils cognitifs et leurs sensations. Les bâtiments, les anomalies urbaines deviennent alors un signe, un évènement qui contribue à fabriquer un espace psychologique personnel de la ville.

Il est 5h49 à Paris, la banlieue s'éveille. Les trains commencent à charger les travailleurs qui se dirigent vers la capitale.
Paris est le centre névralgique de la région parisienne et la banlieue un territoire coupable de n'être qu'au service de la capitale.
Il y a eu Haussmann et Napoléon qui ont fait de Paris – boyau médiéval – une ville nouvelle, propre, sécurisée. La recherche maximale de pouvoir les autorise alors à imprimer sur la ville et l'architecture le visage éternel de l'ordre classique. Les bâtiments, contrairement à aujourd'hui, étaient conçus pour subsister à l'Homme.
Paris devient une ville radioconcentrique, les avenues convergent vers les centres du pouvoir, le city-scape s'harmonise, du balcon à l'immeuble à l'îlot tout est dessiné contrôlé, régulé.
Lors de l'aménagement du territoire français d'après-guerre, De Gaulle et Delouvrier, en systématisant le dirigisme et la

B1004 (Window), 2012 ©Noritaka Minami
Collage par Flavien Menu

centralisation, creusent les tunnels du RER et accentuent les distorsions de l'économie parisienne, et plus encore celle de la morale quotidienne. Ils mettent en place une politique des classes et de ségrégation spatiale, sans tenir compte de l'aspiration à une vie meilleure. Le bonheur est décidé dans les bureaux d'études, les vies dont le futur a déjà un passé et le présent un éternel goût d'attente, sont quelques kilomètres de trop à l'écart.

Le boulevard périphérique matérialise cette fracture entre Paris et la banlieue, « triste qui s'ennuie, défile grise sous la pluie » comme chantait Piaf.

Elle forme une couche silencieuse et reniée dans laquelle l'utopie collective des grands ensembles cède peu à peu la place à une dégénérescence vers le refuge individualiste de la maison pavillonnaire.

Désormais, la famille nucléaire n'est plus le modèle idéal, les grands couples politico-urbain peinent à se rencontrer. Forcé au célibat, Paris multiplie les aventures, commence à interroger sa suprématie. Paris s'hybride, Paris s'ouvre, Paris doute.

Alors que le centre se réinvente toujours par l'intérieur – en cycle long et fermé – la banlieue s'affirme. Le voyageur pressé, qui l'ignorait jusque là, apprend à lire dans ce paysage ingrat le renouveau de la métropole parisienne.

La sédimentation des différentes politiques de la ville provoque des situations inédites. Étant donné que détruire pour reconstruire n'est pas admis – car il reste dans l'imaginaire collectif un traumatisme – des collages intéressants apparaissent dans les tissus ordinaires : modernité des casernes collectives aux côtés de bâti de faubourgs historiques, nouveaux développements tertiaires et églises ayant résistées aux bombardements, pavillons résidentiels dans héritage industriel, shopping-malls au milieu de plaines agricoles fertiles. De cette confusion émerge une nouvelle richesse. La jeune génération d'architectes pourraient trouver dans ces territoires suffisamment d'éléments spéculatifs pour y inventer d'autres manières de faire, différent de la suprématie du plan, de l'ordre et l'autorité, jouant de la puissance d'une échelle plus petite pour inventer les scénarios du renouveau.

Sans titre ©Flavien Menu

Flavien Menu

Il est 16h51, les charpentiers quittent le Capsule Hotel et la banlieue est encore un peu somnolente à cette heure où Paris concentre le plus grand vacarme. Personne ne sait exactement si le bâtiment de Kurosawa a été détruit et si l'agglomération parisienne s'est réveillée de 60 années de silence. Personne ne sait non plus si l'architecture est l'élément qui pourrait parvenir à fabriquer un autre visage de la métropole puisqu'il est impossible de savoir si la fragilité de l'une est la puissance de l'autre. Disons que tous les deux tremblent face à la question en ce début de fin d'après midi, mais qu'il est possible que de ces territoires sans nom puisse advenir un renouveau de l'espace psychologique de la ville, non plus par le plan, la planification, la main de fer politique, mais peut-être par des dénominateurs communs plus intimes. Le débat sur la ville rassemble de plus en plus d'intentions, d'acteurs, d'enjeux. Son intérêt grandit avec la complexité des questions qui interviennent et la vitesse à laquelle les décisions peuvent être bouleversées. À un moment de telle incertitude, il semble riche d'utiliser le doute, de se mettre en danger, d'apporter dans le dialogue un langage sur une échelle plus petite, d'en affirmer son rôle pour en tirer parti et trouver d'autres équilibres.

Junzo Kuroba, Momoyo Kaijima, Yoshiharu Tsukamoto, *Made in Tokyo : Guide Book*, Kajima Institute Publishing, Tokyo, 2005.

Thomas Daniell, *After the Crash: Architecture in Post Bubble Japan*, Princeton Architectural Press, New York, 2008.

Roland Barthes, *L'empire des signes*, Seuil, 1970.

l'AUC, *Grand Paris stimulé*, SNEL, Belgique, 2009.

Maurice Pialat, *L'amour existe*, production Pierre Braunberger, France, 1960.

Jean Luc Godard, *Deux ou trois choses que je sais d'elle*, 1967.

Andrea Branzi, *Nouvelle de la Métropole Froide*, Centre Pompidou, Paris 1992.

Flavien Menu
--
Flavien Menu est architecte, diplômé de l'ENSA Versailles. Après des stages à l'étranger, chez BIG-Copenhague et Studio X-New York, il a travaillé deux ans à l'AUC-Paris sur des projets d'échelles métropolitaines. Il vit actuellement à Londres et termine un double diplôme Sciences-Po-LSE en politiques urbaines pour enrichir son savoir sur des questions liées aux sociétés et aux territoires. Initiateur du blog 'NDLR', il est le fondateur d'Hotel Métropole, lieu éditorial dédié à la diffusion des idées et des images autour de l'architecture et de la ville. Il écrit et collabore régulièrement pour des revues françaises et internationales.

11時47分、東京で、中銀カプセルタワービルの最後のカプセルが地上におろされる。メタボリズムが最後の代表的建築作品を失う瞬間だ。目を見張るような取り壊しも、爆破もなく、ただ作業員たちが黙々と、東京の一等地のひとつ、銀座の中心部で作業している。

この死は、東京という大都市における建築のパラダイムの一部なのだ。それは約26年ごとに訪れる定期的な現象であり、建物の寿命が短く見積もられ、地価がつり上がることで建替えが促進される。建築は、建築そのもののためだけには存在しておらず、より大きな、都市という総体に属している。大都市では、土地の所有権を相続するために土地の一部を譲らざるをえない状況にあり、そのため区画はたえず細分化されていく。どんどん縮小する面積とたえず収縮する環境をうまく使いこなした結果として、創意に富んだ建物が生み出される。この中心を持たない都市で唯一の目印である駅の周辺には、古びれ、有機的で、継ぎ接ぎだらけの都市の切れ端が凝集している。この脆弱性は、東京の歴史の中にも見出せる。東京は、二度の破壊を経験した希有な都市であり、また都市を揺さぶる外的な現象（経済バブルや地震）に頻繁に晒されているため、その脆さは東京が東京たりえる条件のようである。

恭謙の都市東京は、試練の度に新たな価値を付加してきた。価値やスタイルの遊戯に留まることなく、無限の方法でたえずその内部に多様な価値をつくり出す。そこでは、合理的なプランは数あるシステムの1つに過ぎないという事実が示される。ストリートに名前がない都市では　定説が響かず、慣習的な地図よりも空間が大きな意義を持つ。地理的な目印がないため、この都市に住む者は自らの記憶や思考、感覚を使わなければならない。建築物と都市の特異点はこうして、都市の個人的な心理的空間をつくり出すのに貢献するひとつの事象となり、ひとつの兆候となる。

5時49分、パリ。郊外が目覚める。
都市部へと向かう労働者たちを電車が運び始める。パリは全てが集結し流通する中心部であり、郊外はこの大都市に従属する地域でしかない。オスマンとナポレオン3世が、中世の狭い迷路のような街路のパリを、清潔で安全な近代的都市にした。その際、権力を最大限に行使し、彼らはパリという都市と建造物の上に古典的秩序の表情を刷り込んだ。建造物は、今日とは反対に、人間よりも長く存続するものとして構想されたのである。こうしてパリは放射状に広がる求心的な都市となった。大通りは権力の中心部へ向かって収束し、都市景観は調和し、建物のバルコニーから区画まで全てが設計され、統御され、一定の規則に従うものとなった。戦後のフランスの領土整備にあたりド・ゴールとドゥルヴリエは、統制経済と中央集権を体系化させながら、郊外鉄道RERのトンネルを掘り、パリ経済の歪み、さらに倫理の歪みも増大させた。彼らはよりよい生活への憧れを考慮せずに、階級と空間分節にむけた政策を実行した。幸福は調査事務所の机上で決定され、未来が既に過去となり、いつ果てることない現在を生きる人々のことを、彼らは知るよしもなかった。ペリフェリック（パリ環状高速道路）は、「惨めな郊外は退屈し、雨の中を陰気に行進する」とピアフが歌った郊外と、パリの間に横たわる断絶を物理的に体現している。巨大団地の建設という共同体のユートピアが、住まいのパヴィリオンとしての個人主義的逃避場所へと徐々に後退することで少しずつ崩壊していった。そして、その内側に無視された無言の人々の層が形成される。

Flavien Menu

以降、郊外の住宅に押し込められた家族像は理想的なモデルになりえず、政治と都市の観念の組み合わせは不可能になった。パリは変化を探し始め、その絶対的優越を疑い始める。パリは進化し、熟成し、疑いだす。パリの中心部は、緩慢で閉鎖的な周期で常に内部から価値を生み出していくのに対し、パリ郊外は個性を確立し始める。それまで郊外を気にもとめていなかった性急な観光客は、その優美とはいいがたい風景の中に首都パリの再生を読み取ることになる。そしてまたバラバラの都市政策の停滞が、日常的な都市空間にユニークな状況を引き起こしている。既存の建物を取り壊して再建することは認められない（なぜなら集団的記憶の中にトラウマが残っているから）ため、これまで通りの都市構造の中に興味深いコラージュが現れるからだ。歴史的な街の中心に近代的な集合住宅が、産業遺産の中にプレファブ住宅が、肥沃な農地の真ん中にショッピングモールが、そして20世紀型の郊外に新しい第3の開発が建設される、というように。この混沌からは新しい豊かさが生まれる。新しい世代の建築家は、計画や秩序や権威によるのではない再生のシナリオを描くために小規模なチームの強みを活用するという新たな方法を、プロジェクト構想のために生み出す充分な契機を、この地域に見いだしている。

16時51分、銀座の中銀カプセルタワーの現場から作業員達の姿は消え、パリが最も大きな喧噪に溢れるこの時間、郊外はまだまどろんでいる。黒川紀章の建物が解体されたのか、パリ郊外の市街が60年の沈黙から目覚めたのか、誰も正確には知らない。同様に、建築が都市の異なる顔をつくり出すことができるものなのかどうかも。一方の脆さが他方の強みになるのかは、いまだ測りがたいままだ。ただ、この夕暮れの始まりに問いが示される以前から両者は岐路に立たされているとだけ言っておこう。これらの名も無き領域が、都市計画や経済政策や政治的鉄の統制によってではなく、おそらくより親しみやすい共通の分母によって、都市の心理的空間の再生を引き起こすことは可能だ。都市についての議論は、ますます様々な思惑や関与者、可能性をひきよせる。生じる問題の複雑さや、決定が変更される速度をともなって、関心は大きくなる。このように事態が不確かな時には、疑問を利用すること、危険に身をさらすこと、小規模の対話にフォーカスすること、そこから利益を引き出し、異なる平衡状態を見いだすために役割を定義することが賢明であろう。

参考文献

Made in Tokyo : Guide Book, Junzo Kuroda, Momoyo Kaijima, Kajima Institute Publishing, 2005
After the Crash : Architecture in Post Bubble Japan, Thomas Daniell, Princeton Architectural Press, 2008
L'empire des signes, Roland Barthes, Seuil, 1970
Grand Paris Stimulé, l'AUC, 2009
L'amour existe, Maurice Pialat, 1960
Deux ou trois choses que je sais d'elle, Jean Luc Godard, 1967
Nouvelle de la Métropole Froide, Andrea Branzi, Centre Pompidou, 1992

フラビアン・ムニュ
--
建築家。ベルサイユ建築大学卒業。コペンハーゲンのBIGとニューヨークのStudio Xにインターンの後2年間、パリのl'AUCにて勤務。現在ロンドンにて社会と領域に関する課題への知識を深めるために都市政策を学んでいる。ブログ「ndlr」を立ち上げ、建築や都市に関するアイデアやイメージを広めるための編集空間、ホテルメトロポールの設立者の1人でもある。また、フランス国内外の雑誌に記事を提供している。

05

Alice dans les villes aux merveilles
不思議の都市のアリス

Manuel Tardits
マニュエル・タルディッツ

Paris-Tôkyô aller-retour
--
Aujourd'hui encore un tel titre résonne comme un nom de voyage exotique. Pourtant quel urbaniste, architecte ou autre designer douterait du potentiel de ces rencontres entre métropoles ? Si l'histoire de l'urbanisme fit longtemps la part belle aux modèles occidentaux nés avec les cités grecques de colonisation sur le pourtour méditerranéen, les extraordinaires réussites économiques du Japon depuis les années 1960, plus récentes mais non moins éclatantes de la Chine et celle qui se profile de l'Inde et de quelques autres BRICS redistribuent les cartographies des villes à voir. Dans le champ de l'architecture il n'y a guère pour les Français que le grand choc de la Renaissance au XVIe siècle et celui plus récent durant la révolution industrielle au XIXe de la re-découverte des mondes de l'Orient et de l'Afrique, pour briser les canons et les habitudes culturels. Au Japon ces rares moments de passage se circonscrivent aussi dans le temps. Aux deux mouvements d'ouverture vers la Chine au VIIe et au XIIIe siècles, au court instant partagé avec l'Occident durant la seconde moitié du XVIe, succède à partir de 1853 l'entrée forcée dans la modernité occidentale industrialisée d'un pays fermé sur lui-même depuis 250 ans. Seule la mondialisation actuelle peut se prévaloir d'une telle influence sur nos habitudes de vivre, de penser et de créer.

La fin de l'histoire ?
--

Admettons pour la démonstration que l'Amérique du XXe siècle était une extension occidentale de modèles européens (l'arrivée massive des migrants de l'Amérique hispanique et d'Asie, dans une moindre mesure, remet aujourd'hui peu à peu en cause ce modèle). Des États-Unis dont la brillance serait comparable à celle de Byzance, l'empire romain d'Orient, qui poursuivit pendant près de mille ans celui d'Occident. Aujourd'hui le gigantesque et irréversible rééquilibrage de l'économie mondiale au profit de l'Asie de l'Est ressemble à l'ultime étape de la chute des deux empires romains ou plutôt à la naissance d'une extraordinaire période d'hybridation entre Occident et Orient. Avant les années 1980 un échange de point de vue du type de ces ateliers aurait plus certainement concerné Paris-New-York ou Tôkyô-Los Angeles que notre duo d'aujourd'hui. Les perspectives ont changé, les directions se sont multipliées.

New-York, Los-Angeles, Paris ou Londres se trouvent depuis longtemps déjà dans l'historiographie des villes majeures. Avec l'Asie, le Japon contemporain nous offre Tôkyô, la Chine, Chongqing ou Shanghai et l'Inde proposera Mumbaï. Sans oublier dans ce monde en pleine restructuration physique et intellectuelle d'autres zones toutes aussi dignes d'intérêt, soulignons le rapport direct entre puissance politico-économique et rayonnement culturel. Le rééquilibrage de l'économie mondiale au profit du monde non-occidental nous force à regarder et à relativiser nos cultures. Villes et architectures font partie de ces nouveaux territoires d'une pensée ouverte.

En 1992, après l'écroulement du bloc de l'Est, le politologue Francis Fukuyama croyait annoncer la fin de l'histoire de manière prémonitoire. Il constatait le décès de l'utopie communiste au profit du seul modèle démocratique et capitaliste occidental. Exit les croyances en d'autres destins. Dix ans plus tard en 2001, l'entrée de la Chine, devenue la deuxième puissance économique mondiale, à l'OMC, les attentats du 11 Septembre, la déliquescence de la ville de Detroit, siège paupérisé de l'ex-puissance automobile américaine, ont infirmé cette théorie. Les soubresauts de l'économie mettent toujours en danger la démocratie telle que pensée par l'Occident. Aujourd'hui dans une Europe et un Japon en crise depuis plus de vingt ans, d'aucuns doutent du futur de nos sociétés et de nos capacités à résoudre une crise systémique profonde. La fin de l'histoire plutôt que de consacrer la victoire par abandon d'un système sur un autre, ne serait-elle pas celle de vieux pays comme l'Europe et le Japon ? Cette vision pessimiste, non dépourvue de partisans, est contrebalancée par des points d'excellence et des visions volontaristes dans divers secteurs de nos sociétés. L'urbanisme et l'architecture par leur rôle réformateur participent de cette volonté optimiste. Ces ateliers appellent d'abord à innover. 12 équipes « en colère », dans le cadre d'un échange d'information, de points de vue sur le potentiel de ces deux villes, plaident pour un changement raisonné de nos histoires.

Les métropoles de l'ordre et du désordre
--

Évitons tout malentendu à nos 12 Candides, car candides ils le sont dans le meilleur des sens, celui de l'ouverture des yeux et des sensibilités vers l'autre. Le principe mis en place par RAD et RAD Paris de workshops successifs et des binômes conforte cette formule de l'échange. Que représentent donc Paris et Tôkyô dans les imaginaires réciproques ? Ordre ou désordre telle est la question. Celle-ci n'est pas anodine puisqu'elle a trompé et trompe encore beaucoup d'architectes de passage dans chacune des deux villes. L'architecte Kazuo Shinohara, retournant une critique en une qualité, parlait de « la beauté du chaos » de Tôkyô et de la ville japonaise en général. L'italien Andréa Branzi évoquait de son côté le formidable potentiel créatif de ce même chaos. Dans un voyage inverse, nombre de Japonais voient dans Paris, une beauté harmonieuse née pour une bonne part de la conception néo-baroque haussmannienne. Tôkyô, dont les bâtiments ont une durée de vie moyenne de 26 ans, semble se construire et se déconstruire en permanence. Par contraste Paris où cette vie du bâti approche les 80 ans, aurait le métabolisme plus lent. Les Européens peinent à entrevoir des règles à l'œuvre derrière les impressions urbaines bigarrées du Japon des villes. Tôkyô figure l'illustration visuelle d'une liberté parfois outrancière mais bienvenue. Au contraire Paris paraît figé dans un carcan de règles qui préserve et muséifie tout à la fois, jusqu'à l'espace public. D'un côté Paris serait le manifeste d'une approche contextuelle, de l'autre Tôkyô celui du culte de l'objet. Harmonie contre énergie, chacun croit déceler chez l'autre ce qui lui manquerait.

Disons-le, ces impressions sont fragmentaires et partielles. Elles tiennent pour une grande part à l'ethnocentrisme et à la taille des lunettes avec lesquelles on contemple les deux métropoles. Reconsidérons tout d'abord les objets d'étude. Tous les travaux des géographes depuis des années et plus récemment les propositions d'architectes et d'urbanistes pour le Grand Paris pointent un fait. Loin de séparer de sa banlieue le Paris intra-muros (appelons le « le centre historique ») contenu dans le boulevard périphérique, il faut penser dans son entièreté la région métropolitaine où vivent et transitent 11 millions d'urbains (à peine plus de 2 millions pour le Paris intra-muros). La large périphérie méconnue des visiteurs étrangers, où réside la grande majorité de la population exprime des formes urbaines beaucoup plus variées que celles du cœur historique. Est-il d'ailleurs aussi figé que certains seraient tentés de le croire ? Les nouveaux quartiers du XIIIe et du XIIIe arrondissements plaident l'inverse avec leurs urbanités novatrices pour Paris. Cela nos Français le savent bien. Les jeunes architectes qui ont par ailleurs l'occasion de réaliser à Paris, cherchent le plus souvent à jouer des règles et à renouveler l'image des quelques logements ou du petit équipement qu'ils ont à construire. Notons avec intérêt, que par un renversement de perspective révélant bien la différence des points de vue, renversement parfois mal compris dans les cercles parisiens, les architectes japonais amenés à construire à Paris comme Toyo Itô, Atelier Bow-wow ou bientôt Kengo Kuma ne recherchent que peu la singularité. La recherche d'harmonie, sans renier des vocabulaires contemporains est une émulation supérieure et exotique. Tôkyô offre d'abondance la possibilité de s'exprimer sans retenue. Pourquoi aller demander 14 heures rue du Cherche-Midi ?

Du côté de Tôkyô les impressions sont aussi trompeuses. Que Philippe Starck, Jean Nouvel ou nombre d'autres architectes n'y ayant pas construit aient imaginé des opportunités de liberté, ne doit pas faire oublier quelques points essentiels et mal perçus de l'urbanisme et de la construction dans la capitale japonaise. De même qu'il faut considérer le Grand Paris ou la région Ile-de-France et non le seul Paris intra-muros, à Tôkyô regardons aussi l'aire

Paris

Tokyo

métropolitaine, le *shuto-ken*, et non cette seule ville (11 millions tout de même qui équivalent au Grand Paris). On discernera alors dans la plus grande métropole de la planète, 37 millions d'urbains, la clarté infrastructurelle absente de la petite échelle[*1]. Au contraire de Los Angeles, métropole par excellence de l'étendue qui repose sur le tout-automobile, la conjonction des réseaux autoroutiers et ferroviaires maille bien ici l'étendue urbaine. La route circulaire 16 vaut la Francilienne et les 8 autres routes concentriques n'ont rien à envier, bien au contraire, aux boulevards extérieurs et périphérique parisiens. La superposition des autoroutes intra-urbaines qui n'existe pas à Paris, rajoute un réseau supplémentaire et cohérent sur la ville et la ligne de train circulaire Yamanote n'a pas d'équivalent avec l'absence du chemin de fer de petite ceinture. Les grandes radiales héritées de l'époque d'Edo (ancien nom de Tôkyô) se comparent aux nationales françaises. Les trajets latéraux en train sont plutôt plus faciles qu'entre les banlieues parisiennes malgré une étendue plus grande. Nous sommes ici bien loin du chaos ressenti localement.

Loi et préjugés
--

Et la liberté formelle des architectures nous rétorquera-t-on ? Relativisons-la, elle aussi. Soit, les réglementations esthétiques n'existent que dans de rares zones dites d'intérêt esthétique, laissant une grande liberté formelle s'établir sur la majeure partie du territoire de la ville. Pourtant à bien les regarder, les règlements encouragent surtout une autre manière de concevoir l'espace urbain. Le corpus des lois qui régit les surfaces constructibles, les prospects et autres plafonds et la sécurité des bâtiments, est tout à fait conséquent. Il influence fortement les formes architecturales, comme l'a montré avec humour et rigueur Yasutaka Yoshimura[*2]. En réalité ce n'est pas une absence de contraintes réglementaires, mais la loi elle-même qui crée, de manière paradoxale, les conditions objectives d'un chaos visuel. Expliquons-nous. À Paris, comme dans de nombreuses autres villes européennes, l'unité physique de base chargée par la loi de maintenir la cohérence du tissu urbain est l'îlot ou le bloc. Les règlements cherchent à façonner cette entité en imposant l'alignement des immeubles sur rue, des prospects enveloppes et des plafonds à ne pas dépasser. Ainsi naît cette rue où le devant/public s'affirme avec force dans la forme physique, laissant l'arrière/privé des parcelles beaucoup plus libre. À Tôkyô l'unité de base est la parcelle et l'immeuble qui se construit dessus, dont toutes les faces sont concernées par des prospects et des reculs (sur rue, sur la ou les parcelles voisines et au nord). Chaque immeuble constitue ainsi une réponse individuelle et unique à la somme de ses prospects. Le résultat visuel est une sorte d'émiettement. Le cœur de l'îlot et son devant public n'ont ni pertinence ni même d'existence. L'îlot lui-même est souvent plein, la loi japonaise permettant de construire sur une parcelle cernée de bâtiments, pourvu qu'une voie d'accès de 2 m de large minimum mène à la rue. La liberté n'est pas fondamentalement plus grande à Tôkyô qu'à Paris, à l'exception importante certes de l'esthétique. L'essence de l'espace public et privé entérinée par la loi s'y affirme de manière différente.

L'enseignement de Las Paris et Las Tôkyô
--

Gageons que ces deux manières de faire et de voir la ville influenceront les diverses équipes du projet Kenchiku/Architecture. L'échappée tokyoïte aura touché les six Français revenus chez eux marqués par une autre urbanité, en apparence plus souple, en réalité surtout différente. Les six Japonais eux seront confrontées au cas parisien, dont la rigueur publique va les interpeller. Chacun traversera le miroir. Que l'hybridation commence.

[*1] Cf. Manuel Tardits, *Tôkyô, Portraits & Fictions*, Paris, Le Gac Press, 2011.
[*2] Cf. Yasutaka Yoshimura, *Chôgôhô Kenchiku Zukan* (recueil d'architecture superlégales), Tôkyô, Shôkokusha, 2006.

Manuel Tardits
--

Architecte, cofondateur de l'agence Mikan en 1995, Manuel Tardits né en 1959 à Paris vit et travaille au Japon depuis 1985. Sous-directeur de l'école ICS College of Art à Tôkyô depuis 2005 et professeur à l'université Meiji, figure à la fois pratique, avec des projets tels que la rénovation de la gare de Manseibashi, et théorique, Manuel Tardits est l'auteur de plusieurs ouvrages clés sur Tôkyô et l'architecture au Japon : *Post-office*, Toto Shuppan, 2006(ouvrage commun); *Save the Danchi*, Jovis Verlag, 2011(ouvrage commun); *Tôkyô, Portraits & Fictions*, Le Gac Press, 2011; *Tôkyô Danso*, Kajima Shuppan, 2014; ou plus récemment *L'archipel de la maison*, Le lézard noir, 2014(ouvrage commun).

パリ－東京
--

パリ－東京、いまだにこの題名に我々はエキゾチックなイメージを呼び起こす。都市計画家や建築家、もしくはデザイナーは、こうした異なる都市の出会いが持つ潜在性について疑ってこなかった。近年になって60年代以降の日本の驚くべき成長や、それに比する近年の中国やインド、そしてBRICsの国々の成長によって参照すべき都市リストが再定義されてきたが、長い間都市計画の歴史は地中海周辺に点在していた古代ギリシャで生まれた都市モデルへと特別な関心をはらってきた。フランス人にとっては、16世紀のルネサンスの衝撃と、19世紀にかけておこった産業革命、そして既存の規範や文化的習慣から逃れるために東方やアフリカの再発見ということが建築の領域で起こってきた。一方、日本が他文化と接触することは歴史的にみてそれほど頻繁ではなかったように思われる。7世紀と13世紀に中国との間でおこなわれた交易や、16世紀後半の瞬間的な西欧との出会いがあっただけで、その後諸外国からの強制的な圧力によって国境を開くまで、日本は1853年まで250年間わたって鎖国していた。近年のグローバリゼーションだけが、我々の創造性と精神性、生活習慣へ強い影響を与えているように思われる。

歴史の終わり？
--

20世紀のアメリカはヨーロッパモデルの西欧的な拡張であった、という議論を引き合いに出してみよう。ラテンアメリカやアジアからの膨大な移民はこのモデルへの挑戦の程度を引き下げはしたが、アメリカの威光は歴史的にみるとビザンチン帝国のそれに似ている。東方のビザンチン帝国はローマへの歩みを1,000年に渡って継続し続けた。今日

の東アジアの利益を世界経済へと再調整する巨大で不可逆的な状況は東西ローマ帝国凋落の最後のステップによく似ているし、むしろ東西のハイブリッドの驚くべき時期の始まりだと言える。80年代以前、KENCHIKU｜ARCHITECTUREのようなアイデアの交換を目指すとり組みは、パリと東京というよりは、パリとニューヨークだとか東京とロサンゼルスという組み合わせでおこなわれていたように思われる。見通しは変化し、機会は複合的になっている。NY、ロサンゼルス、パリ、ロンドンは、主要な都市史の中に長い間位置づけられていた。現代では、アジアにおいて日本は東京を、中国は重慶や上海、そしてインドはムンバイが示されている。完全に物質的で知的な再建が進む世界について同じような興味を持つ他の地域を忘れてはいけないので、政治、経済、文化の間の直接的関係を強調することは重要になっている。非西欧諸国の利益によって世界経済の平衡を取り戻そうとすることは、我々に文化を見つめ直し再活性化を促す。このとき都市と建築は、批評的で開かれた思考による新たな役割の一端を担う。

ソ連邦の崩壊した後、1992年に政治学者のフランシス・フクヤマは「歴史の終わり」を予見した。そこでは、共産主義のかかげたユートピアが置き換わり、民主主義と資本主義という西欧的モデルのみが存続するということが述べられていた。10年後の2001年、今や第2の経済大国となった中国がWTOに加盟し、9.11のテロがおこり、アメリカの自動車産業の中心地だったデトロイトが破綻してしまった。フクヤマの理論は粉々になってしまっている。経済の浮き沈みは西欧社会によって保護されてきた民主主義を常に危険にさらしてしまっている。今日のヨーロッパ、そして20年以上も続く経済危機にある日本において、少なからぬ人々が、未来の社会とシステムの深刻な危機を解決する自らの能力に疑いを抱いている。歴史の終わりというのは、どちらか一方の社会制度が勝っていたというよりも、ヨーロッパや日本のような老いた国々の終焉を意味していたのではないだろうか？この悲観的なヴィジョンの賛同者はいるものの、多くの社会的セクターの自発性と優秀さによって埋め合わされている。都市計画と建築は、不備な点をよりよくしていくという役割によって、この前向きなヴィジョンに加わっているKENCHIKU｜ARCHITECTUREが試みるワークショップは革新を求めている。「怒れる12組の建築家達」（1954年製作のアメリカのテレビドラマ「12人の怒れる男」からの引用）は、東京とパリのポテンシャルにおける見識と情報を交換し、個々の歴史に対する合理的な変化を求めている。

秩序の都市、非秩序の都市
--

言葉通りの意味において彼らは互いに繊細で受容力がある率直な人たちなので、まずは12組の建築家たちの誤解をとり除くことにしよう。RADは連続するワークショップでの意見交換を促進させるために日仏の建築家をそれぞれペアにするようにオーガナイズした。パリと東京に対して互いに抱いている偏見、それは秩序と非秩序ということであり、これが問題となっている。このような分類はとるに足らないものではなく、むしろこの2つの都市を経験した多くの建築家達をだまし続けている。建築家の篠原一男は、批評性を質へと変化させるために、東京と一般的な日本の都市の「混沌の美学」について話している。イタリア人のアンドレ・ブランジはこのカオスのすばらしい創造的な潜在力を再現した。多くの日本人は、西洋への旅において、ネオバロック様式のオスマンの理想によってうまれた調和的な美をパリに見いだす。東京、そこは建物の平均寿命が26年しかないような場所で

あり、果てしない建設と破壊の場であるとみなされている。一方で、パリはゆっくりとした新陳代謝をおこなっており、約80年間建物は立ち続けることになる。ヨーロッパの人々にとって、日本のカラフルな都市のフレームワークを生みだすためにあるルールが適応されていると考えることは困難なのである。東京とは、しばしば単純化され過ぎる傾向はあるものの、自由を受け入れている都市の一例である。一方で、パリは都市自体を美術館へと変容させようとし、公共領域の保護を目的とした規制の網の中に絡めとられてしまっている。パリはコンテクストを重視したアプローチを、東京はオブジェクトへの崇拝を表明している。ハーモニー対エネルギー、互いに相手に何がかけているのかを自分は理解していると思っている。

正直なところ、こうした印象は断片的で不完全なもので、大部分が自国中心主義の影響にあり、この2つの都市について考えるための偏った見方になっている。もう一度、2つの考察対象について考えてみよう。過去数年にわたる地理学者による、そして近年のグラン・パリ・プロジェクトにおける建築家や都市計画家のとり組みはある事実を示してきた。それは郊外を環状道路の内側で構成されている(歴史的な中心である)パリ市街地から孤立させるよりも、1,100万人が暮らし通勤する全体的な都市圏として検討すべきだということだ。そこに住んでいる人々以外は関心を払わないような、しかしながら人口の過半数が住んでいるそうした周辺部は、歴史的な中心部よりも変化に富む都市的形態を宿している。とはいえ、パリの中心部も広く考えられているように果たして不変的なものなのだろうか。たとえば12、13区の新しい街区は、比較的革新的な都市性によって正反対の性質を現わしている。フランス人はこのことを良く理解しており、パリでプロジェクトをおこなう機会を得た若手建築家達の戦略とは、建物規制の解釈と戯れつつ、機会を得た小さな公共プロジェクトや集合住宅のイメージを更新することなのである。

反転したパースペクティブが視点の違いを明示することの結果として、このフランスの建築家達の戦略に対して、日本の建築家(伊東豊雄やアトリエワン、隈研吾ら)がパリに何かを建てる場合、パリの人々からはただ特異性を目的としていると、しばしば誤解されていることは記しておきたい。現代的なボキャブラリーを拒否することなく調和を探求することは、西欧においてはすばらしい魅惑的なとり組みだとされている。東京は自由な自己表現を実現する多くの可能性を提供しているといわれているが、そうした印象こそまさに誤解されたものなのだ。

フィリップ・スタルクや、ジャン・ヌーベル、その他の建築家達は、それまで一度も日本で建物をつくったことが無かったにも関わらず、パリよりも東京の方がより自由であると想像してきた。しかしそれは真実ではない。東京の建設と都市化に関する誤解にはいくつかの重要なポイントがある。たとえば、イル・ド・フランス全体地域をあつかっているグランパリでは、パリ中心部ではなく全体の地域が考慮されているが、同じように東京の首都圏は、グランパリと同程度の1,100万人の人口を抱えている都市中心部だけが考えられているのではない。地球上で最も多くの3,700万人の市民をかかえている大都市圏において、下部構造の明瞭さは小さなスケールにおいては不明瞭になってしまう。 しかし都市スプロールと車依存の大都市ロサンゼルスとは対照的に、高速道路と鉄道の都市組織への連結は申し分なく東京を縫い合わせているし、国道16号(イル・ド・フランス外周をつなぐ環状道路)はFrancilienne(東京環状)と同じような役割をもち、他の8つの同心円状の道路はパリの環状高速や外側の大通りと同じような重要性をになっている。

Manuel Tardits

パリには存在しない首都高は都市に付加的でありながら緊密に結びついた交通システムであり、また環状線である山手線もまたパリにはない重要な要素である。中心から延びる主要な道路は江戸時代から引き継がれており、フランスの国道と比することが出来る。そして東京の東西に延びる鉄道網はより広大なエリアをカバーしているという事実にも関わらず、パリよりも単純である。それは我々が感じるカオスとは異なっている。

法律と先入観

次に、建築の形態における自由とは何なのかということについて考えてみたい。美学的な側面に関する建物規制は景観的に重要性のある2、3のエリアにのみ存在しており、その他のエリアでは形態に関する規制はほとんどない。詳細に観察すると、東京とそのほかの都市における建物の規制は、公共空間を考えるための異なる方法を促すものである。建設範囲、ファサードの整列、容積率、高さ制限、安全性などを規制する法律体系はもれなく全体におよんでいる。吉村靖孝がユーモアと精密さをもって描きだしたように それは建築形態に強く影響をおよぼしている。現実的に合法的な強制がないのではなく、逆説的にそうした法自体が視覚的な混沌という現実の状況をつくりだしているのである。パリでは、他の多くのヨーロッパの都市においても、街区は都市構成の首尾一貫性を維持するための法的条件となっており、規制の目的は建物のボリュームと高さに秩序を課すことで街区の全体性をつくりだすことにある。それによって物理的に管理されたパブリックに面する街路と、より規制の少ない背後のプライベートな街路が生みだされる。対照的に、東京において基本となる単位は土地一区画でありまたそこに建てられている建物となる。建物のすべての面は、街路、隣地そして北面からのセットバックという規制が課せられる対象となる。それぞれの建物はそれゆえこれらのガイドラインに対して個別的で独特な反応を示す。視覚的な結果は幾分断片的かもしれないが、街区の中心と公共に面する外側という区別は、もはや妥当なものではなく存在もしていない。ブロック自体がしばしば一塊となることもあるし、2mの道路で外側につながることでブロックの真ん中の敷地に建設することを日本の法律は許している。自由はパリよりも東京のほうが根本的に大きいのではない。例外が美的な問題を考慮するかどうかだけだろう。法律によって定義される公共と私的な空間のエッセンスが単順に異なって表現されているのである。

パリと東京に学ぶ

これら2つの操作手法と都市を読む方法が、それぞれのチームに影響をあたえることを望んでいる。東京への旅は6組のフランス人建築家を魅了するだろう。彼らはより柔軟で、知っていた都市とは異なる都市にふれる。そして日本人の建築家は、彼らを試すような厳格なパリのコンテクストに直面する。それぞれはその鏡を通り抜け、そこからハイブリッド化が始まるだろう。

マニュエル・タルディッツ
--
建築家、みかんぐみ共同主宰。1959年パリ生まれ。1984年ユニテ・ペタゴジックNo.1卒業。1985年より東京在住。1988〜1992年年東京大学大学院博士課程在籍(槇文彦研究室)。1995年ICBカレッジオブアーツ教授、2006年より同校副校長。2013年より明治大学特任教授。著書に『Tôkyô, Portraits & Fictions』(Le Gac Press、2011年)『東京断層』(鹿島出版会、2014年)など多数

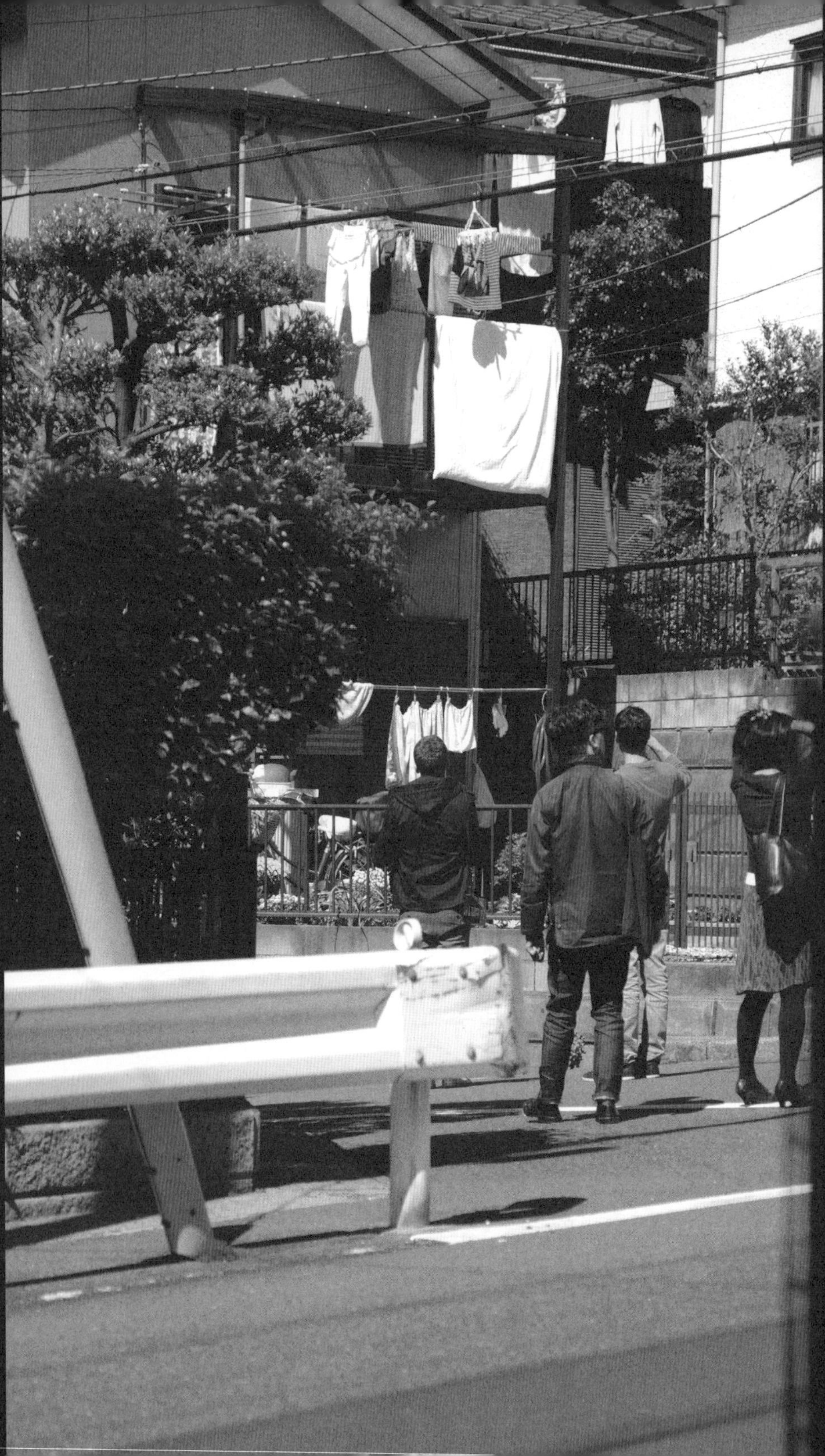

06

東京のトポグラフィーと自生的秩序
Topographie et ordre spontané à Tōkyō
日埜直彦 | Naohiko Hino

東京の都市史は、都市計画史の視点に大きく規定され、それゆえのバイアスを抱えてきた。つまり、都市計画あるいは建築学が関わった領域がクローズアップされ、そうでない領域が等閑視される傾向にあり、都市全体を見る視点としてバランスを欠いている。そうした視線のバイアスを幾分緩和するものとして、いわゆる江戸東京論や日本近代史関連の知見があるが[*1]、いずれも断片的なものであり、全貌を展望するには心もとないのが実情だ。こうした欠落を補完しつつ主要なポイントに的を絞り、東京のトポグラフィーの特徴とその背景をまず概観したい。

2つの東京

--

都市計画史が教える最も重要な知見はおそらく、近代の東京が、「日本の首都」としての東京と「東京住民の住む都市」としての東京に分裂し、この両面が摩擦を起こしながら形成されてきた、という点にある[*2]。近代化した日本の首都が具備すべき都市像をいわば力づくで現実化しようとする国家の意思が一方にあり、他方にこうした国家的な意思に必ずしも沿わない民間の勢力の抵抗があり、その軋轢のなかで東京は形成された。井上馨に代表されるような近代国家日本を表象する壮麗な都市の姿を求める明治初期の国家的意思はさほど長続きしなかったが、ついで地震と大火への備えが東京の近代化を推進する根拠となり、基本的に木造の建造物のみで構成されていた江戸から、耐震耐火性を確立した近代的な建造物によってなる東京へ更新が進んだ。しかしその反面で、土地に対する地権者の私的権利は一貫して保障され、その開発は地権者にまかされた。西洋の都市における公的な土地所有率の高さ、前提としての開発権の公的位置づけとはかなり異なる条件がそこにある。都市計画は外形的な制限と用途の規制にとどまり、逆にそれさえ守ればなにをすることも基本的に許される状況が、現在の東京の形成過程を規定する基本的条件である。

地理・産業・郊外が生むトポグラフィー

--

都市の近代化が進む背景で東京の成長と拡大は着実に進行していた。おおむね現在の山手線の内外を縁取るエリアが明治大正期の郊外であり、そこは日本の近代化の屋台骨であるところの産業と軍が配置された場であった。東京の東側の低地、隅田川から荒川にいたる流量の多い河川に沿っては、一般に大量の水を使用し資材の水運を要する素材産業を中心とする産業が立地した[*3]。東京の南と北に位置する比較的小規模だが流速のある河川に沿っては、軍需産業を中心とした機械産業や印刷業が立地した[*4]。水車を使える河川が動力を要する初期の工業を誘引し、それに誘われ

て関連する産業が定着したようだ[*5]。軍の駐屯地とその練兵場もまたおおまかに言えば東京の南と北に位置していたが、これらは後に公有の大規模敷地として大学や都市公園などの立地となる。こうした産業と軍の立地はその周辺に住宅地の形成を促し、とりわけ都心部が関東大震災で壊滅的な被害にあったことを画期として、これら周縁部の宅地化が急速に進行する。

労働集約的な素材産業に従事する労働者が住む東部、一定の技術を習得した機械産業に従事する労働者が住む北部と南部、そして水源に乏しいために工場よりも宅地に適した台地上面よりなり鉄道によって都心部に通勤するホワイトカラーが住んだ西部、というエリアごとのキャラクターがこうして成立する。世田谷区太子堂、烏山、中野区新井など、関東大震災の被害が大きかった東部の古い市街地からその他の地域へと集団移転をしたためにその場所に今でも古い市街地の雰囲気が移植され残っているような興味深い例外はあるにせよ、このような地勢とそれに応じた産業立地、そしてそこに就労する住民の分極化は、東京のトポグラフィーのおおざっぱな構造を形成している。そこには地理的条件が近代化する都市のトポグラフィーを規定する強い作用を見ることができる。

土地の細分化と景観
--

明治初期の地租改正を画期として近代的な土地所有権が制度的に確立し、産業の成長とともに勃興した資産家階級は手当り次第に土地を取得した[*6][*7]。結果としてかなり分散的な土地所有が生じたためそこでの計画的な経営や開発は困難であった。文京区西片や大和郷のような江戸の大名屋敷に由来する大規模敷地が個性的な開発の場となったが、数は限られ例外的なケースに

なる[*8]。郊外の農地が宅地化されていく場合も、基本的には農地を切り売りして宅地化していったことでやはり細分化された土地所有状況をもたらした[*9]。農業用の道路がそのまま宅地の生活道路となることで、変形敷地と不整形な街路が複雑に絡み合う景観が東京の郊外住宅地の典型となる。こうした分散的な土地所有は、有効な土地利用を促すというよりは、土地を担保とする特殊なファイナンスの構造を介して都市の拡張に向かうダイナミズムを駆動した。都市が成長するならば土地の資産価値は放っておいても上がるため、高度利用よりも未利用地の開拓に向かう方が合理的選択となったのだ。土地所有権の分散と細分化された土地区画が、都市を形成する建物の粒度に反映し、スケール、密度、複雑性の面から東京の景観的キャラクターを規定している。

規範と近代化のイメージ
--

こうした宅地化の過程を加速させたのは前述のとおり関東大震災からの復興であるが、復興事業に際してとりわけ住宅供給のために同潤会が組織された。同潤会は都心部のアパートメント建設と郊外の宅地開発に取り組み、そのことで都市における居住形態の規範を示そうとした。一般によく知られる同潤会のアパートメント建設の量的な実態は限定的で、またその規範に従う後継者を生まなかった。戸建住宅の宅地開発については、相当な規模とひろがりで宅地開発が実行され、また特筆すべきことに出版物によって宅地の街区のあるべき姿を具体的に示した[*10]。これはひな形として農地の宅地化において一定の規範的役割を果たし、郊外住宅およびその街区の原型となったようだ。その後、地価の変動、自家用車の普及、家族形態の変化、借家や借間の漸減、などの時代の要請に応じてその形態を変

化させていくが、それは民間を主体とした匿名的な模索のプロセスであり、都市空間における規範的姿を総合的かつ俯瞰的に調整する主体は、ほとんどの場所でついに存在しなかった。

東京に限らないことだが、鉄道の敷設と郊外の拡張には密接な関係がある。東京の場合はとりわけ私鉄の果たした役割が大きく、都心から郊外へと放射状に向かう線路に沿って区画整理を伴う宅地開発を行い、そのことで開発利益を享受しながら乗降客を確保するビジネスモデルを各社が展開した[*11]。また東京西部の一部地域においては宅地化することを前提として農家が組織的に耕地整理をおこない、ついでそれを適宜分譲するケースが少なからず存在した[*12]。いずれの場合もそうした地域では整然とした分譲地が形成されて富裕層を誘引した。少し意味合いは違うが、同潤会を継ぐ公的な住宅供給主体としての日本住宅公団等による郊外の団地開発もまた、あたらしいライフスタイルを実現する場としての近代的な住環境を提示し、都市に流入し新しい生活を始める人口の受け皿となった。沿線開発、宅地のための土地区画整理、あるいは公的な団地開発は、それ自体としては住宅ストックの全体に対してそう大きな割合を占めるものではないが、それでも都市空間と生活空間の両面において、近代化のイメージの供給源であった。規範に冷淡であった一方で、イメージの消費にはどん欲であったと言えるだろう。こうした傾向が結果として、都心部を業務地区に、郊外を住宅地に、それぞれ特化させ、もともとミックスト・ユースの性格があった東京を職住分離型に変化させていった。

メガシティとインフラの成熟

郊外から都心に向かう鉄道路線は都心部の地下鉄と連絡され、都市全体に行き渡る巨大な公共交通システムを形成した(東京の鉄道網)。都市圏としての現在の東京の人口は3,800万人と言われ世界最大の都市圏とされるが、この規模の人口をひとつのまとまりとして結びつけ、域内の効率的な移動を保証するシステムとして鉄道はおそらく必須であり、その整備は過去100年にわたり着実に遂行された。実のところ人口の増大が最も急速だった60年代には遠くない将来に交通のキャパシティが飽和し都市が機能不全に陥ることがかなり深刻に懸念されていたのだが[*13]、高度成長の経済力と政治的な安定が着実な公共交通システムの整備を可能にし、道路交通への依存度を下げ公共交通機関を最大限活用する今日の東京のモビリティの構造を形成した。こうしたモビリティは、メガシティ化しつつ職住分離が進んだ東京を、都市として成立させるための必須のシステムである。

レッセ・フェール的都市居住

急速に人口が増大すれば住宅の供給が当然問題になる。とりわけ郊外においては戸建住宅が常にその主体であり続けた。前述したようにソーシャル・ハウジングが推進された時代がなかったわけではないが、それが主力となったことはなかった。とりわけ相対的に固定資産税が低く抑えられ、住宅取得への公的融資が用意され、また賃貸借に関する法整備が結果的に借家経営を難しくし、全体とし

『同潤会懸賞図案集』 Zaidan hōjin dojunkai, *Un logement innovant de moins de cinq pièces*, collection de plans tirés du concours Dōjunkai, Asahi Shimbun, 1932.

Trains in Tokyo

All the trains are mapped in Tokyo. This density may be the key to functional Tokyo. These trains run so punctual, that a navigation system on the mobile phone enables people to travel quite fast and flexible. One doesn't have to think of these complicated train networks. The navigation system knows them.

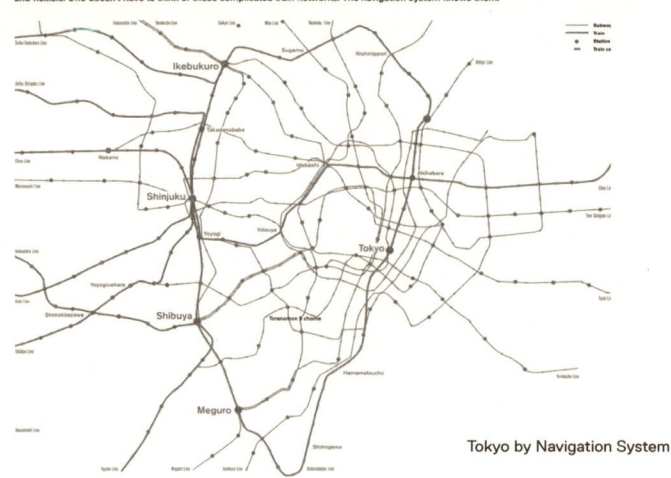

Tokyo by Navigation System

て持ち家政策と呼ばれる誘導的政策により、都市住人が戸建住宅を自己所有することに向かう特殊な状況が定着した[*14]。こうした状況は公的な都市整備に先行して私的で分散的な宅地形成が先行する傾向を助長し、都市計画の相対的な弱さと地権者の開発における強い権利とあいまって、都市居住における放任主義、すなわちレッセ・フェール的状況を来している。

自生的秩序とは？

--

ここまでかなり乱暴にさまざまな条件がどのように東京の固有性を規定しているかを見てきたが、全体として「上からの都市化」と「下からの都市化」の両極が存在しつつ、前者が後者のコントロールを放棄し、しだいにインフラ等によるサポートに廻っていく傾向が見られる。政治、行政、諸制度、都市計画といったパブリック・セクターの役割はインフラ構築と形式的規制運用に後退し、近年では民間活力の導入を促しネオリベラリズム的状況をすすんで用意する傾向さえ見られる。こうしてついに良好な都市環境形成への公的イニシアティブは不在のままにあり、当然その理念も制度的な裏付けを得ることはなかった。こうした状況において、匿名的なプライヴェート・セクターによる試行錯誤が積み重ねられ、一種の自生的秩序と言い得るような都市的生態系が形成された。それは確かに東京の固有性の重要な一因子である。

だがまず、ここで自生的秩序という言葉の意味をよく吟味する必要がある。第一に、自生的という言葉は、匿名的な主体の無数の実践の中から創発的にそれが形成された、というような含意があるだろうが、同潤会の刊行物がひな形となったように、ランダムな試行というよりは先行事例の模倣と個々の条件の違いに応じた応用がその実態である。異質性を欠いたところに自生性を見ることには注意が必要だろう。第二に、秩序という言葉について、実際に東京を歩けば景観にある種の調和が見えることがあるのは事実だが、それをもって秩序と言うには注意が必要だろう。見いだすべきは都市空間のフィジカルな構造と無形の生活文化のあいだに成立している持続性を備えた都市生態系であり、その実態を見れば、先述のような景観的な調和は既にかなりそこでの生活と齟齬を来していることがわかるはず

Naohiko Hino

だ。大局的には産業立地から派生して生まれた東京のトポグラフィーは、その前提としての産業の都市部からの撤退を反映して、平坦化するのかもしれない。そして第三に、自生的秩序という言葉に付随してくる楽観的な着地点をあらかじめ予期するような予定調和的期待を断ち切る必要がある。ノスタルジックなものであれ、プログレッシヴなものであれ、美学は無用である。自生的秩序というものが、積極的なものであるよりもむしろ、秩序を形成する主体の不在という消極的な要因によって生じているのかもしれないことを考えれば、とりわけ建築家が鑑賞者的態度をとるのは欺瞞的だろう。

建築家がなし得たこと
--

もちろん自生的秩序が形成されるプロセスにおいて、それを促進し補強する役割を建築家が果たしてきたことについて、正当な評価があるべきだろう。都市部にも関わらず戸建住宅を自己所有することが多い特殊な需要に応えて、日本の建築家は非常に多様な住宅のあり方を見いだしてきた。今日では海外からも高く評価される日本の住宅建築のその洗練は、疑問の余地なく誇るべきものだろう。またその他のビルディング・タイプにおいても、保守的なマーケットにもかかわらずその可能性を押し広げてきたこともまた確かなことだろう。こうした達成は自生的秩序の形成においても一定の役割を果たしてきたはずだ。だが同時に、そこにはある種の過剰適応の気配がある。ここで注意したいことは、ここまでかいつまんで見てきた東京の都市史において、建築家の果たした役割が見えないことだ。建築家は大局的な構図に対して積極的な関わりを持ち得なかったし、むしろそれが与えるフレームワークにすっぽりおさまっていたのではないだろうか。例えば70年代の都市住宅に典型的に見られるような、状況に対する違和感を露にし、抵抗の砦のように緊張した住宅群を無視することは出来ない。しかしそれでも、敢えて言うならば、「上からの都市化」が「下からの都市化」のサポートに後退していく勾配と平行して、「都市居住」を問う建築家が「私性」へと収斂していった傾向は否定出来ないのではないか。そうしたステータスに甘んずることをよしとせず、状況構築的な方向へと向かおうとしている建築家の試みに期待を持ちつつ、一定の反省の必要を感じるのだ。

都市の自画像
--

そもそも我々は東京の具体についてあまりにも無知なのかもしれない。都市のイメージを曖昧なままに無意識へと追いやり、むしろプロジェクトのミクロの状況に神経を集中する、こうした態度が常態化し、固有の可能性を掘り起こす現代的なアプローチが結果としてマクロへの関心を薄れさせてはいないだろうか。近年の世界的な都市リサーチの隆盛、なかでもアジア圏における包括的な都市研究の生産的な成果と比べられるようなものは、東京にはほとんど見当たらない[*15]。東京における自画像の欠落は、現象として認めざるを得ない事実だろう。自生的秩序あるいは複雑系の領域のキーワードのひとつに、内部観測という言葉がある。無数の要素が相互作用を繰り返し、そこから創発的性質が発現する複雑系の問題において、系の要素がそれぞれの選択を行う際に個々の局所的視野が果たす重要な役割を指す言葉だ。外部から俯瞰的に見られる全体像がなくとも、内部観測は再帰的過程において秩序を形成するのだ。それは単にランダムな選択の膨大な試行ではなく、局所的な内部観測を反映した試行を再帰的に繰り返すことで、一定の構造化した現象へと現実の可能性を収束＝縮退させる。そうした意味で都市はあきらか

にある種の複雑系だろうが、そこに自生的秩序が芽生えるときに、内部観測としての都市の自画像は、同様に媒介的な役割を果たすだろう。
都市の自画像は常に完全で正確な像ではあり得ない。しかしだからこそ秩序形成において決定的に重要なのだ。俯瞰的な全体像は非現実的であり、視野を持たない単なる応答は受動的に状況変化に晒される。内部観測としての都市の自画像を意識に据え、それを前提としてプロジェクトは遂行され、それを反映してまた自画像を絶えず更新していく、そのようなダイナミズムは自生的秩序の積極的な面において重要な意味を持つだろう。
自画像＝トポグラフィーと自生的秩序はこうして相補的な関係にある。近代化の過程を通じて受動的な意味において自生的秩序が現在を形成してきたとしたら、今後はどのようなものであり得るだろうか。
人口減少、高齢化、産業構造の変化など、想定されるさまざまな状況変化においてそれは試されるだろう。ある程度安定した状況の中で放任主義が成り立ち得た戦後の日本とは異なる状況が想定されるとき、トポグラフィーは積極的な意味においてその役割を果たすはずだ。

日埜直彦

--

建築家／批評家。 1971年茨城県生まれ。大阪大学工学部建築工学科卒業。建築設計事務所勤務を経て2002年、日埜建築設計事務所設立。2008年、2011年、2014年の横浜トリエンナーレなど展示空間の設計を多くてがける。2006年より芝浦工業大学非常勤講師。2010年、国際交流基金海外巡回展 Struggling Cities : from Japanese Urban Projects in the 1960sをキュレーション。著書に『磯崎新インタヴューズ』(LIXIL出版、2014年)、編著に『手法論の射程 形式の自動生成（磯崎新建築論集 第3巻）』(岩波書店、2013年)など

Naohiko Hino

[*1] 江戸東京論の代表的な著作として例えば、陣内秀信『東京の空間人類学』(ちくま書房、1985)、鈴木理生『江戸の川・東京の川』(日本放送出版協会、1978)。日本近代史のからの示唆的な著作として例えば、小木新造『東京時代』(講談社学術文庫、2006)、成田龍一『近代都市空間の文化体験』(岩波書店、2003)

[*2] たとえば 藤森輝信『明治の都市計画』(岩波書店、1982)

[*3] 山本三生編『日本地理大系3大東京篇』(改造社、1930)、p.117

[*4] 東京市地理研究會『大東京物語』(東洋圖書株式合資會社、1932)、p.376、p399

[*5] 東京都立大学学術研究会編『目黒区史』(目黒区、1970)、p.634
集積と自己増強的過程についてはポール・クルーグマン『自己組織化の経済学』(ちくま学芸文庫、2009)参照

[*6] 長谷川徳之輔『東京の宅地形成史』(住まいの図書館出版局、1988)、p83

[*7] 小林重敬「東京における都市地所有と都市形成」(出典追加予定)

[*8] 山口廣編『郊外住宅地の系譜』(鹿島出版会、p.47)、p.133

[*9] 小田内通敏『帝都と近郊』(大倉研究所、1918)、p.86

[*10] 財團法人同潤会『五室以内の新住宅設計 同潤会懸賞圖案集』(朝日新聞社、1932)

[*11] 原田勝正・塩崎文雄『東京・関東大震災前後』(日本経済評論社、1997)、p.3

[*12] 『東京の宅地形成史』、p.69、p.174

[*13] 越澤明『東京都市計画物語』(ちくま学芸文庫、2001)、p.293

[*14] 『東京の宅地形成史』、p.230

[*15] テーマを絞ったものであれば東京研究の類例は豊富にある。しかしいずれも例えば次の書籍に見られるような包括性に欠けているように思われる。
Iker Gil et al, Shanghai Transforming, Barcelona: Actar, 2008
また時代をさかのぼれば戦前の地理学の分野にそれにあたるものはいくつかある。

Largement définie du point de vue de l'histoire de l'urbanisme, l'histoire de la ville de Tôkyô est biaisée. En effet, alors que l'urbanisme et l'architecture occupent le devant de la scène, les autres champs de recherche ont tendance à être négligés. Dans ces conditions, il est impossible d'obtenir une vision d'ensemble équilibrée de la ville. Certaines études sur Edo/Tôkyô [*1] et sur le Japon moderne ont essayé d'éviter cet écueil, mais ces deux approches, incomplètes, ne sont pas à même de présenter un panorama fidèle. Dans cet essai, je vais m'efforcer de combler ces lacunes pour mieux décrire les principales caractéristiques topographiques et historiques de Tokyo.

Les deux Tôkyô
--

L'histoire de l'urbanisme nous apprend avant tout que la Tôkyô moderne, à la fois « capitale du Japon » et « lieu de vie des Tokyoïtes », est née des tensions [*2] entre la détermination du gouvernement à faire de la capitale une vitrine du Japon modernisé et la résistance du secteur privé. L'ambition nourrie par le gouvernement, et notamment par Kaoru Inoue au début de l'ère Meiji [*3], de construire une ville magnifique pour représenter le Japon moderne fut rapidement abandonnée, bien que les travaux lancés pour mieux se préparer à de futurs séismes et incendies enclenchèrent la modernisation de Tôkyô. Les bâtiments en bois de l'ère Edo furent progressivement remplacés par les constructions modernes, antisismiques et résistantes au feu. En revanche, le gouvernement respecta les droits des propriétaires terriens, et ces derniers restèrent libres d'aménager leurs parcelles à leur guise. Sur ce point, la situation diffère de celle des villes occidentales dans lesquelles une large proportion des terrains est publique et où tout développement requiert une autorisation. Au Japon, les règles de planification urbaine fixent des restrictions sur l'apparence extérieure des bâtiments et l'usage des sols, mais tant que ces conditions de base sont respectées, tout est possible. C'est dans ce cadre que Tokyo évolue.

De la topographie, de l'industrie et des banlieues
--

Tôkyô continua à se développer et à s'agrandir sur fond de modernisation de la ville. Aux époques Meiji et Taisho [*4], les zones qui bordent la Yamanote [*5] faisaient partie de la banlieue, et c'est là que se concentraient les bases militaires et les industries sur lesquelles reposait la modernisation. Les usines de transformation des matières premières s'étaient implantées sur les terrains bas à l'est de Tôkyô, le long des rivières Sumida et Arakawa, dont le débit important leur permettait de pomper de grandes quantités d'eau et de transporter les matériaux [*6]. Les industries mécaniques principalement tournées vers le secteur militaire et les imprimeries s'étaient installées le long des rivières coulant au sud et au nord, au débit moins abondant mais au cours plus rapide [*7]. Les usines qui avaient besoin de suffisamment d'eau pour faire tourner leurs roues hydrauliques ont été les premières à arriver, attirant les industries qui leurs étaient liées [*8]. Pour la plupart également situés au sud et au nord de Tôkyô, les vastes espaces publics occupés par des garnisons et des bases d'entraînement militaires, furent par la suite transformés en universités et en parcs municipaux. Des quartiers résidentiels se développèrent rapidement autour de ces industries et bases militaires, en particulier après les terribles dégâts causés par le grand tremblement de terre du Kantô [*9].

C'est à cette époque que chaque zone acquit son caractère : à l'est vivaient les ouvriers employés dans l'industrie de transformation des matières premières, gourmande en main-d'œuvre, au sud et au nord, les travailleurs de l'industrie mécanique, plus qualifiés, et à l'ouest, dans les hauteurs, là où le manque d'eau rend les terres plus propices à la construction d'habitations que d'usines, les cols blancs qui prenaient le train pour aller travailler au centre. Après le grand tremblement de terre, des groupes d'habitants des anciens quartiers de l'est, les plus touchés, se réfugièrent à Taishido et à Karasuyama, dans l'arrondissement de Setagaya, ou bien encore à Arai, dans l'arrondissement de Nakano, apportant avec eux l'ambiance de leur quartier d'origine. Mais en dehors de ces quelques exemples notables, la topographie de Tôkyô a largement été structurée par ses caractéristiques géographiques, par l'implantation d'industries aux endroits les plus propices et par l'afflux de travailleurs autour de ces dernières. L'influence des conditions géographiques sur la topographie de la ville en cours de modernisation est évidente.

Morcellement des terrains et paysage
--

Après la réforme de la taxe foncière au début de l'époque Meiji, la propriété terrienne fut institutionnalisée. Les classes aisées qui étaient apparues subitement avec le développement industriel en profitèrent pour acquérir autant de terres qu'elles le pouvaient[*10][*11]. L'émiettement des terrains compliqua la gestion et la mise en valeur de la propriété foncière. Les larges parcelles des anciennes résidences seigneuriales furent parfois aménagées de façon singulière, comme dans le cas de Nishikata et de Yamatogo, dans l'arrondissement de Bunkyo, mais cela reste exceptionnel[*12]. Le morcellement progressa également en banlieue, où les terres cultivées furent généralement découpées en petites parcelles avant d'être vendues comme terrains à bâtir[*13]. Le tracé des anciennes routes rurales ne fut pas modifié, ce qui explique l'irrégularité des parcelles et l'enchevêtrement des rues, caractéristiques des zones résidentielles des banlieues de Tokyo. Loin d'encourager un usage efficace des terres, le morcellement de la propriété foncière entraîna une dynamique d'expansion urbaine à travers un mécanisme financier permettant d'hypothéquer les terres. La valeur du patrimoine foncier augmentant mécaniquement avec l'expansion de la ville, il est naturel que les habitants aient favorisé la mise en valeur de terres encore vierges à une utilisation plus lucrative du sol. La taille des bâtiments de Tôkyô, ainsi que l'étendue, la densité et la complexité de son tissu urbain reflètent la dispersion de la propriété et l'émiettement des parcelles.

Normes et image de la modernisation
--

Comme nous l'avons déjà précisé, la reconstruction qui a suivi le grand tremblement de terre du Kantô a accéléré le développement des zones résidentielles. Peu après la catastrophe, le gouvernement mit sur pied la Zaidan hojin dojunkai (association pour l'enrichissement du peuple) afin de construire des appartements en centre-ville et des lotissements en banlieue, et d'établir de nouvelles normes en matière de logement urbain. Les appartements de la Dôjunkai ont beau être connus du grand public, ils sont en réalité peu nombreux et leur modèle n'a pas fait d'émules. En revanche, l'association a aménagé des lotissements de maisons individuelles à grande échelle et a détaillé sa vision du lotissement résidentiel idéal dans ses publications[*14]. Cette vision a joué un rôle normatif en matière de transformation des terres cultivées en terrains à bâtir, définissant l'archétype de la maison et de la parcelle de banlieue. Par la suite, ce modèle a évolué avec les prix du terrain, la popularité de la voiture familiale, la structure familiale, le déclin progressif de la location et les exigences de l'époque. Cette évolution a été le fruit d'un processus de tâtonnement collectif, car dans la majorité des cas, il n'existait pas d'entité chargée de fixer des normes générales pour définir l'espace urbain.

L'expansion des banlieues de Tokyo et de nombreuses autres villes est intimement liée à la construction des lignes de train. Dans le cas de la capitale, les compagnies de chemin de fer privées ont joué un rôle particulièrement important. En aménageant des lotissements résidentiels le long des voies rayonnant du centre vers les banlieues, elles empochèrent les bénéfices de cet aménagement tout en s'assurant la fidélité des usagers de leurs services[*15]. Bien que cela reste rare, certains agriculteurs de l'ouest de Tôkyô procédèrent au remembrement méthodique de leurs terres cultivées pour en faire des terrains à bâtir destinés à la vente[*16]. Ces deux opérations donnèrent naissance à des quartiers bien ordonnés qui attirèrent les classes aisées. Dans un sens un peu différent, la régie nationale du logement (Nihon jutaku kodan, organisme public qui a succédé à la Dojunkai) construisit en banlieue de grands ensembles (danchi) censés offrir à leurs résidents un nouveau mode de vie dans un cadre moderne, qui attirèrent les migrants venus tenter leur chance à la ville. Les aménagements le long de la voie ferrée, la réorganisation foncière pour produire des terrains à bâtir et la construction de grands ensembles publics ne représentaient pas un pourcentage significatif du marché du logement, mais tous trois vinrent alimenter l'image de la modernisation de l'espace urbain et du cadre de vie. En d'autres termes, l'image séduisait là où les normes avaient échoué. Cette tendance eut pour effet de séparer les zones consacrées aux affaires (au centre) et les zones résidentielles (en banlieue), et Tôkyô perdit sa mixité.

Mégalopole et maturité des infrastructures
--

Les lignes de train reliant les banlieues au centre sont connectées au métro. Ensemble, ils forment un immense réseau de transports en commun qui dessert toute l'aire urbaine de Tôkyô, la plus étendue du monde. Indispensable pour relier trente-huit millions d'habitants entre eux et faciliter leurs déplacements, le réseau ferré s'est progressivement étendu au cours des cent dernières années. C'est dans les années 1960 que l'accroissement de la population a été le plus rapide. À l'époque, certains ont craint que les transports n'arrivent à saturation dans un avenir proche et que la situation ne devienne chaotique[*17]. Heureusement, la croissance économique et la stabilité politique ont permis au réseau de se développer de façon constante, structurant la mobilité urbaine à Tôkyô telle que nous la connaissons aujourd'hui, valorisant au maximum les transports en commun pour réduire la dépendance vis-à-vis des infrastructures routières. Puisque les quartiers consacrés au travail sont éloignés des zones résidentielles, cette mobilité est cruciale pour le bon fonctionnement de la mégalopole.

Le « laisser-faire » en matière d'habitat urbain
--

Lorsque la population d'une ville augmente rapidement, le manque de logements disponibles finit inévitablement par poser problème. C'est particulièrement le cas en banlieue, où la maison individuelle est restée la règle. Comme nous l'avons déjà mentionné, bien que la construction de logements sociaux ait été encouragée à certaines époques, elle est toujours restée minoritaire. La plupart des citadins rêvaient d'acquérir une maison et les politiques incitaient à accéder à la propriété : les impôts fonciers étaient maintenus à un niveau relativement bas, les acheteurs de logements avaient accès à des financements publics et la révision des lois encadrant la location en compliquait la gestion[*18]. Dans cette situation, le morcellement des terrains à bâtir réduisit les possibilités d'aménagement de la ville par les pouvoirs publics. Comme les droits des propriétaires fonciers primaient sur l'urbanisme, le principe du laisser-faire s'installa.

Qu'est-ce l'ordre spontané ?
--

Nous avons vu comment certaines conditions ont influencé le caractère de Tokyo. En règle générale, deux forces s'opposent : « l'urbanisation par le dessus » et « l'urbanisation par le dessous ». Ici, la première a renoncé à contrôler la seconde et lui apporte son soutien sous la forme d'infrastructures. Le secteur public (politique, administration et urbanisme) se contente désormais de construire des infrastructures et de mener des contrôles de formalité. Ces dernières années, il fait même directement appel au dynamisme du secteur privé et une situation de néolibéralisme a tendance à s'installer. En l'absence d'initiatives publiques pour améliorer l'environnement urbain, l'idée même d'initiative publique ne parvient naturellement pas à obtenir un soutien institutionnel. Dans ces circonstances, les acteurs anonymes du secteur privé continuent à procéder par tâtonnements, donnant naissance à un écosystème urbain que l'on pourrait qualifier d'ordre spontané. Cet état de fait est l'un des principaux facteurs à l'origine des spécificités de Tôkyô.

Mais que signifie exactement cette expression ? Tout d'abord, l'adjectif « spontané » peut donner l'impression que l'ordre émerge de lui-même à partir des innombrables actions initiées par des acteurs anonymes. Cependant, ces tâtonnements ne sont pas menés au hasard : en réalité, il s'agit plutôt d'adapter un exemple existant à chaque cas particulier, de la même façon que les publications de la Dôjunkai ont servi de modèle. Prenons garde à ne pas confondre manque d'homogénéité et spontanéité. Deuxièmement, s'il est vrai qu'une certaine harmonie se dégage du paysage Tokyoïte, peut-on pour autant parler d' « ordre » ?

L'important, c'est d'observer l'écosystème urbain durable qui naît au croisement de la structure physique de l'espace urbain et de la culture du quotidien, car il y a de fortes chances qu'il y ait un décalage significatif entre l'apparente harmonie du paysage et la vie quotidienne. Considérons la situation dans son ensemble : puisque la topographie de Tôkyô dérive de l'implantation des sites industriels, leur retrait des zones urbaines pourrait se traduire par un nivellement. Troisièmement, l'expression « ordre spontané » a une résonance optimiste qui laisse espérer une harmonie préétablie dont il faut faire le deuil. Qu'elle soit nostalgique ou progressiste, l'esthétique est superflue. Ceux, et particulièrement les architectes, qui se complaisent dans l'idée que l'ordre spontané dérive d'une attitude passive (que personne ne prend l'initiative d'instituer) et non d'actions positives se fourvoient.

Le rôle de l'architecte
--

Les architectes ont encouragé le processus de formation de l'ordre spontané, et leurs actions devraient bien entendu être évaluées à leur juste valeur. Ils ont imaginé des solutions très variées pour répondre aux demandes de leurs clients, dont la majorité souhaite posséder une maison individuelle y compris en milieu urbain. L'architecture domestique japonaise est connue à l'étranger pour son raffinement, ce dont nous pouvons être fiers. Bien qu'évoluant dans un marché conservateur, ils ont également su élargir les possibilités à d'autres types de bâtiments. Ces accomplissements ont sans doute joué un certain rôle dans la formation de l'ordre spontané.

Cependant, on peut aussi y voir une tendance à trop vouloir s'adapter. Ils n'ont pas su imprimer leur marque sur l'histoire de la ville de Tôkyô que nous venons de survoler. Ils n'ont pas activement essayé d'agir sur la structure globale. Au contraire, ils se sont laissés emprisonner dans son cadre. Certains groupes de maisons de ville qui se dressent comme des forteresses, souvent construits dans les années 1970, laissent transparaître un certain malaise vis-à-vis de la situation. Cependant, alors que « l'urbanisation par le dessus » se repliait peu à peu derrière le soutien apporté à « l'urbanisation par le bas », les architectes censés explorer l'« habitat urbain » avaient tendance à converger vers la « sphère privée ». Je pense qu'une réflexion est nécessaire et j'espère qu'à l'avenir, ils ne se contenteront pas de ce statut et contribueront activement à façonner l'environnement urbain.

Autoportrait de la ville
--
Le vrai Tôkyô n'est peut-être pas assez concret pour nous. Focalisée sur la personnalisation, l'approche contemporaine nous a habitués à repousser l'image de la ville dans un coin de notre inconscient, rendus incapables de voir au-delà des limites de chaque projet et fait perdre tout intérêt pour le contexte général. Alors que la recherche urbaine est en plein essor dans le monde entier et génère des résultats particulièrement productifs dans le reste de l'Asie, elle fait défaut à Tôkyô[*19]. L'absence d'autoportrait de la ville est suffisamment rare pour être significative.

L'observation interne fait partie des mots-clés associés aux concepts d'ordre spontaLné et de systèmes complexes. Dans le contexte des systèmes complexes, où les interactions répétées entre différents éléments provoquent l'apparition d'une propriété émergente, cette expression désigne les points de vue locaux qui jouent un rôle important dans le choix des différents éléments. L'observation interne fait naître l'ordre à travers un processus récursif, même en l'absence de vision extérieure d'ensemble. Il ne s'agit pas de tester un nombre infini de possibilités au hasard : la multiplication des essais récursifs reposant sur l'observation interne locale permet de faire converger/dégénérer les possibilités réelles et de faire émerger un phénomène doté d'une certaine structure. La ville est à l'évidence une forme de système complexe au sens où nous l'entendons. Lorsqu'un ordre spontané émerge, l'autoportrait de la ville joue le rôle d'intermédiaire de l'observation interne.

Cet autoportrait n'est ni complet, ni exact, et ne le sera jamais, mais c'est justement ce qui le rend d'une importance capitale pour la « formation » de l'ordre. Les vues d'ensemble ne sont pas fidèles, et les propositions simplistes déconnectées du contexte sont à la merci des changements de circonstances. Lorsqu'un projet est mené en gardant à l'esprit l'autoportrait de la ville, qui constitue une sorte d'observation interne, il nourrit et renouvelle cette représentation en retour. Cette dynamique est importante pour le côté actif de l'ordre spontané.

Autoportrait/topographie et ordre spontané sont donc complémentaires. Si l'on considère que l'ordre spontané a façonné le présent passivement via le processus de modernisation, que doit-on attendre de l'avenir ? Les changements auxquels nous nous attendons, tels que le dépeuplement, le vieillissement de la population et l'évolution de la structure industrielle, mettront l'ordre à l'épreuve. Selon toute probabilité, les circonstances ne seront plus aussi stables que dans le Japon de l'après-guerre où le principe de laisser-faire a émergé. La topographie remplira alors activement son rôle à nouveau.

[*1] Études sur Edo/Tokyo : voir par exemple Hidenobu Jinnai, *Tokyo no kukan jinruigaku* (Anthropologie spatiale de Tokyo), Chikuma Shobo, 1985 et Masao Suzuki, *Edo no kawa, tokyo no kawa* (Rivières d'Edo, rivières de Tokyo), Nihon Hoso Shuppan Kyokai, 1978. Sur l'histoire du Japon moderne, lire Shinzō Ogi, *Tokei jidai, edo to tokyo no hazama de* (L'Ère Tokei – entre Edo et Tokyo), Kodansha Gakujutsu Bunko, 2006 et Ryuichi Narita, *Kindai toshi kukan no bunka taiken* (Expériences culturelles de l'espace urbain moderne), Iwanami Shoten, 2003.

[*2] Voir par exemple Terunobu Fujinori, *Meiji no tokyo keikaku* (Planification urbaine de Tokyo à l'époque Meiji), Iwanami Shoten, 1982.

[*3] 1868-1912, (N.d.T).

[*4] 1912-1926, (N.d.T).

[*5] Ligne de train circulaire qui entoure le centre de Tokyo, (N.d.T).

[*6] Mitsuo Yamamoto (dir.), *Nihon chiri taikei 3 : Tokyo hen* (Géographie complète du Japon, vol. 3: Tokyo), Kaizo-sha, 1930, p. 117.

[*7] Groupe d'études sur la géographie de Tokyo, *Dai tokyo monogatari* (Histoire du grand Tokyo), Toyo Tosho kabushiki goshi gaisha, 1932, p. 376, 399.

[*8] Groupe d'études scientifiques de l'université métropolitaine de Tokyo, (dir.), *Meguro-ku shi* (Histoire de l'arrondissement de Meguro), Meguro-ku, 1970, p. 634. Sur l'accumulation et le processus de renforcement interne, voir : Paul Krugman, *L'économie auto-organisatrice*, Bruxelles, De Boeck, 1998.

[*9] 1923, (N.d.T).

[*10] Tokunosuke Hasegawa, *Tokyo no takuchi keisei shi* (Histoire de l'aménagement des zones résidentielles de Tokyo), Sumai no Toshokan Shuppankyoku, 1988, p. 83.

[*11] Shigenori Kobayashi, *Tokyo ni okeru toshichi shoyu to toshi keisei* (Propriété terrienne et formation de la ville à Tokyo), Toshi Keikaku, 1971.

[*12] Hiroshi Yamaguchi, (dir.), *Kogai jutakuchi no keifu* (Généalogie d'une zone résidentielle de banlieue), Kajima Shuppankai, 1987, p. 133.

[*13] Michitoshi Odauchi, *Teito to kinko* (La capitale impériale et ses banlieues), okura Kenkyusho, 1918, p. 86.

[*14] Zaidan hojin dojunkai, *Goshitsu inai no shin jutaku sekkei, dojunkai kensho zuan shu* (Un logement innovant de moins de cinq pièces, collection de plans tirés du concours Dojunkai), Asahi Shimbun, 1932.

[*15] Katsumasa Harada et Fumio Shiozaki, *Tokyo Kanto daishinsai zengo* (Le grand tremblement de terre du Kanto, avant et après), Nihon Keizai Hyoronsha, 1997, p. 3.

[*16] Tokunosuke Hasegawa, op. cit., p. 69, 174.

[*17] Akira Koshizawa, *Tokyo toshi keikaku monogatari* (Histoire de l'urbanisme de Tokyo), Chikuma Gakugei Bunko, 2001, p. 293.

[*18] Tokunosuke Hasegawa, *op. cit.*, p. 230.

[*19] Il existe de nombreux ouvrages très spécialisés sur Tokyo. Cependant, le caractère global de travaux comme *Shanghai Transforming* (Iker Gil (dir.), Barcelone, Actar, 2008) leur fait défaut. Les ouvrages de géographie publiés avant la seconde Guerre mondiale peuvent également s'avérer intéressants.

Naohiko Hino

Architecte et critique né en 1971 à Ibaraki, diplômé de l'Université d'Osaka en 2002, Naohiko Hino fonde son propre bureau après plusieurs expériences dans des agences d'architecture. En 2008, 2011 et 2014, il réalise des scénographies pour la Triennale de Yokohama ainsi que pour d'autres expositions. Professeur depuis 2006 à l'Institut de Technologie de Shibaura, il a été en
2010 le commissaire de l'exposition itinérante à l'étranger organisée par la Japan Fondation *Struggling Cities:from Japanese Urban Projects in the 1960s* .
Il est l'auteur d'ouvrages tels que *Arata Isozaki Interviews** (2014, LIXIL) et l'éditeur de *Portée de tir du Méthodologie - Autoproduct ion des formats**, du troisième volume de la série *Arata Isozaki Nouvelles Théories de l'Architecture**(2013, Iwanami)

* Ouvrages en japonais uniquement

07

L'architecture comme pratique de partage
共有の実践としての建築
Tove Dumon Wallsten
トーヴェ・デュモン・ヴァルステン

Les six jeunes agences d'architecture françaises sélectionnées pour le projet *Kenchiku Architecture* — RAUM, GRAU, La Ville Rayée, Thomas Raynaud (BuildingBuilding), Est-ce ainsi (Xavier Wrona) et NP2F — cultivent de nombreux points communs, même si chacune des agences concernées a sa propre approche de l'architecture, de la ville et de l'espace public.

Comme chef de projet à la Cité de l'architecture et du patrimoine lors de la session des AJAP 2010 — le prix des « albums des jeunes architectes et paysagistes » attribué tous les deux ans par le Ministère de la Culture à une dizaine de lauréats français sélectionnés pour la qualité de leur démarche — j'ai eu la chance de rencontrer certaines des équipes sélectionnées pour le projet *Kenchiku Architecture* et de découvrir à cette occasion leur travail d'une manière très concrète. Même si chaque agence aborde l'architecture de façon différente, on constate de nombreuses similitudes dans l'approche et la manière de réaliser leurs projets.

Ces jeunes équipes ont notamment en commun une approche « ouverte » de leur activité, qui implique une connaissance approfondie du travail des autres ainsi que la nécessité d'échanger et de partager leur propre expérience. On constate également que ces architectes s'intéressent tout autant à la pratique qu'à la théorie, étant à la fois actifs sur les chantiers, à la recherche de solutions pratiques pour leur projets, et très impliqués dans les débats actuels sur l'architecture ou son enseignement. À l'heure d'Internet, ils ont également un accès facilité à un très grand nombre d'informations, ce qui fut longtemps le privilège des experts et des chercheurs, et peuvent constituer rapidement des réseaux selon le projet considéré. S'il n'est pas nouveau qu'un architecte se nourrisse du travail des autres, cet aspect prend plus d'importance aujourd'hui, à un moment où les échanges se font à une échelle globale. Dans le contexte particulier du projet *Kenchiku*, les douze équipes sélectionnées ont ainsi pu expérimenter une manière d'apprendre et d'échanger en ayant une possibilité unique d'observer les ressemblances et les différences d'approche entre les deux métropoles que sont Paris et Tokyo. Les six agences françaises sélectionnées pour ce projet sont jeunes et font partie d'une nouvelle génération d'architectes qui conçoivent leur agence comme un outil permettant d'assembler, à une échelle humaine, les compétences requises selon le projet concerné. Cette façon de travailler leur permet de s'adapter très rapidement, de manière quasi-organique, à chaque projet et à son contexte. Ces agences ont ainsi la capacité de s'allier à d'autres architectes, parfois leurs propres concurrents, afin d'offrir des réponses adaptées aux spécificités de chaque projet.

Cette jeune génération travaille également dans un contexte d'atomisation des structures. Chaque agence cultive une identité et une approche qui leurs sont propres, ce qui leur permet ensuite de répondre aux projets les plus ambitieux, tout en conservant une taille souvent modeste. On assiste dès lors à la création de « constellations » temporaires où la notion d'échange est primordiale. On est loin de l'époque où l'agence était dirigée par un maître, avec une équipe dédiée appliquant des théories plus formellement. Cette « nucléarisation » de la pratique de l'architecture n'a souvent pas de frontière – il n'est pas rare que les projets associent des agences de plusieurs nationalités, qui peuvent elles-mêmes varier selon les phases des projets concernés. Cette évolution paraît assez naturelle compte tenu de la manière dont les villes évoluent et du contexte dans laquelle ces jeunes agences exercent leur activité. C'est néanmoins un changement significatif dans la manière de pratiquer l'architecture. Dans un contexte réglementaire de plus en plus complexe (PMR, HQE, LEED, etc.), il devient très difficile pour une jeune agence de maîtriser l'ensemble des paramètres requis ou des compétences permettant de répondre à un projet, à plus forte raison dans un contexte international. Le rôle de ces jeunes architectes n'est plus seulement de posséder les compétences requises pour répondre à un besoin spécifique ; il s'agit avant tout de réunir ces compétences et de coordonner le travail et les interventions des architectes impliqués. L'architecte se positionne différemment selon chaque projet, et met en avant le travail en équipe plutôt que son rôle en tant que chef d'agence. On retrouve d'ailleurs ce changement de positionnement dans la dénomination de ces agences – elles ne portent pas le nom de leurs fondateurs mais des noms qui évoquent une approche de l'architecture, le plus souvent en équipe, plutôt qu'un architecte en particulier.

Parmi les membres de ces agences, nombreux sont les architectes et enseignants reflétant leur besoin de transmettre et d'échanger, non seulement sur l'architecture en soi, mais aussi sur la manière dont celle-ci peut faire évoluer la société.

L'envie de partager est une constante, tout comme le besoin de transmettre. Leur travail exprime un attachement fort à la théorie mais également à la mise en pratique directe, quasi expérimentale, de ces théories. Ces architectes ont souvent une approche transversale de l'architecture – enseigner, écrire, exposer, bâtir – et travaillent les questions de fond dans leur manière de répondre à chaque projet. On retrouve une volonté presque provocante de dépasser les moules existants et d'apporter un regard nouveau sur la matière, sur l'espace. Cette attitude n'est pas propre aux agences d'architectes françaises sélectionnées ici mais, dans le contexte européen et mondial actuel où les « modèles » existants sont remis en cause, cette approche renouvelée devient nécessaire, voire vitale pour l'évolution de nos villes. Comment construire la ville de demain ? Comment envisager la place de l'architecture dans un monde en « crises » (climatique, économique, démographique...) ? Comment concevoir l'espace public dans un tel contexte ? La France semble être devenue un « petit » pays dans un contexte globalisé mais en se nourrissant du contact et des échanges avec d'autres cultures, on constate qu'elle conserve de nombreux atouts – avec son

Tove Dumon Wallsten

histoire et son savoir – et a beaucoup à apporter dans la conception de la ville contemporaine et d'une nouvelle approche de celle-ci.

Le projet *Kenchiku Architecture* démontre qu'une approche modeste, fondée sur l'idée d'échange et d'expérimentation entre douze agences japonaises et françaises, offre un nouveau regard sur ce que pourrait être la ville future. S'ouvrir – écouter, observer et échanger – et être capable de s'adapter à tout moment en travaillant de manière à ce que chaque idée puisse être testée et évaluée à chaque étape de la création, est aujourd'hui devenu un mode de fonctionnement normal pour ces architectes. Les agences sélectionnées pratiquent déjà l'architecture de cette manière depuis leur création et cet atelier offre une multitude de réponses en tentant de soulever de nouvelles questions et de nouvelles approches sur l'architecture et sa place dans une recherche continue des villes de demain.

Tove Dumon Wallsten
--
Née en 1971 à Stockholm, Tove Dumon Wallsten est architecte diplômée de l'école LTH de Lund (Suède) en 1999. Vivant à Paris de 2001 à 2013 elle a travaillé notamment avec le Pavillon de l'Arsenal et la Cité de l'architecture & du patrimoine en tant que chef de projet sur des expositions d'architecture et d'urbanisme. En 2013, elle s'installe à Stockholm et s'engage comme architecte auprès de l'agence Testbedstudio arkitekter ainsi que comme enseignante à KTH, l'école d'architecture de Stockholm. Depuis octobre 2014, elle travaille comme chef de projet des concours nationaux d'architecture auprès de l'Ordre des architectes de Suède.

KENCHIKU│ARCHITECTUREに選ばれた6つのフランスの建築設計事務所、ラウム、グラウ、ラ・ヴィル・レイエ、トマ・レイノー、エ・サンシ、NP2Fは、たとえそれぞれの事務所が独自の建築、都市、公共空間へのアプローチを掲げているとしても、数多くの共通点を保有している。文化省の主催で2年ごとに建築・文化財博物館で開催される「若手建築家・景観デザイナーアルバム（AJAP）」は、プロジェクト構想における質の高さによって約12名のフランスの若手建築家たちに賞を授与している。2010年度の開催に際し、私は企画リーダーとして、KENCHIKU│ARCHITECTUREプロジェクトに選ばれた建築家のうちの幾つかに出会う機会があり、彼らの仕事を非常に具体的に知ることができた。たとえそれぞれの建築設計事務所が異なった方法で建築に携わっているとしても、プロジェクトを実現する彼らのやり方やアプローチには多くの類似点が見出された。

これらの若手建築設計事務所に共通するのはとりわけ、彼らの活動の「開かれた」アプローチである。それには他の建築家たちの仕事に対する深い知識の他、彼ら自身の経験を他の建築家たちと交換し、共有する必要性が求められる。また、この若手建築家たちは皆、理論にも実践にも同等の興味を持っており、建設現場に積極的に赴くと同時に、彼らのプロジェクトの実際的な解決策を探求し、建築あるいは建築を教えることに関する議論にも非常に積極的に参加する。インターネット全盛の今の時代、彼らはかつて一部の専門家や研究者の特権であった膨大な量の情報に簡単にアクセスすることができ、検討されているプロジェクトに関して迅速にネットワークを構築することができる。建築家が他の建築家の仕事から着想を得るということが目新しいことではないとすれば、この側面は今日、情報がグローバルな規模で交換され

る時代にあって、さらなる重要性を帯びる。こうした文脈の中で、KENCHIKU | ARCHITECTUREという特別なプロジェクトが生まれ、選ばれた12の日仏の建築家チームが、パリと東京という2つの首都の間に存在するアプローチの類似点と相違点を観察し、お互いから学ぶための方法を模索する貴重な機会を得たのである。

--

KENCHIKU | ARCHITECTUREプロジェクトに選ばれた6つのフランスの若手建築設計事務所は、自分たちの事務所を、関わるプロジェクトに応じて、求められる能力を備えた人材を効率的な規模で集めることを可能にする手段と考える、新しい世代に属している。この方法で仕事をすることによって、彼らは非常に素早く、柔軟に、各プロジェクトとその文脈に順応することができる。また、これらの事務所は、各プロジェクトに適した答えを提示するためなら、他の建築家たち、時には自分たちの競争相手とも、タッグを組むことを厭わない。

また、彼ら新しい世代は、専門やアプローチが細分化する文脈の中で仕事をしている。各建築設計事務所は独自のアイデンティティとアプローチを育み、そうすることで、多くの場合慎ましい規模を保ちながらも非常に野心的なプロジェクトに応えることができている。今後ますます、一時的な「才能の集結」によるクリエーションが生まれてくることだろう。そこでは、交換という概念が最も重要になる。建築設計事務所が忠実なチームに支えられた一人のリーダーによって主導され、理論を形

式的に適応していた時代は、既にはるか昔のことだ。この断片的な建築プロジェクトは、多くの場合、国境を超えて遂行される。あるプロジェクトに様々な国籍の事務所が連携して関わることは珍しいことではなく、その建築設計事務所もプロジェクトの各段階によって変化する。都市がますます進化する中でこれら若手建築設計事務所が活動する文脈を考えた時、こうした進展は自然なことだろう。とはいえ、これは建築の実践方法における大きな変化である。若手建築設計事務所にとって、バリアフリー、高環境品質（HQE）、エネルギー&環境デザインリーダーシップ（LEED）など、ますます複雑化する諸規制の中で、1つのプロジェクトに応えるのに必要な全ての能力とパラメーターを備えることは、ましてや国際的な文脈において非常に難しくなっている。今の若手建築家の役割は、もはやある特定の需要に応えるための能力を有することだけではない。なによりもまず、必要な能力を持つ人材を集め、プロジェクトに関わる建築家たちの介入や仕事を調整することが重要なのだ。建築家は各プロジェクトによって異なった立ち位置をとり、建築設計事務所のリーダーとしての役割よりも、チームでの仕事を成果の全面に出す。さらに、若手の建築設計事務所の名称も、こうした建築家の立ち位置の変化を表している。事務所の名前はその設立者の名前を冠したものではなく、多くの場合、建築家個人よりも、チームでの建築へのアプローチを示唆するものになっている。

また、こうした建築設計事務所のメンバーの多く

Tove Dumon Wallsten

は、建築そのもののみならず、どのように建築が社会を進展させることができるかについて、情報を伝達し、交換する必要性を表明している建築家や教師である。

--

共有の願望は、伝達の必要性と同じように、ひとつの不変の傾向である。彼らの仕事は、理論と同時に、ほとんど実験的な、これらの理論の直接的な実践への強いこだわりを表している。彼らはしばしば、教え、執筆し、展示し、建てるという分野横断的な建築へのアプローチをとり、各プロジェクトに応える自分たちのやり方の中で、根底にある問いについて考察する。そこには、既存の型を越え、素材や空間に対し新しい視点をもたらそうとする、ほとんど挑発的な意志を見出すことができる。こうした態度は、ここで選ばれたフランスの建築設計事務所だけに特有のものというわけではない。既存の「モデル」が問い直されている現在のヨーロッパの文脈、そして世界的な文脈においては、こうしたアプローチの刷新が必要なのであり、さらには我々の都市の進化の命運を握るものなのである。いかに明日の都市を構築するか？気候の、経済の、人口の「危機」にある世界の中で、建築はどのような位置を占めることができるのか？こうした文脈の中で、どのように公共空間を構想するか？フランスはグローバリゼーションの中で「小国」になったように思われるが、他の文化との接触と交流をおこなうことで、この国はその歴史と知とともにまだ多くの切り札を残しており、現代都市とその新たなアプローチの構想に、多くのことをもたらせることを示している。

KENCHIKU | ARCHITECTUREプロジェクトは、東京とパリの12の建築設計事務所の間でのやり取りと実験的試みに基づくささやかなアプローチが、未来の都市の姿への新しい視点をもたらしうることを示している。開かれた精神を持つこと——耳を貸し、観察し、意見を交換すること——と、各アイデアが制作の各段階において試され、評価されることが可能な仕事の仕方でいつでも状況に適応することができること、それは今日、若手建築家たちにとって当たり前の仕事の仕方になっている。KENCHIKU | ARCHITECTUREプロジェクトに選ばれた建築家チームは、既に設立時からこうしたやり方で建築に携わっており、このアトリエは、明日の都市の姿を探求する継続的な試みの中で、建築と建築の立ち位置について、新たな疑問と新たなアプローチを生みだしながら、多面的な回答をもたらしてくれるのである。

トーヴェ・デュモン・ヴァルステン

--

建築家。1971年ストックホルム生まれ。1999年スウェーデンのLTH Schoolを卒業後、ロンドンに移り設計事務所勤務。2001年パリへ移住し、パリ市都市建築博物館また、国立建築・文化財保存博物館に都市と建築に関する展覧会のプロジェクトメンバーとして勤務。2013年ストックホルムに移り、KTH School of Architectureで教鞭をとりつつ、建築に関する様々なミッションに取り組んでいる。現在はスウェーデンのナショナルコンペのプロジェクトチーフを務めている。

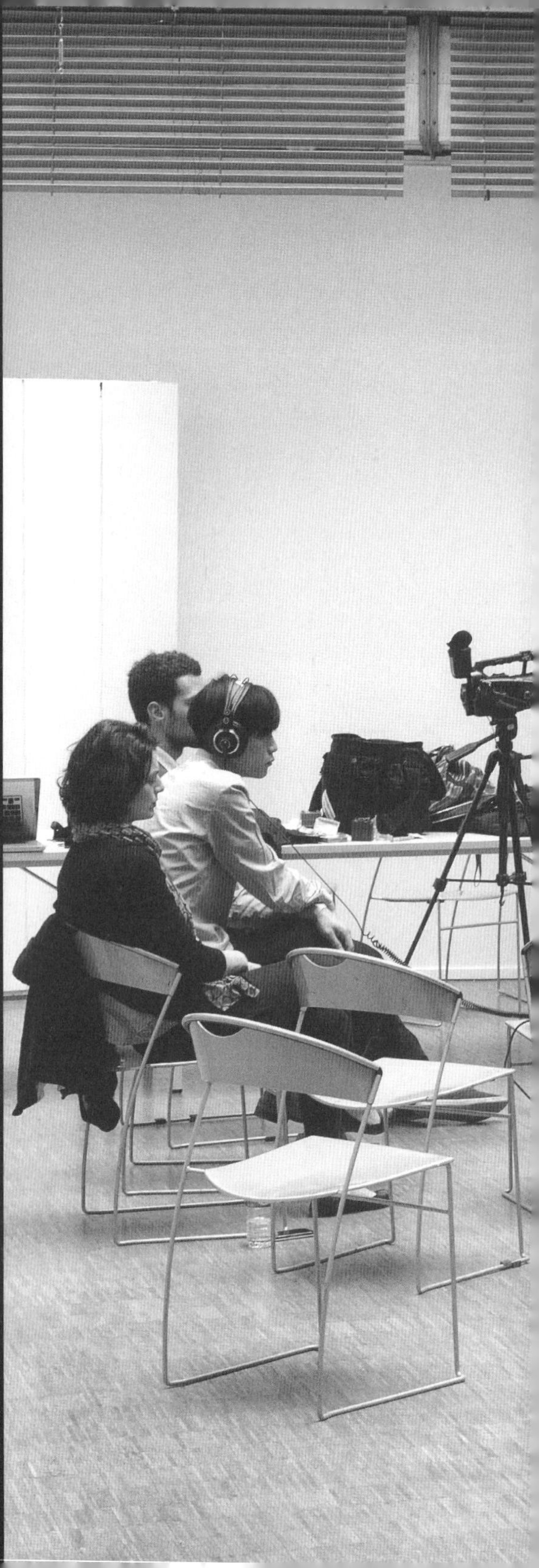

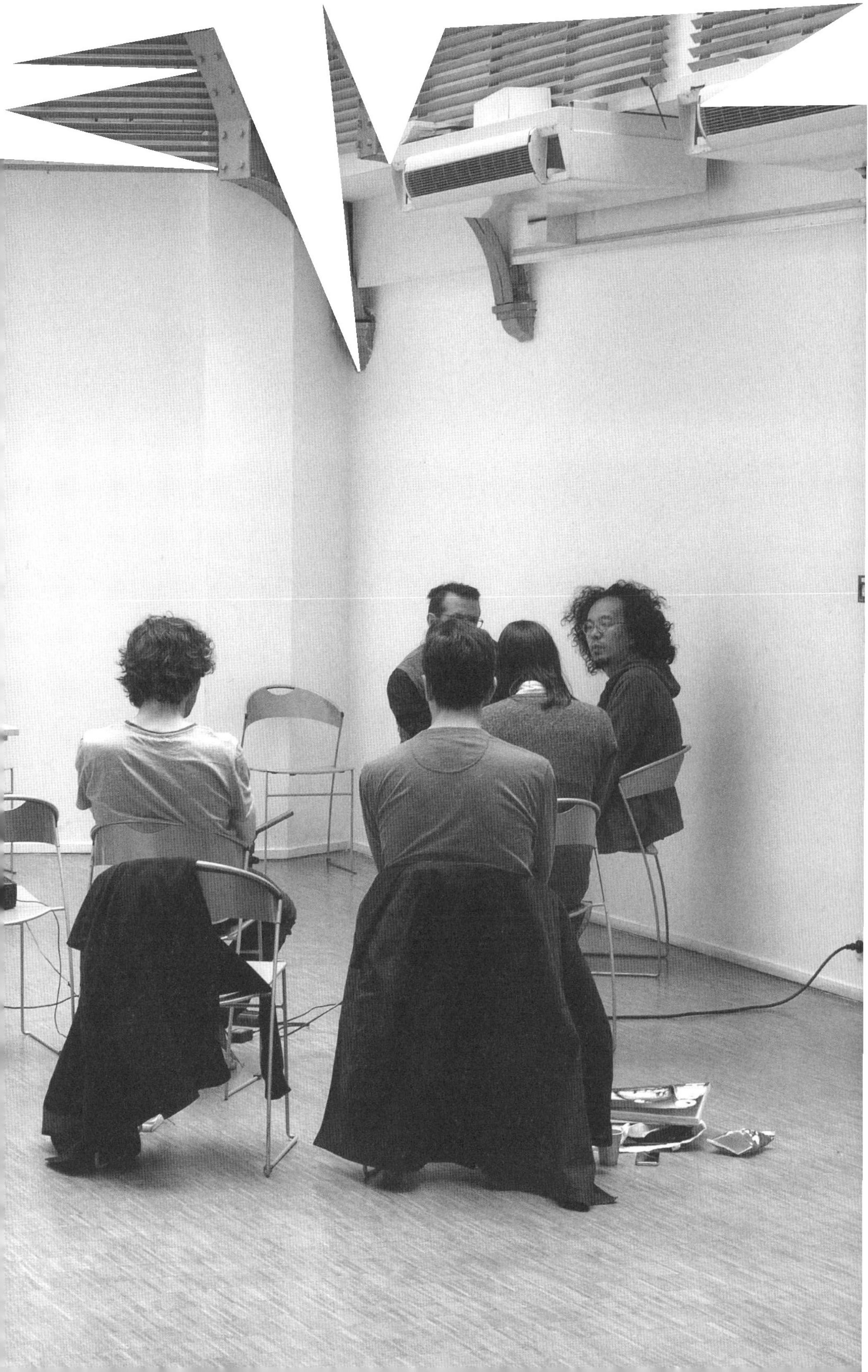

08

建築のタイプとトークン、または都市の書き換えと読み換え
Type et token en architecture : réécriture et réinterprétation de la ville

門脇耕三 | Kōzō KADOWAKI

「ケンチク」という土壌

1990年代初頭、バブル経済が崩壊し、1970年代以来続いていた安定成長期の終焉が誰の目にも明らかとなってきた頃から、日本の建築界はむしろ、活気に満ちてきたと見ることができるのかもしれない。この間、経済の停滞にともなって建設市場も縮小し、バブル期には若くして次々と巨大なプロジェクトを手がけていた日本の建築家は、その仕事の領域を、個人住宅を中心としたものへと移していった。その意味では、建築界もまた低迷したということもできるのだろうが、しかし時代の大きな変化に直面した建築家は、これまでの建築のあり方を点検し、それを大きく更新するような建築作品を、次々と生みだしていく。それは百花繚乱の様相を呈する、建築的な実験の数々でもあった。KENCHIKU | ARCHITECTUREに日本から出展する6組の建築家、すなわち長坂常、永山祐子、中村竜治、オンデザイン、TNA、吉村靖孝も、デビュー以来、こうした実験に荷担してきた建築家である。したがって、彼らの作品もまた、いずれもが「建築」(Architecture)という土壌に蒔かれた新しい種なのであり、同じく日本で活動する筆者の目には、それぞれがまったく別種のもののように映る。しかし彼らは、同じ時代に、同じ日本の東京を拠点とする建築家なのであり、だとするならば、彼らが種を蒔こうとしている土壌を、ドメスティックな「ケンチク」(Kenchiku)として理解することは可能だろうか。この問いが、このエッセイの出発点である。

タイプを志向するケンチク

では、現在の日本の「ケンチク」とは如何なるものなのだろうか。手始めに、日本の現代建築作品を紹介する書籍や雑誌の頁を繰ってみることとしよう。そこには、白く抽象的な空間を孕み、かつ図式的な構成をもつ建築作品が数多く登場する。これらの作品は、明らかに日本の現代建築を特徴づけるものであるが、その抽象性や図式性はおそらく、建築をタイポロジカルにとらえる態度と関係している。建物を図式的に構成する方法自体は、決して新しいものではなく、特に1980年代にヨーロッパを主な舞台として繰り広げられた試みは、日本の現代建築に大きな影響をおよぼした。レム・コールハース率いるOMAによる「ラ・ヴィレット公園コンペ案」(1982)は、当時最も大きな影響力をふるった作品のひとつであり、ここで採用されたストライプ状の平面構成は、その後の日本の建築作品にたびたび現れることとなる。たとえば、いまや日本を代表する建築家である妹島和世の作品には、1990年

代を通じて、執拗にストライプ状の平面構成が登場し、しかもその図式性は、作品を重ねるごとにより際立っていく。OMAによる「ラ・ヴィレット公園コンペ案」は、決して図式性だけに回収される作品ではないが、妹島はその図式性を極端に純粋なかたちで取り出し、実作をもって、図式が空間にもたらす効果の検証を続けたのである。

建築の図式性に関する実験は、妹島のほかにも多くの建築家によって積み重ねられていったが、これが日本の現代建築を特徴付けるまでに至った最大の立役者が、妹島であることに間違いはないだろう。妹島の作品は、図式的な構成が建物全体の理解を容易にすることを、これ以上なくわかりやすく示した。建築における図式とは、空間の一種の位相的構造に他ならず、空間構成をタイポロジカルに示す。そして妹島の作品は、建築のまったく新しい「タイプ」を導くものであると理解されたのである。その後、2000年代前半に至るまで、妹島とその協働者である西沢立衛は、ストライプ状の平面だけにとどまらず、回廊形式や分棟形式など、次々に新しい空間図式を生みだしていったが、それらはいずれも新しい建築構成のタイプの誕生を感じさせるものであったし、それに魅せられ、妹島に続こうとした建築家も、新しい空間図式の発明に専念することとなった[*1]。

ところで、タイポロジカルな思考において、個々の事物、すなわちトークン[*2]の本質は、タイプにこそ宿ると仮定されるから、トークンの個体的な変異が問題とされることはない。それどころか、タイプとしての本質を理解するためには、トークンの個体的変異は思考から捨て去るべきものなのである。したがって、新しい建築のタイプを作品によって示そうとする発想に基づく限り、本来トークンであるはずの作品は、トークンとしての個体的変異を禁じられる。個々の作品はタイプとしての抽象性を堅持しな

くてはならず、だからタイポロジカルな思考において、抽象性を破壊するような建築形態の変奏は忌避されるのであるし、その色彩についても、塗装される面は白く塗り込められ、あるいは塗装されない面は、素材色のままにとどめられる。

主題としてのトークン
--

ここでKENCHIKU | ARCHITECTUREに出展する6組の日本側建築家の作品へと、視点を移してみることにしよう。彼らの作品は、やはり全体構成が見通しやすく、空間が何らかの原理によって律されていることを強く感じさせる。しかし彼らの作品は、はたしてタイポロジカルな思考に基づくものなのだろうか？答えは明確に否だろう。

たとえばTNAは、今回の出展建築家の中で最も図式性の強い作品をつくる建築家である。しかしその図式性は、複雑なコンテクストを微細なレベルまで読み解き、これに応答した結果として導かれたものなのであり、タイプを導こうとする志向とは真逆の、むしろ個体変異の結果としての図式性であると理解する方が適切である。あるいは、個体変異の手続きそれ自体が、空間的に形式化されていると言ってもよい。したがって、異なる場所に全く同じコンテクストが存在しえないのと同様に、TNAの作品において、同じ図式が繰り返し用いられることはない。

コンテクストへの強い関心は、他の建築家にも認めることができる。吉村靖孝は、法規制や市場の要請など、これまで建物が暗黙的に従ってきた社会的制約を「プロトコル」という言葉を用いて定義し、作品を通じて、そこに潜んでいたプロトコルを顕在化させる。「プロトコル」は、建物が置かれる社会的な場所を明示する概念であるから、吉村の関心は地理的な場所性にとどまらず、より広義

のコンテクストに向かっているといえるだろう。そしてここでも、プロトコルという概念の導入によって増幅されたコンテクストを、建物の応答のしかた、つまりトークンのあり様によってあぶり出すことこそに、作品の主題を見いだすことができる。

他者の許容
--

コンテクストに関心を向けるTNAや吉村の作品は、建築を組み立てる根拠を、建築家の自己の外に求める態度に基づくと理解することもできる。そして、この自己外にあるもの、すなわち他者的なるものに向けられたまなざしこそが、今回の日本側出展建築家に共通するものだといってよい。
長坂常のリノベーションによる一連の作品を見てみよう。そこでは、下地、配管、ダクトなど、通常であれば隠蔽されてしまうエレメントが、姿をあらわにしたままに取り残される。あるいは、ごく一般的な住宅に見られる和室など、日本で「アトリエ派」と呼ばれる建築家たちが破棄しようとした空間そのものでさえ、長坂の作品はおおらかに許容する。それらは長坂にとって、明らかに他者なのではあるが、しかしその他者こそが、長坂の作品を長坂の作品たらしめている。
また、オンデザインの西田司は、プロジェクトのプロセスに、協働者としての他者を積極的に介入させようと試みる。オンデザインの作品では、担当スタッフが西田と対等な協働者としてクレジットされているが、これは個別の作品が、そのチーミングやプロセスに強烈に依存していることを宣言するものだろう。事実オンデザインは、自らを「プロジェクトに関わるあらゆる人々の集合体、あるいは運動体」であると表現する。オンデザインは、その存在そのものが、他者によって定義づけられているのである。

主体不在の感覚
--

他者の存在によってはじめて、自己が定義されること——このパラドキシカルな自己のあり方は、主体の不在を予感させるものであるが、このような主体不在の感覚は、中村竜治や永山祐子の作品にも、同じく見てとることができる。
中村の作品では、何らかのパターンがフェティッシュとさえいえるまでに反復される。反復される小さなパターンは、確かに中村が生んだものであることに間違いはないが、しかしそれが徹底的に反復され、ついには空間を形成するまでに至るさまは、パターンが中村の制御を振り切って、暴走を続けた結果であるかのように見える。このとき、パターンの徹底的な反復という形式は、純粋な形式としての自律性を帯びるのであり、そこで中村という創作者の存在は、はかなくも消し去られてしまう。あるいは、それはもはや、創作者である中村にとっても他者的なるものに転化しているといってもよい。フェティシズムの対象は、自己ではあり得ないのだ。
一方、永山の作品には、日常的な場所と非日常的な場所、明るい場所と暗い場所など、対照的に異なる場所が持ち込まれ、一方の場所に身をおく者にとって、もう一方の場所は、常にその存在をそこはかとなく感じさせるものとして位置付けられる。このとき、その場所に身をおく者の意識は、もう一方の場所にこそ向けられているのであり、そこで意識と身体は否応なしに切断される。意識と身体が、空間的に分け隔てられること。これもまた、意識と身体のいずれかを「本当の」主体であると確定できないという点で、主体不在の感覚と接続する。

Kōzō KADOWAKI

2000年代の2つの実験
--

これまで見てきたとおり、今回の日本側出展建築家の関心は、コンテクスト、他者性、主体の不在といったものに向けられているが、彼らのこうした関心に先鞭をつけた実験もまた、1990年代から2000年代初期にかけておこなわれていた。ここで取り上げておきたいのは、建物の個体的な変異のあり様に新しい光をあてたアトリエ・ワンと、他者的なるものを根拠とした空間、あるいは主体が不在の空間の質について、いち早く言及した青木淳である。

アトリエ・ワンの仕事は、建築家としての作品ばかりではなく、彼ら独自の視点に基づく東京のフィールドワーク・リサーチについても、広く知られている。後者については、まったく異なるプログラムが異常なかたちで複合した施設に関するリサーチの成果や、彼らが「犬小屋以上建物以下」と表現する極小の構築物のコレクションが書籍として出版されている[*3]が、これらは決して、東京という特異な都市に生じた奇形的な建物を、見世物小屋的に陳列するものではない。東京の極小な構築物は、たとえば再開発地区と既成市街地のはざまに取り残された変形敷地に建設されたものなのであり、都市のダイナミズムによって、建物が極端な個体変異を遂げた結果なのである。つまりアトリエ・ワンのリサーチは、トークンのあり様の観察を通じて、東京を新たに記述する試みであった。

一方、青木淳は、「原っぱと遊園地」という比喩によって、あらかじめ決められた主体が不在の空間の自由さを説いた[*4]。予定された者が、予定されたとおりに楽しむ遊園地よりも、誰かが何かを行うことによって、そのあり方がはじめて決定される原っぱのような空間。あるいは、廃校となった小学校を美術館として使ったときの方が、美術館として計画された美術館よりも、展示がずっと生き生きと見えること。こうした比喩によって、青木は予定外の他者を許容する自由で開放的な空間のイメージを提示するとともに、自由な空間は、無根拠な根拠、つまり建物のあるべき形態やプログラムとは無関係な、自律した根拠によって導きだされるだろうことを理論化した[*5]のである。

都市の書き換えから読み換えへ
--

KENCHIKU | ARCHITECTURE への日本側出展建築家が、これらの言説に大きな影響を受けていることは間違いない。そしてすでに見たとおり、彼らの建築は、タイポロジカルな思考に見られたような、作品が建築の何らかの本質を自律的に内在するという仮定とは、決定的に相反するものであるが、これもまた、ドメスティックな「ケンチク」に即した態度なのだろう。

現在の東京に建物をつくることは、白紙に建築の理想像を描くような行為ではない。経済の発展とともに、東京は雑多な建物で埋め尽くされてしまっているのであり、しかしこれらの雑多な建物を他者として許容しながら、むしろこうした他者を建築創造の根拠に組み込むことこそに、彼らはリアリティを見いだすのである。

個人住宅が短期間のうちに建替えられるという東京の特異な状況は、たくさんの白紙を若い建築家に提供し、これが日本の建築的実験を育む母胎となってきた。こうした状況において召喚されるのは、建物の建替えによって、都市を書き換えていくような想像力である。一方で、他者を建築の根拠に組み込むことによって、新しい空間性を獲得しようとする試みは、いまある都市を読み替え、現実を異なる次元に拡張するような想像力に基づくものであるとは言えまいか。

現在の日本において、住宅が短期間のうちに建替

えられるという現象は、もはや過去のものとなりつつある[*6]。つまり都市の「書き換え」から「読み換え」へと建築創造の矛先が転換する様は、時代の変わり目に直面した建築家の、したたかな態度を反映したものであると捉えることもできるだろう。しかし彼らの戦略は、したたかであるが故に、東京の現実に対して実効力を発しうる可能性を備えるのであり、これによって彼らの実験は、はじめて本来の意味での実験たり得るのである。

門脇耕三
--

1977年神奈川県生まれ。2000年、東京都立大学工学部建築学科卒業。2001年同大学大学院工学研究科修士課程修了。首都大学東京都市環境学部助教を経て、2012年より明治大学理工学部専任講師。専門は建築構法、建築設計、設計方法論。博士(工学)。近代都市と近代建築が、人口減少期を迎えて変わりゆく姿を、建築思想の領域から考察。著書に『静かなる革命へのブループリント』〔共著〕(河出書房新社、2014年)、『シェアをデザインする』〔共編著〕(学芸出版、2013年)、『現在知 vol.1 郊外 その危機と再生』〔共著〕(NHK出版、2013年)など

[*1] ただしこの指摘は、妹島や西沢の建築がタイポロジカルな思考に基づくことを意味するものではない。一時期の妹島と西沢の図式への偏向は、彼ら自身がたびたび述べているとおり、むしろ建築の全体構成の平明さそのものを志向するものであり、空間の経験が現象的な透明性を帯びることを目指すものである。彼らの建築にタイポロジカルな側面を読み取ったのは、彼らに続く建築家たちであるという方が正確であるが、しかし一時期の日本の建築界が、新たなタイプの開発に熱狂したことは事実である。

[*2] トークンとは、分析哲学においてタイプに対比される概念であり、たとえば「小学校」という建築的な形式、すなわちビルディングタイプに対して、その具体で個別の現れである「特定の小学校」がトークンである。

[*3] それぞれのリサーチの結果は、貝島桃代, 黒田潤三, 塚本由晴『メイド・イン・トーキョー』(鹿島出版会, 2001) および東京工業大学建築学科塚本研究室、アトリエ・ワン『ペット・アーキテクチャー・ガイドブック』(ワールドフォトプレス, 2001) として出版されている。

[*4] 青木淳「『原っぱ』と『遊園地』」(『新建築』2001年12月号, 新建築社, 1999) 参照。

[*5] 青木淳「決定ルール、あるいはそのオーバードライブ」(『新建築』1999年7月号, 新建築社, 1999) 参照。

[*6] 小松幸夫によれば、木造専用住宅の平均寿命は、1982年調査時には37.69年だったが、2005年調査時には54.00年にまで延びているという。小松幸夫「建物寿命の現状」(『日本建築学会総合論文誌』、第9号, 2011) 参照。

« L'architecture » pour terrain

--

Lorsque la bulle économique japonaise éclata au début des années 1990, tout le monde comprit que la longue période de stabilité dont le Japon bénéficiait depuis les années 1970 venait de prendre fin, ce qui n'empêcha pas la scène architecturale japonaise de devenir de plus en plus animée. La stagnation de l'économie s'était traduite par une contraction du marché de l'architecture. La conception de logements individuels était désormais la principale source de travail des architectes nippons qui, malgré leur jeune âge, avaient eu la chance de travailler sur des projets de grande envergure à l'époque de la bulle. En d'autres termes, les architectes furent frappés de plein fouet par la morosité ambiante. Confrontés à de nombreux changements, ils se penchèrent sur le rôle rempli par leur discipline jusqu'alors pour mieux la réformer. De nombreux bâtiments expérimentaux sortirent de terre à cette époque.

Les six participants japonais à *Kenchiku Architecture*, Jo Nagasaka, Yuko Nagayama, Ryuji Nakamura, ON design, TNA et Yasutaka Yoshimura, participent à ces expérimentations depuis leurs débuts. Leurs travaux peuvent donc être considérés comme de nouvelles graines plantées dans le terreau de l'architecture, même si ces graines sont à mes yeux toutes différentes les unes des autres. Tous exercent à Tôkyô et à la même époque, mais plantent-ils tous pour autant leurs graines dans le même « terreau » de l'architecture domestique ? Tel est le point de départ de cet essai.

L'architecture typologique

--

Quelles sont les caractéristiques de « l'architecture » japonaise actuelle ? En feuilletant les livres et les magazines d'architecture contemporaine japonaise, on remarque que les espaces blancs abstraits et les compositions diagrammatiques y sont prédominants. Ces deux caractéristiques sont liées à une vision typologique de l'architecture.

La méthode diagrammatique en architecture n'a rien de nouveau. Au contraire, l'architecture japonaise actuelle a été largement influencée par les expérimentations menées en Europe dans les années 1980 et en particulier par le projet soumis par OMA en 1982 pour la conception du parc de la Villette. De nombreux projets japonais ont utilisé par la suite le même type de plan à rayures. C'est notamment le cas de Kazuko Sejima, l'une des architectes japonaises les plus connues. Sejima a souvent fait appel aux rayures dans les années 1990, et la nature diagrammatique de ses travaux s'est affirmée au fil du temps. Si le projet soumis par OMA pour le parc de la Villette ne peut être réduit à sa seule dimension diagrammatique, Sejima a, en revanche, exploré sans relâche les effets sur l'espace des diagrammes dans leur forme la plus pure.

Bien que de nombreux autres architectes aient expérimenté la dimension diagrammatique de l'architecture, c'est sans contexte grâce à Sejima qu'elle est devenue synonyme de l'architecture japonaise contemporaine. Ses ouvrages prouvent mieux que tout autre qu'une composition diagrammatique facilite la lecture du bâtiment dans son ensemble. En architecture, les schémas sont une forme de composition topologique qui met en relief la composition spatiale de façon typologique. Les œuvres de Kazuko Sejima étaient vues comme annonciatrices d'un nouveau « type » d'architecture, complètement différent.

Jusque dans la première partie des années 2000, Sejima et son collaborateur, Ryue Nishizawa, élaborèrent différents types de diagrammes spatiaux organisés en couloirs et en paliers en parallèle des rayures. Ces travaux laissaient pressentir la naissance de nouveaux types de compositions et enthousiasmèrent de nombreux architectes, qui décidèrent de se consacrer à l'invention de nouveaux schémas spatiaux[*1].

Cependant, du point de vue typologique, l'essence de chaque objet, du *token*[*2] (parfois traduit par « occurrence »), réside dans son type, qui n'est pas affecté par les variations des *tokens*. En d'autres termes, pour appréhender l'essence du type, l'architecte doit exclure les variations des *tokens* de sa pensée. Par conséquent, les travaux issus d'une réflexion dont le but est de donner naissance à un nouveau type ne peuvent être considérés comme des *tokens*. Chaque projet doit rester résolument fidèle à l'abstraction de son type. La vision typologique récuse donc toute variation de morphologie architecturale risquant de porter atteinte à cette abstraction, comme la couleur. C'est pourquoi les surfaces à peindre sont soit peintes en blanc, soit laissées au naturel.

Le token en tant que sujet
--

Considérons maintenant les travaux des six architectes japonais de *Kenchiku Architecture*. Comme on pouvait s'y attendre, la composition générale est bien lisible, comme si l'organisation de l'espace suivait certains principes. Cependant, leurs travaux sont-ils guidés par une pensée typologique ? Il me semble évident que ce n'est pas le cas.
Le travail de TNA est le plus diagrammatique de tous. Pourtant, cette caractéristique est le résultat de l'analyse poussée d'un contexte complexe, c'est-à-dire de variations individuelles, et non du désir d'élaborer un type, comme si les variations individuelles elles-mêmes prenaient corps dans l'espace. Comme chaque contexte est différent, TNA n'utilise pas deux fois le même schéma.

Ce vif intérêt pour le contexte est également perceptible chez les autres architectes. Yasutaka Yoshimura emploie le terme « protocole » pour désigner la législation, les demandes du marché et autres contraintes sociales latentes auxquelles les bâtiments existants se conforment tacitement et qu'il met au jour dans ses travaux. Le protocole est un concept qui exprime la position sociale des bâtiments. Yoshimura ne s'intéresse donc pas seulement à l'emplacement géographique, mais aussi au contexte dans un sens plus large. Ici encore, le contexte est exacerbé par l'introduction de l'idée de « protocole » et révélé par la réaction du bâtiment, c'est-à-dire par le *token*, laissant entrevoir le thème de l'œuvre.

L'acceptation de l'autre
--

Les travaux de TNA et de Yoshimura sont guidés par leur intérêt pour le contexte. Ils sont le produit d'une attitude dans laquelle l'architecte va chercher les bases du concept hors de lui-même. Cette tendance à se tourner vers l'extérieur, c'est-à-dire vers les autres, est commune aux participants japonais de cette exposition.
Penchons-nous sur les projets de rénovation de Jo Nagasaka. Les fondations, canalisations, conduites et autres éléments habituellement dissimulés sont à découvert. Les architectes « d'atelier », comme on les appelle au Japon, ont tendance à faire disparaître des habitations les pièces traditionnelles japonaises. Nagasaka s'efforce au contraire de les intégrer. Ces éléments sont extérieurs à son univers et pourtant, leur présence est caractéristique de son style.

Osamu Nishida de ONDESIGN invite d'autres collaborateurs à intervenir dans le processus de conception. Il considère que chaque projet est fortement marqué par ce processus et par la composition de l'équipe, et met un point d'honneur à citer

Kōzō KADOWAKI

le nom des employés en charge des projets de ONDESIGN aux côtés du sien. ONDESIGN design se définit d'ailleurs comme « un ensemble de personnes, une équipe qui s'active autour d'un projet ». L'existence même de ONDESIGN est définie par « les autres ».

Absence de sujet
--
Une identité paradoxalement définie par autrui suggère une absence de sujet qui est notamment perceptible dans les travaux de Ryuji Nakamura et Yuko Nagayama.

Les travaux de Nakamura reprennent certains modèles de façon obsessionnelle. Ces petits modèles ont été conçus par Nakamura lui-même, mais en étant répétés inlassablement, ils en viennent à modeler l'espace, à échapper au contrôle de l'architecte et à prendre le dessus. La répétition finit par donner au modèle le statut de forme pure et émancipée, allant jusqu'à effacer la présence de son créateur, Nakamura. En d'autres termes, le modèle est devenu étranger à son créateur, car l'objet d'une obsession est forcément extérieur.

Les travaux de Nagayama font appel aux contrastes, en juxtaposant par exemple des espaces ordinaires et des espaces extraordinaires, des espaces lumineux et des espaces sombres. De cette façon, les occupants d'un espace perçoivent toujours plus ou moins consciemment l'existence de son contraire. Attiré par cet ailleurs, l'esprit est, de gré ou de force, déconnecté du corps. Chacun occupe un espace différent. Il est impossible de déterminer qui de l'esprit ou du corps est le « véritable » sujet, ce qui nous ramène au concept de l'absence de sujet.

Deux expériences menées
dans les années 2000
--
Nous avons vu que les participants japonais à cette exposition s'intéressent au contexte, à autrui et à l'absence de sujet, thèmes qui ont déjà fait l'objet d'expérimentations dans les années 1990 et au début des années 2000. Je pense notamment à Atelier Bow-Bow, qui a présenté les variations du construit sous un jour nouveau, et à Jun Aoki, le premier à avoir abordé la qualité des espaces tournés vers autrui et de ceux dont le sujet est absent.

Les architectes d'Atelier Bow-Wow sont célèbres non seulement pour leurs travaux, mais aussi pour le point de vue particulier qu'ils adoptent dans leurs études de terrain. Ils ont publié le fruit de leurs recherches sur les complexes associant de façon inattendue des programmes très différents et sur les structures minuscules qu'ils qualifient de « plus grands qu'une niche, plus petits qu'une maison » dans une série d'ouvrages [*3], mais sans les présenter comme une collection de bâtiments difformes ayant poussé dans la ville singulière qu'est Tokyo. Les variations individuelles extrêmes des mini-structures de la capitale, construites sur les parcelles irrégulières coincées entre les zones en cours de renouvellement et le tissu urbain existant, sont le fruit de la dynamique urbaine. En d'autres termes, les recherches de l'Atelier Bow-Bow tentent de réécrire Tokyo à travers l'observation de ses *tokens*.

Jun Aoki, quant à lui, utilise les métaphores de la « friche » et du « parc d'attractions » pour mettre en relief la liberté des espaces sans sujet prédéterminé [*4]. Contrairement au parc d'attraction où les activités des visiteurs sont prédéterminées, la friche est un espace dont l'usage n'est déterminé qu'à partir du moment où quelqu'un décide librement d'y faire quelque chose. De la même façon, une ancienne école transformée en musée peut rendre une exposition plus vivante qu'un musée conçu dans ce seul but. À travers ces images, Aoki décrit en filigrane un espace libre et libérateur, ouvert aux invités inattendus, et émet la théorie suivante : les espaces libres émergent sur des bases autonomes, indépendantes de la forme et de la raison d'être première du bâtiment [*5].

De la réécriture à la réinterprétation de la ville

Les architectes japonais participant à *Kenchiku Architecture* ont à l'évidence été très influencés par ce discours. Leurs travaux vont résolument à contre-courant de l'hypothèse typologique selon laquelle l'essence de l'architecture est immanente à ses produits, et cette attitude est en accord avec « l'architecture » domestique.

À Tokyo, de nos jours, le bâtiment idéal ne se conçoit pas sur une feuille de papier vierge. Avec la croissance économique, les constructions ont poussé comme du chiendent. Les architectes trouvent leur réalité en acceptant ces éléments extérieurs et en les intégrants aux bases de leur réflexion architecturale.

Le cas particulier de Tokyo, où les maisons individuelles étaient régulièrement reconstruites, a fourni aux jeunes architectes de nombreuses occasions de faire des expériences qui ont à leur tour alimenté l'architecture japonaise. Pour reconstruire un bâtiment, il faut avoir suffisamment d'imagination et ainsi réécrire la ville. D'autre part, les tentatives de créer de nouvelles spatialités en plaçant autrui au centre de la démarche architecturale demandent une imagination qui donne une autre dimension à la réalité en proposant une nouvelle lecture de la ville actuelle.

Si les logements sont toujours fréquemment reconstruits au Japon, ce phénomène est en perte de vitesse[*6]. En d'autres termes, l'architecture est en train de passer d'une « réécriture » à une « réinterprétation » de la ville, ce qui reflète la détermination des architectes en cette période de changements. Leurs stratégies ont la capacité d'affecter la réalité de Tokyo. S'ils y parviennent, les expériences qu'ils auront menées prendront alors tout leur sens.

[*1] Par cette remarque, je ne sous-entends pas que les travaux de Sejima et de Nishizawa reposent sur une pensée typologique. Au contraire, comme les intéressés le précisent souvent eux-mêmes, leur tendance à utiliser de nombreux diagrammes à une certaine époque a été motivée par leur désir de simplifier la composition générale de leur architecture pour mieux faire ressentir aux usagers la transparence phénoménologique de l'espace. Il serait plus juste de dire que ce sont les architectes qui ont marché dans leurs traces qui ont su déceler les aspects typologiques de leurs travaux. Cependant, il est également vrai qu'à un certain moment, le microcosme de l'architecture japonais s'est passionnément attelé à imaginer de nouveaux types.

[*2] En philosophie analytique, le concept de *token* est opposé à celui de *type*. Par exemple, une « école primaire » est une structure architecturale, c'est-à-dire un *type* de bâtiment. En revanche, « l'école primaire XY » qui est une expression individuelle concrète de ce type, est un *token*.

[*3] Les résultats de ces recherches sont publiés dans *Made in Tokyo* de Momoyo Kaijima, Junzo Kuroda et Yoshiharu Tsukamoto (Kajima Publishing, 2001) et dans *Pet Architecture Guide Book* du laboratoire d'architecture Tsukamoto, écrit en collaboration par la section d'architecture de l'université Tokyo Kogyo Daigaku et Atelier Bow-Wow (World Photo Press, 2001).

[*4] Voir « "Harappa" to "yuen-chi" » (« Friches » et « parcs d'attraction ») de Jun Aoki, dans *Shinkenchiku*, 01:12, Shinkenchiku-sha, 1999.

[*5] Voir « Kettei ruru, arui ha sono obadoraibu » (La détermination des règles, ou leur surmultiplication) de Jun Aoki, in Shinkenchiku, 99:07, Shinkenchiku-sha, 1999.

[*6] D'après Yukio Komatsu, la durée de vie moyenne d'une habitation en bois était de 37,69 ans en 1982 et de 54 ans en 2005. Voir « Kenchiku jumyo no genjo » (Durée de vie actuelle des bâtiments) de Yukio Komatsu in *Nihon kenchiku gakkai sogo rombunshi*, numéro 9, 2011.

Kōzō KADOWAKI

Né en 1977 à Kanagawa, diplômé en architecture de l'Université Métropolitaine de Tokyo en 2000 et titulaire du master d'architecture en 2001, Kozo Kadowaki est professeur agrégé à la faculté des Sciences de l'Environnement Urbain et enseigne à l'Université Meiji depuis 2012 la construction, le design architectural et la méthodologie de la conception. Docteur en ingénierie, son domaine de recherche porte notamment sur les évolutions de la pensée architecturale et urbaine dans un contexte de déclin de la population. Il est l'auteur de *Blueprint vers une révolution silencieuse** (2014, Kawade), *Dessiner un partage** (2013, Gakugei), et *Connaissances d'aujourd'hui vol. 1 - Banlieue, crise et renaissance** (2013, NHK)

* ouvrage en japonais uniquement

Propositions

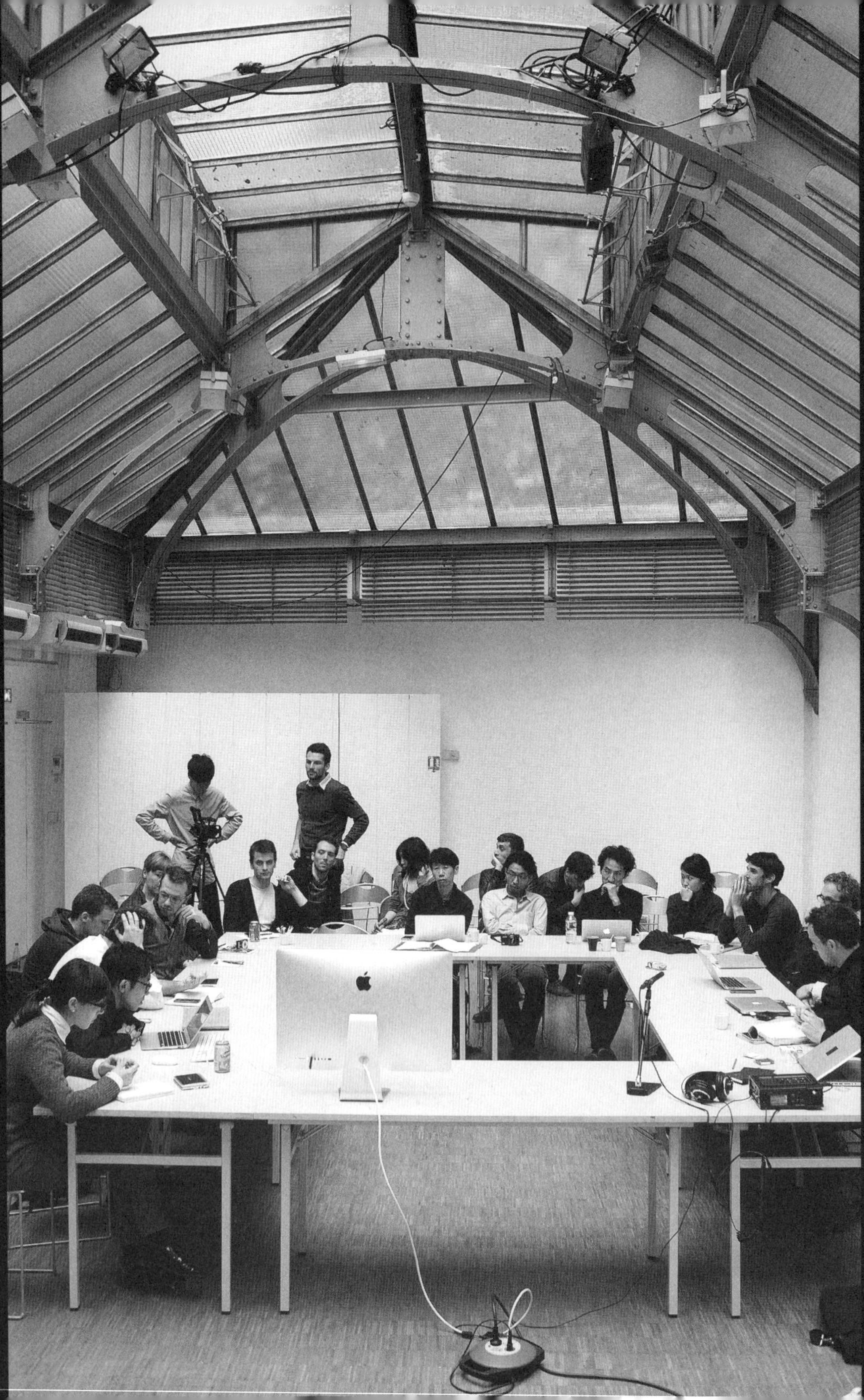

ONDESIGN × NP2F

« Quand nous disons « partager la ville »,
cela ne veut pas dire simplement construire
beaucoup d'espaces publics. Nous avons
beaucoup parlé du café et du conbini, car ils
peuvent être des clés quand nous pensons
à la manière d'intervenir dans la ville existante.
Nous essayons de trouver cette notion de
'partage' dans les choses invisibles. »
—— ONDESIGN

« Je sens que ce qui est plus important
comme composant de la ville, ce n'est
pas uniquement le square créé par la
puissance publique, mais ce sont aussi les
espaces partagés générés par l'action et le
désir des gens eux-mêmes »
—— ONDESIGN

« L'image que j'ai eu de Tokyo est un peu le
contraire de celle de Paris intramuros, avec
son organisation régulière et alignée, il
s'agit plutôt de sommes de situations en
point, qui renvoient à une image chaotique
mais qui est en fait très fluide et crée une
grande continuité »
—— Fabrice Long (NP2F)

オンデザイン×エヌ・ペー・ドゥ・ゼフ

都市をシェアすると述べるとき、それは単にたくさんの公共空間をもつ建物があるという事を意味していません。むしろカフェやコンビニについて話しをしています。なぜなら実際の都市に介入するための方法について考える時、それらの空間はキーになりうるからです。我々はこの目に見えない事物の中にシェアという考え方を理解します。
── オンデザイン

公共部門による広場だけでなく人々の欲望や行為によって生み出される共有空間というものがこれからの都市にはより重要な要素になるように思います。
── オンデザイン

私が東京にいだいていたイメージというのは、一列に規則正しく組織されたパリ中心部と異なるものでした。東京はカオティックなイメージが与える状況の集積以上のもので、事実都市は流動的で絶え間ないものなのです。
── ファブリス・ロン（NP2F）

propositions | 01

Lieux communs

コモンプレイス

NP2F

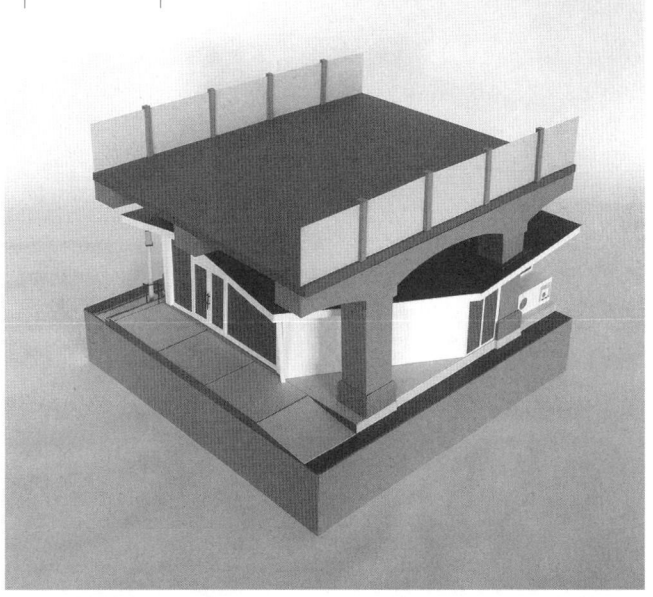

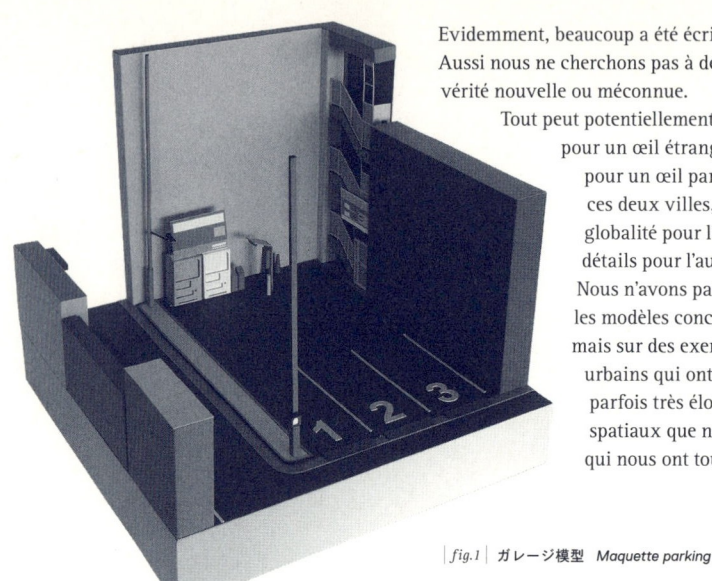

Evidemment, beaucoup a été écrit, filmé, concernant Tokyo. Aussi nous ne cherchons pas à démontrer ou investiguer une vérité nouvelle ou méconnue.

Tout peut potentiellement être troublant à Tokyo pour un œil étranger, et plus particulièrement pour un œil parisien. Tout semble opposer ces deux villes, composition, patrimoine, globalité pour l'une ; hétérogénéité, mixité, détails pour l'autre.

Nous n'avons pas voulu nous pencher sur les modèles conceptuels qu'évoque la ville, mais sur des exemples précis, des moments urbains qui ont trouvé une résonnance, parfois très éloignée, avec des phénomènes spatiaux que nous connaissons mieux et qui nous ont tout simplement touchés.

fig.1 | ガレージ模型　Maquette parking

"COMMON PLACES"

東京にあるものは全て、外国から来た者の、特にパリジャンの目を困惑させる可能性を秘めている。全ての要素がこのふたつの都市を対比させているようである。片方には構造性、伝統、全体性があり、もう片方には異質性、混交性、個別性がある。我々は、都市がその総体として表象している概念的なモデルについて考察するよりも、より具体的な例――時に遠く離れた所で起きたことであっても――我々自身にとって印象に残った空間的な現象に反応した都市的瞬間に焦点を当てることにした。それは、建築家としてだけでなく、利用者、あるいは観衆としてである。

fig.2 | 東京、ありふれた場所　Tokyo, lieux communs

NP2F

Pas seulement en tant qu'architectes mais en tant qu'utilisateur, que badaud. Si la ville est un bouillon magmatique, véritable incubateur de presque tout type d'usage, de pratique et d'espace, nous nous intéressons au principe relationnel, de proche en proche, de la ville évoluant constamment et démultipliant les contacts, les superpositions, les imbrications, les «frôlements».

Les lieux qui en témoignent, ces lieux communs nous intéressent ici dans leur caractère rassemblant. Formule péjorative employée en littérature pour qualifier une trop grande évidence, ils représentent néanmoins dans l'espace urbain et architectural des lieux peut-être plus intenses, plus «innervés», avec de plus forts potentiels d'usage, activant un imaginaire plus puissant. Leur caractère anodin les contraints dans la majeure partie des cas à se dépourvoir de toute forme de style ou d'ornementation, ils sont généralement des espaces génériques, fonctionnels, permettant à une organisation plus large (ville mais aussi bâtiment), d'assurer des besoins minimum.

| fig.3 | ガレージ平面図　Plan parking

fig.4 植栽図 *Plan plantes*

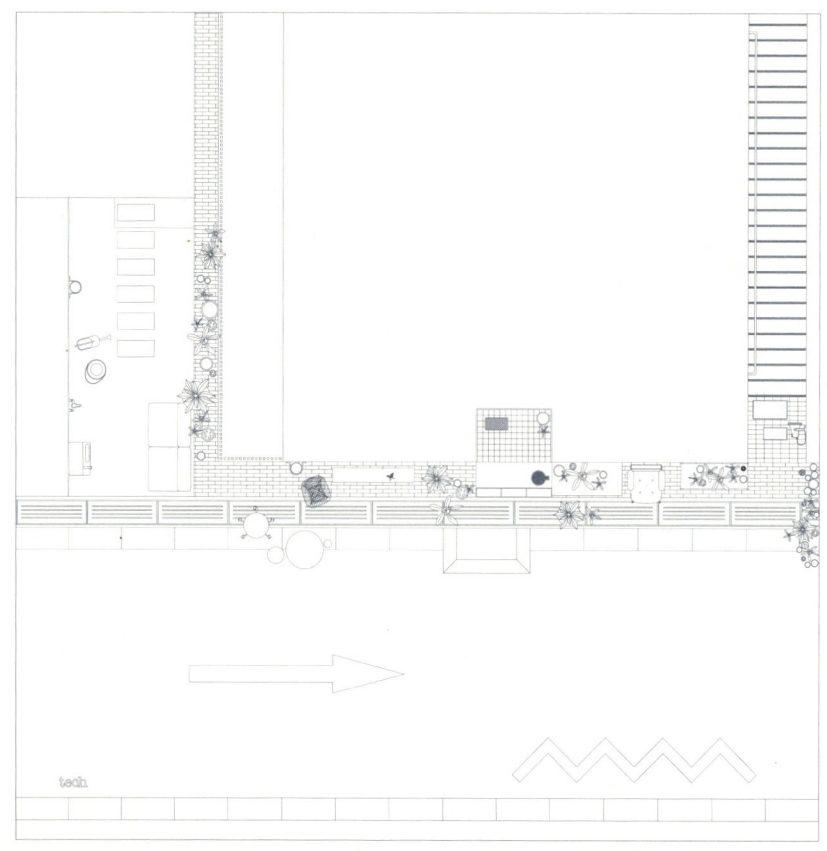

fig.5

植栽模型
Maquette plantes

もし都市というものが、様々な種類の用途、実践、空間の溶岩のスープのような孵化器であるならば、我々が興味を持つのはそれらの関係性の原則、住居と都市との間の接触や重なり、相互貫入や摩擦を、徐々に発展させ多様化させている都市についてである。これらを示すような場所、つまりこうした共同の場所が、その特徴の収集において我々の興味をそそる。字義的には騒々しい事実を描き出すために用いられる表現にもかかわらず、それらの場所は、建築的、都市的に、より多くの利用可能性に満ち、想像力をかき立てる刺激的な場所を現している。

そうした場所の寛容性は、しばしばあらゆる形のスタイルや装飾を可能にする。それはジェネリック・スペースとして、より広域に展開し（都市でありながら建物でもある）最低限の要求を満たす機能的な空間となる。

数えきれない程の形態をとりながら、こうした都市的な「瞬間」は巨大都市のあらゆる隙間と絡み合い、細い路地裏にひっそりと隠れ、しばしば巨大なビルに潰され、またあるいは人波に貫かれて存在している。にもかかわらず、豊かで複雑で、興味を掻き立てるような使われ方が堆積している。東京の明白な形式的複雑性の中に存在するこのような場所は、多くの場合非常に小規模であることによっ

Sous d'innombrables formes, ces «moments» urbains s'installent, imbriqués dans chaque interstice de la mégapole, humblement dissimulés au détour de ruelles étroites, souvent «écrasés» par des buildings innovants et massifs ou encore transpercés par de véritables marées humaines, ils n'en permettent pas moins la sédimentation des usages, complexes, riches, passionnants.

Ces lieux, omniprésents dans l'apparente complexité formelle de Tokyo sont souvent de taille très petite, leur permettant peut-être un épandage plus grand, ils sont à l'origine d'un immense réseau (imaginaire) qui ponctue l'espace public.

Ils permettent donc à l'organisation toute entière de la ville d'exister, en assurent ses besoins fonctionnels les plus triviaux mais aussi installe une dimension «domestique» le long de la rue Tokyoïte.

Des distributeurs de boissons (ou de tout autre type de petits besoins du quotidien) jalonnent les micro-parkings, dissimulés à l'ombre de auvents métalliques ici et là, du mobilier de maison, disposé sur l'espace publique comme un prolongement de l'habitat investissent les espaces vacants, mais aussi à l'origine du phénomène peut-être le plus substantiel et visible, des chapelets de plantes en pots colonisent les pieds de façade de chaque immeuble, de chaque interstice technique, de chaque perron, y

fig.6 公衆トイレ平面図　Plan WC public

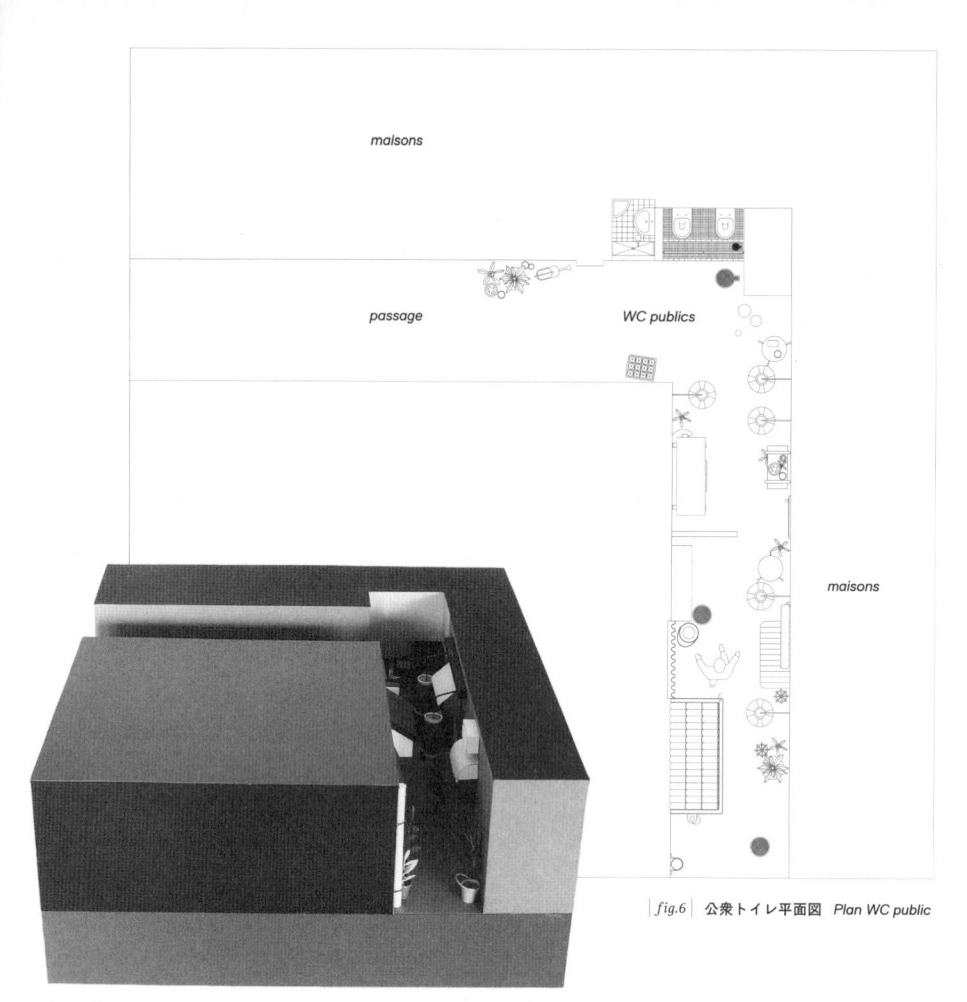

fig.7 公衆トイレ模型　Maquette WC publics

NP2F

déployant une véritable stratégie végétale.
Ces micros espaces sont garants des services du quotidien mais aussi de l'implacable fluidité et performance de la ville dans son ensemble.
Ici l'urbanisme côtoie la plus infime tentative de gestion du territoire; chacun de ces espaces constitue une partie indissociable d'un grand tout.
Chacun des fragments sélectionnés ici tente d'illustrer cette zone de partage et de frôlement entre des espaces plus intimes, individuels, domestiques et des substances plus urbaines ayant des vocations à grande échelle.
Nous envisageons ces espaces dans leur dimension générique pouvant être vecteur dans la «cité», de rencontre, d'échange et invoquant selon nous les sous-bassement de l'urbanisme.
Les situations, présentées de façon scientifiques, voire archéologiques, sans contact directs les unes avec les-autres, sont en même temps existantes, volontairement hyperréalistes, et en même temps détournées, assemblées ou dissemblées afin d'aboutir à la vision que nous en eue et surtout à la sensation spatiale que nous cherchons à communiquer.
Une réalité augmentée et peut être un peu détournée mais sincère.

てより広い拡散性を持ち、パブリック・スペースを際立たせる（想像上の）広大なネットワークの源である。
つまりそれらは、完全な都市の組織が存在することを可能にする。その最もささいな機能的必要性をみたし、そして東京の道沿いにドメスティックな側面をつくりだしていく。自動販売機が小規模駐車スペースに沿って点在し、金属製の雨よけの陰に、あちらこちら住宅用の家具がまるで住居の拡張のようにパブリック・スペースに置かれて、スペースを占拠する。しかしながら最も充実していて目にとまる根源的現象は、各建物のファサードの足下、建物同士の隙間、そして玄関前のステップを、植物的戦略を展開しながら占領する植木鉢の連なりであろう。こうした極小空間は日常生活と同時に、都市全体の流動性と性能を保証する。
このような空間において、都市計画は領域の管理という微細な試みと交叉する。こうした空間それぞれが、大きな全体の切り離すことのできない一部分を構成しているのである。われわれが選び出した都市の断片は、こうしたより親密で、個人的で、そして家庭的な空間より都市的で大きいスケールの用途を持った物との間に存在する共有と摩擦を描き出そうとしている。これらの空間は、人々が出会いや意見を交換するための媒介となるように思われる。我々によればそれこそ都市計画の土台であると考察できる。
我々が紹介したい科学的、あるいは考古学的な観点による4つの状況は、それぞれ直接関係のあるものではないが、全て実際の状況であると同時に超現実的であり、自発的に組み立てられ壊されるそばから修正されていく。それは我々が持っていたヴィジョン、そして特に我々が伝えたいと思っているある空間の感覚へと導くためである。それは拡張され、もしかすると幾分曲解された現実ではあるかもしれないが、それもまた正真正銘の現実なのである。

NP2F

Nicolas Guerin ｜ ニコラ・グラン
François Chas ｜ フランソワ・シャス
Fabrice Long ｜ ファブリス・ロン
Paul Maître-Devallon ｜ ポール・メトル・ドゥバロン

Lauréat des AJAP, formée par quatre associés, François Chas, Nicolas Guerin, Fabrice Long, et Paul Maître-Devallon, l'agence NP2F créée en 2007 à Paris revendique une approche dont la constante est celle de la recherche du « morphologie publique ». Attentionné tant aux matériaux qu'à la finesse des ouvrages qu'ils conçoivent, leur domaine de pratique s'étend de l'urbanisme au design intérieur à la conception de bâtiment. Gagnant du concours d'architecture pour la conception du Centre national des arts du cirque (Châlons en Champagne), ils sont aussi en charge de l'aménagement de la ZAC Chantereine à Alforville (94) et ont plus récemment réalisé l'aménagement intérieur du café Place de la République.

--

2007年にフランソワ・シャス、ニコラ・ゲラン、ファブリス・ロン、ポール・メイトル・ドゥバロンの4人によってパリに設立。若手建築家アルバムAJAP受賞。彼らの活動の領域は、材料とともに考えられた施工精度の管理から、都市から建物、インテリアのコンセプトまで同時に広げることが特徴的である。シャロン・オン・シャンパーニュの国立サーカス・アート・センターのコンペに受賞し、アルフォーヴィルのZACシャントレンの改修、そして近作としてパリのレピュブリック広場のカフェを実現している。

| propositions | 02 |

目に見えない都市
Ville invisible
ONDESIGN

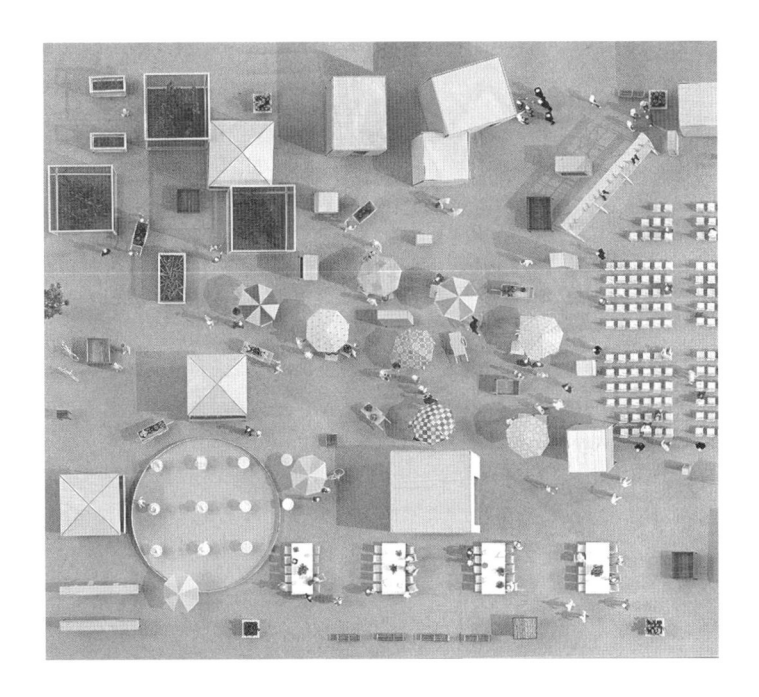

「住みたい都市はどんな所ですか?」

聞かれたとしよう。住みやすい、ではなく、住みたい、である。みどりが多い所がいい、海の近くがいい、映画館があるといいかな……。気がつくことは、「○○がある都市」というのは、要は都市自体の魅力ではなく、コンテンツの魅力である場合が多い、ということである。日々生活をしていて、私たちは一体どれくらい「都市」ということを自分の日常に引きつけて考えているだろうか。建築という分野の仕事をしている私でも、実際はあんまり……。だとすれば、多くの人は、「自分の住む街や都市について考える」という発想すらないかもしれない。

ところで、「無人島に住むとしたら」というのは、よく使われる〈極限状態〉のたとえである。忘れがちだが、みんな「人がいる都市」に住んでいる。人がいないと、人の気配がないと、私たちは誰でも、違和感や不安感を覚える。いつも関係性の中に生きている。ひとつ大切なことを見落としていたけど、みんな「人がいる都市に住みたい」のである。だから、人の関係性がうまくいっていたり、魅力的だったりすると、都市自体も生き生きと見えてくる。お祭りだってその例である。共通のテーマに向かって、街全体が盛り上がる。盛り上がっているのは、建物ではなく、人である。

もしも街自体が、建物の集まりが、都市の構造が、その生き生きとした状態や活動、生活を支えることができたとすれば、そんな都市に惹かれるに違いない、と思う。お祭りだけでなく、日常でも、テーマが関係し合って、場所やコミュニティをつくっているような都市は、明らかに魅力的ではないだろうか。

| fig.1 |

広場5200㎡に対して520㎡の建築を想定。12のコミュニティと4のサービスを隣り合う関係性からゾーニング。

Pour construire 520m² sur une surface ouverte de 5200m², répartir 12 communautés de voisinage et 4 programmes en mettant des liens entre chaque élément.

| fig.2 |

520㎡を小さく切り分けて、各テーマめがけて広場全体に配る。

Disséminer ensuite des petites surfaces fonctionnelles, puis découper les unités de 520m2 en 16 thèmes différents.

| fig.3 |

使い勝手に併せて、Theme Community(テーマコミュニティ)とSet Form(集合形式)を設定。

Définir des "thèmes de voisinage" et "l'ordonnancement" de chaque espace selon les utilisations.

| fig.4 |

小さな建築からアクティビティがあふれる。

Les petites architectures créent des activités vivantes aux alentours.

« Comment est la ville où vous voudriez habiter ? »
Supposons qu'on nous pose la question ainsi. Non pas « Qu'est-ce qu'une ville facile à vivre ? » mais « Qu'est-ce qui fait que l'on désire habiter dans une ville ? ». Un endroit avec beaucoup de verdure, à proximité de la mer, avec une salle de cinéma...Ce qu'on réalise lorsque l'on parle d' « une ville qui part de 0 », c'est que ce n'est pas la ville en elle-même qui est attractive mais plutôt les contenus qu'elle propose. En menant notre vie de tous les jours, combien de fois réfléchissons-nous à la « ville » en la liant à notre quotidien ? Beaucoup n'ont peut-être même pas cette idée de « réfléchir sur la ville où l'on habite ».

Or, imaginons qu'il faille habiter une île déserte, exemple fréquemment utilisé pour parler de situation extrême. Nous avons tendance à l'oublier, mais nous habitons tous « une ville où il y a des personnes ». S'il n'y avait personne, s'il n'y avait pas la sensation de la présence des autres, nous éprouverions tous un sentiment de malaise ou d'angoisse. Nous vivons toujours dans la relation. Nous avons omis cela dans notre réponse à la première question, mais tout le monde veut habiter dans une ville où il y a des personnes. C'est pourquoi, quand la relation avec les autres fonctionne bien ou quand celle-ci est attractive, la ville nous parait vivante. Une fête en est un exemple. Toute la ville s'anime autour d'un thème commun. Ce qui s'anime, ce ne sont pas les bâtiments, mais bien les habitants.

ONDESIGN

diagram

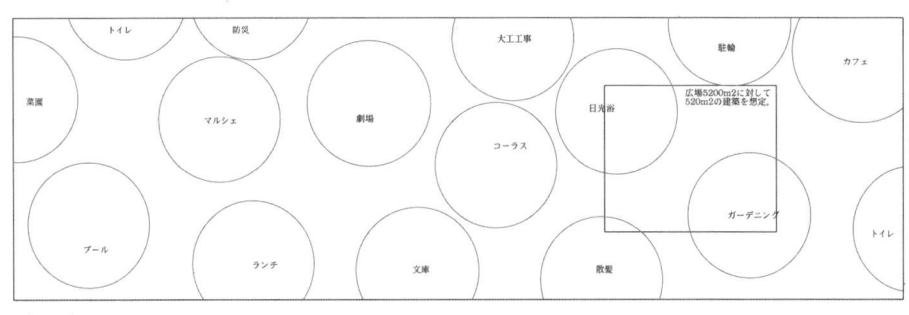

| fig. 1 |

| fig. 2 |

| fig. 3 |

| fig. 4 |

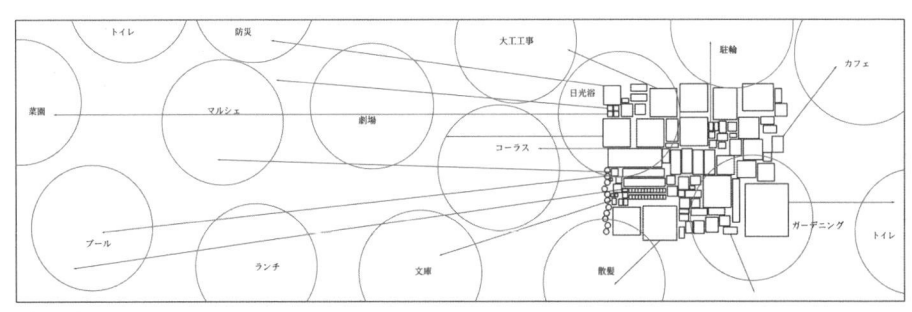

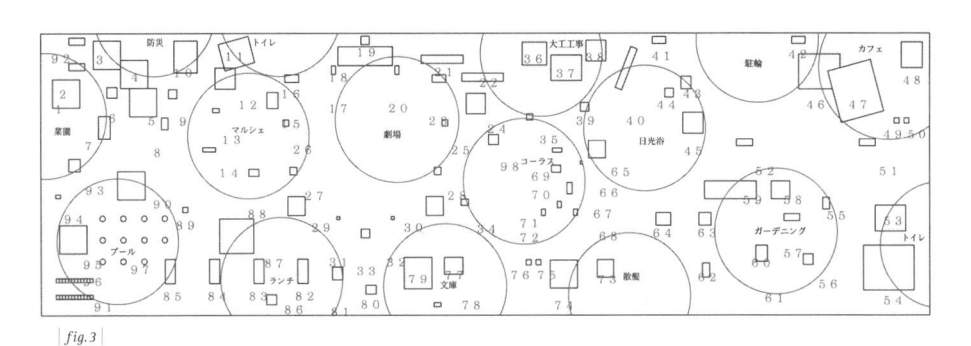

118--119

さて、今回私たちに与えられたテーマは、シェアである。シェアには、共有という意味だけでなく、分け合うとか、分担という意味があるという。その視点をもって、東京とパリという2つの都市を歩くうち、目に見える都市だけでなく、目に見えない都市もあるのだと痛感した。シェアというのは、主に目に見えない。シェアには、人の集まり、がある。ただ集まるのではなく、コミュニティがある。それは、単位は小さくとも自発的な人の集まりのようだった。

パブリック空間というのは、管理する側から提案されることが多いけれど、シェア空間というのは、使う側と地続きで、日常そのものであった。自分の物を持ち出してきたような、ちょっとしたことの積み重ねが、壮大なダイナミズムをもつような都市。私たちは「自生的な秩序」と「シェア」という概念を重ねたとき、そんな都市に可能性をみた。

都市に対する創造力は、特別な発想ではなく、案外、日常の中にある単純さと手を結んで進むのかもしれない。

シェアという現象を建築的にとらえ直すことから、いまあるパブリック空間を、少し新しいパブリック空間に変換することはできないだろうか。目に見える立派な建物を建てるのではなく、まずは、目に見えない小さな活動、小さなコミュニティを集めてみる。建築家に出来ることは、関係性を整理し、その場所に対してどんな集まり方をしたいか、すべきか、示すことだと思う。だから、どれくらいの単位で、何をしたいかを鑑みて、建築のサイズや高さや配置計画の設計として反映した建築の集合形式を、新しい都市模型として制作することにした。800×2600mmという展示台の全部を1/50の敷地に見立てて、「シェア」を感じさせる集まりを提案したい。それは、住むこと、使うことと直結した、目に見えない都市である。

Theme Community >

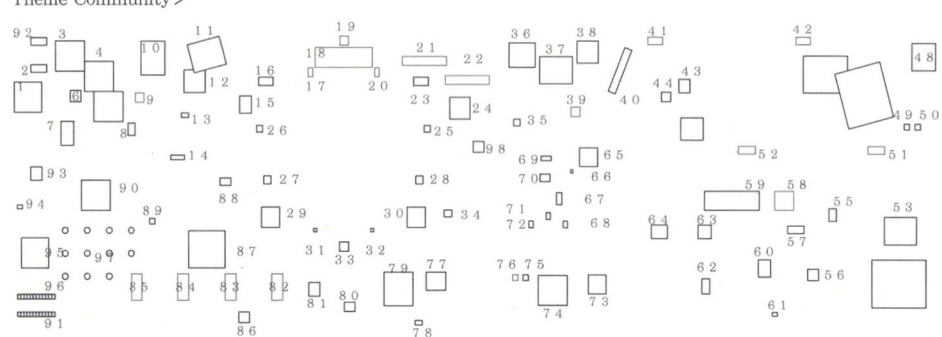

MEMBER >

1 - イタリアントマトの温室	Serre de tomate italienne		26 - 照明倉庫	Stockage d'éclairage
2 - エシャロットの温室	Serre d'échalote		27 - 高音スピーカー	Enceintes Tweeter
3 - ピーマンの温室	Serre de poivron		28 - 高音スピーカー	Enceintes Tweeter
4 - 日よけ室	Pièce ombrée		29 - ステージの倉庫	Stockage de la scène
5 - なすの温室	Serre d'aubergine		30 - ステージの倉庫	Stockage de la scène
6 - ゴミ箱	Poubelle		31 - 低音スピーカー	Boomer
7 - ハーブの温室	Serre des herbes aromatiques		32 - 低音スピーカー	Boomer
8 - 黒板棟	Espace de petites annonces		33 - 録画室	Salle de enregistrement
9 - 灌水制御室	Local technique pour le système d'arrosage		34 - 電球備品庫	Stockage d'ampoule
10 - 防災倉庫	Stockage du matériel de secours		35 - 水場	Fontaine
11 - 化粧室(W)	WC (femme)		36 - 道具倉庫	Stockage d'outil
12 - 化粧室(M)	WC (homme)		37 - 資材倉庫	Stockage de matériau
13 - 空気スタンド	Pompe à air (pour vélo)		38 - 休憩室	salle de repos
14 - 看板倉庫	Stockage de panneau		39 - ゴミ箱	Poubelle
15 - ゴミ箱	Poubelle		40 - レジャーシート干場	Coin séchage de nappe pique-nique
16 - 映写管理室	Régie technique		41 - 料金所	Caisse
17 - サラウンド	Système de son multi canal		42 - 料金所	Caisse
18 - イス倉庫	Stockage de chaise		43 - レジャーシートの倉庫	Stockage de nappe pique-nique
19 - 演者小道具	Stockage des accessoires		44 - 水場	Fontaine
20 - サラウンド	System de son multicanal		45 - 天蓋の東屋	Pavillon avec chapeau
21 - 単管倉庫	Stockage d'échafaudage		46 - ダイニング	Salle à manger
22 - 単管倉庫	Stockage d'échafaudage		47 - マスターキッチン	Cuisine principale
23 - 映写管理室	Régie technique		48 - パントリー	Cellier
24 - 休憩室	Salle de repos		49 - 水場	Fontaine
25 - 照明倉庫	Stockage d'éclairage		50 - 電球備品庫	Stockage d'ampoule

ONDESIGN

Si la forme d'un ensemble de bâtiment, ou encore si la structure d'une ville pouvait être le support d'activités et d'animations, je pense que je serais certainement attiré par ce genre de ville. Une ville dont les contenus permettent aux gens de tisser des relations, pas seulement pendant les fêtes mais aussi dans la vie quotidienne, afin de constituer des lieux et des communautés, ne serait-elle pas clairement une ville attractive ?

En se promenant dans les deux villes de Tokyo et de Paris, nous avons senti qu'il existait non seulement une ville physique mais aussi une ville invisible. Lorsque l'on observe la ville au prisme de la notion de « partage », on prend conscience que les rassemblements d'individus ne sont pas qu'un simple assemblage, mais constituent ce qui ressemble à une ville invisible. Si dans le mot « partage » coexiste l'idée de copropriété et de répartition, les situations de partage que l'on perçoit en ville peuvent être vues comme des rassemblements spontanés, quelque soient leurs dimensions. Ces types de rassemblement sont intéressants justement parce qu'ils s'enracinent dans les cultures de la ville.

Ainsi, les espaces publics ne sont pas uniquement définis par des règles administratives de propriété, ils sont aussi et surtout des espaces de partage qui ponctuent la vie quotidienne des usagers : ces lieux incarnent la vie quotidienne elle-même. Le dynamisme de la ville est fait de l'addition de petits gestes, comme si chacun mêlait ses objets personnels à ceux des autres. En croisant les deux idées de 'Partage' et 'd'Ordre Spontané' nous avons pu imaginer de nombreuses possibilités. Imaginer la ville de demain ne consiste non pas à s'inspirer d'éléments exceptionnels ou extraordinaires mais plutôt à reprendre les éléments simples du quotidien.

Serait-il possible alors de repenser les espaces publics existants en incarnant ce phénomène de partage dans l'architecture ? Non pas en construisant un bâtiment visible et admirable mais en commençant par rassembler de petites activités et communautés invisibles. C'est ce qu'un architecte peut faire : mettre en ordre ces relations, montrer quelles sortes de rassemblement les personnes désirent et comment les organiser dans un espace. C'est pourquoi, pour cette exposition, nous présentons ces modalités de rassemblement sous la forme de maquette d'une nouvelle ville. Il ne s'agit pas là d'un contenant,

51 - ゴミ箱	Poubelle	76 - 水場	Fontaine
52 - ゴミ箱	Poubelle	77 - マガジンラック	Étagères de magazine
53 - 簡易シャワー付ロッカー	Vestiaire avec douche	78 - ドリンク販売	Distributeur de boisson
54 - レストルーム	Salle de repos	79 - 演者控室	Dressing acteur
55 - ホースの倉庫蛇口付	Stockage de tuyaux d'arrosage	80 - 水場	Fontaine
56 - 苗の倉庫	Maison de jeune pousse	81 - ゴミ箱	Poubelle
57 - 物置台	Planche de pose	82 - 長い机	Table longue
58 - シンク	Evier	83 - 長い机	Table longue
59 - 長い東屋	Pavillon long	84 - 長い机	Table longue
60 - 肥料の倉庫	Stockage d'engrais	85 - 長い机	Table longue
61 - 犬つなぎ	Accroche pour laisse de chien	86 - 電球備品庫	Stockage d'ampoule
62 - シンク	Evier	87 - ミニキッチンの売店	Kiosque avec mini-cuisine
63 - 百葉箱	Abri Stevenson	88 - 水場	Fontaine
64 - 売店	Kiosque	89 - 水場	Fontaine
65 - 寝椅子の倉庫	Stockage de transat	90 - 東屋	Pavillon
66 - 電球備品庫	Stockage d'ampoule	91 - 簡易ロッカー	Casiers
67 - 指揮者の倉庫	Dressing de chef d'orchestre	92 - ズッキーニ温室	Serre de courgette
68 - 楽譜の倉庫(T)	Bibliothèque de partition (T)	93 - ドリンク販売	Fontaine
69 - 蝶タイの倉庫	Stockage de nœud papillon	94 - 演者控室	Stockage d'ampoule
70 - 録音室	Salle d'enregistrement sonore	95 - 水場	Pavillon
71 - 楽譜の倉庫(S)	Bibliothèque de partition (S)	96 - ゴミ箱	Casiers
72 - 楽譜の倉庫(B)	Bibliothèque de partition (B)	97 - 長い机	Stockage de serviette
73 - レセプション	Accueil	98 - 長い机	Stockage de serviette
74 - シャンプーハット	Espace shampooing		
75 - ゴミ箱	Poubelle		

私たちは、いつからか、「人があつまること」に意識を向けて、建築を考えるようになった。「建物ひとつでは解決できない問題を、複数が関係し合うことで解決できる場合があるのではないか」と信じるようになった。そう考えるからこそ、小さな建築にも、大きな可能性を感じるようになった。いや、むしろ、小さな建築にしかできないことがあると感じることさえある。「シェア」という概念をもとに、広場の、広場としての魅力を、建築的に育てることができたとしよう。目に見えない関係性が、一過性で終わらずに、持続できる仕組みを、小さな建築のかけらの集まりによって手助けできるとすれば、果たす役割としては十分ではないだろうか。普段は建築だと呼べないくらいの小ささだとしても、である。

まちづくりも建築も、一方的なデザインではなく、対話的なインタラクションから生まれることがある。私たちはともすると建築という存在に頼りすぎてしまうけれど、建築単体ですべての問題が解決できるのか、疑ってみる必要がある。とりわけ、「生活」というものを考えるときは、ひとつの建築ではなく、複数の関係性によって解決しようと試みる方が、多くの人をすがすがしく受け止める場合がある。重要なのは、そういった見えない集まりを、どうやって共通のテーマに向かわせるか、テーマとテーマが豊かな関係性を結べるか、という回路である。

何をシェアしているのか／何をもってシェアと呼ぶのかを注意深く観察することは、実はその街を読むことである。その街のシェアを知る事は、その街の文化を知ることである。だからこそ、新しいシェアを考えることは、新しい都市を考えることなのだと思う。

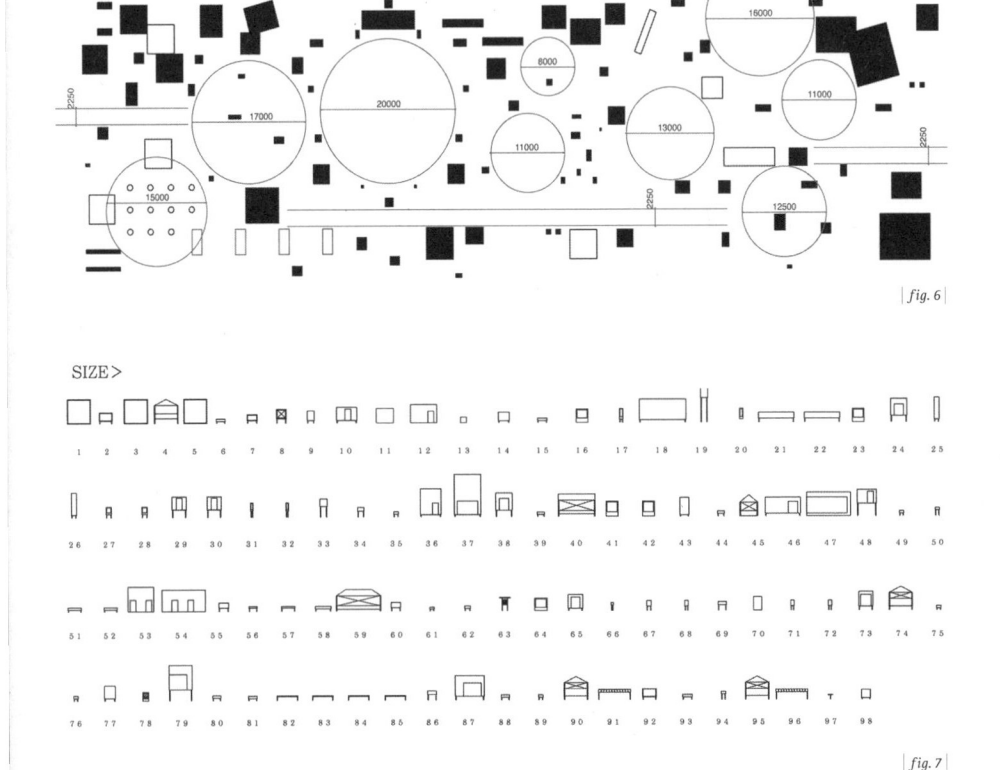

Set Form >

fig. 6

SIZE>

fig. 7

ONDESIGN

mais d'un plan de relations créant une ville invisible construite par la manière de l'habiter et de l'utiliser.

Sans nous en rendre compte, nous avons commencé à concevoir l'architecture en nous intéressant au rassemblement des personnes. C'est ainsi que nous avons commencé à penser qu'il pouvait y avoir des cas où les problèmes ne pouvaient être résolus non pas avec un seul bâtiment, mais plutôt en jouant sur les relations que peuvent entretenir plusieurs bâtiments. C'est pourquoi nous croyons que même les petites architectures ont de grands potentiels. Parfois même, nous ressentons que certaines choses ne sont atteignables qu'au travers des petites constructions. Supposons que l'on puisse développer l'attractivité d'une place à partir du concept de « partage ». Ne serait-ce pas suffisant si nous pouvions contribuer, à partir de fragments de petites architectures, à structurer un système pour que les relations invisibles puissent se construire ? Même s'il s'agit de choses très petites, que l'on ne nomme pas d'ordinaire 'architecture', il est possible qu'elles deviennent des éléments pour créer un lieu.

L'urbanisme ou l'architecture ne sont pas simplement du design, ces deux disciplines peuvent parfois se manifester par l'interaction, sous forme d'échanges. Nous comptons beaucoup sur l'architecture comme solution, mais il faut savoir émettre des doutes quant à sa capacité à résoudre tous les problèmes. Et particulièrement lorsque l'on réfléchit à la vie de tous les jours : il faut essayer de résoudre les problèmes non pas en se basant sur une seule architecture mais plutôt sur la manière dont l'on peut générer des relations entre le plus grand nombre de personnes. Ce qui importe c'est de faire converger vers un but commun ces rassemblements invisibles et de faire en sorte qu'ils engendrent des relations riches. Qu'est-ce que l'on partage ? Qu'appelle-t-on partager ? Observer attentivement ces sujets consiste en fait à lire la ville. Connaître la notion de partage dans une ville c'est connaître la culture d'une ville. C'est pourquoi penser à un nouveau mode de partage c'est penser une nouvelle ville.

fig. 6 使い勝手に併せて、Theme Communit（テーマコミュニティ）とSet Form（集合形式）を設定
Définir des "thèmes de voisinage" et "l'ordonnancement" de chaque espace selon les utilisations

fig. 7 小さな建築からアクティビティがあふれる
Les petites architectures créent des activités vivantes aux alentours.

122--123

ONDESIGN

Osamu Nishida｜西田司
Erika Nakagawa｜中川エリカ

2004年に西田司によって設立され、2007年から中川エリカがアソシエイトとして参加。西田司は、1976年神奈川県生まれ。1999年横浜国立大学卒業後、2004年までスピードスタジオ。首都大学東京研究員、神奈川大学非常勤講師、横浜国立大学大学院助手、東京理科大学非常勤講師、東北大学非常勤講師などを兼任。 中川エリカは、1983年東京都生まれ。2005年横浜国立大学卒業。2007年東京藝術大学大学院修了。2014年に中川エリカ建築設計事務所設立。現在、横浜国立大学大学院Y-GSA設計助手。代表作の1つであるヨコハマ・アパートメントでは、住人間のつながりを生み出すような種々の実践を取り入れ、活気のある近隣関係を築くことに成功している。2012年「ヨコハマアパートメント」でJIA新人賞受賞。
--

Né en 1976 à Kanagawa, Osamu Nishida fonde ON Design en 2004, agence d'architecture qui associe depuis 2007 Erika Nakagawa. Diplômé de l'Université Nationale de Yokohama (YNU) en 1999, Osamu Nishida a travaillé chez Speed Studio jusqu'en 2004. Il enseigne actuellement à l'Université Métropolitaine de Tokyo, à l'Université de Kanagawa, à l'YNU, à l'Université science de Tokyo et à l'Université de Tohoku. Erika Nakagawa née en 1983 à Tokyo, est architecte titulaire d'un diplôme de l'YNU en 2005 complété par la suite d'un cursus à l'Université des Beaux-Arts de Tokyo en 2007. Elle fonde son agence Erika Nakagawa Architects en 2014 et enseigne actuellementdans l'atelier Y-GSA à YNU.
ONDESIGN est une agence d'architecture en plein essor. Fort d'un grand nombre de projets fortement médiatisés tels que Yokohama apartment, projet qui leur a valu d'être lauréat des nouveaux talents JIA en 2012, ONDESIGN affirme une pratique de l'architecture relevant de la volonté de créer des liens entre les habitants, de générer des relations de voisinage nouvelles et innovantes.

GRAU × Yasutaka Yoshimura

« J'ai trouvé quelques similitudes entre Paris et Tokyo dans des lieux qui ne sont pas encore entièrement développés. A Montreuil ou St.Denis il y a quelque chose de l'ordre du chaos. Les bâtiments forment une sorte de grand mélange. Mais je peux toutefois affirmer qu'il y a beaucoup de différences. Par exemple au Japon, la chose publique et privée s'envahissent l'une l'autre. Quelque part je n'ai pas retrouvé cela dans Paris, il y a des cloisonnements qui séparent le public du privé. »
—— Yasutaka Yoshimura

« A Paris, j'ai le sentiment que les façades n'appartiennent pas au bâtiment mais que les façades appartiennent à la rue, à l'espace public. »
—— Yasutaka Yoshimura

« Au Japon, que ce soit les grands espaces, comme les gares, ou les micro-lieux et interstices de la ville, c'est bien le privé qui fabrique le public. »
—— GRAU

吉村靖孝×グラウ

パリと東京の開発の進んでいないエリアの間には、いくつかの類似性が見受けられました。モントユイルやサン・ドニはいくぶん雑然とした感じがあります。建物も複合的ですし。しかしそこには多くの差異が存在しているといえます。たとえば、日本ではパブリックとプライベートはお互いに浸食し合っていますが、パリでそのような状態を見い出すのは困難でした。そこには両者を明確に分ける壁があります。
—— 吉村靖孝

パリにおいて、ファサードは建物それ自体にではなく、通りや公共空間に属しているように思いました。
—— 吉村靖孝

日本の駅のような大空間、あるいは狭小空間や都市の隙間であっても、民間のものが公的な空間をつくっています。
—— グラウ

| propositions | 03 |

| Spécificité ouverte |
| 開かれた特性 |
| GRAU | グラウ |

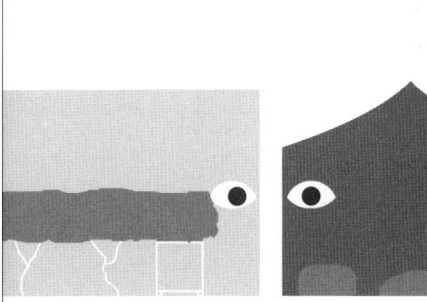

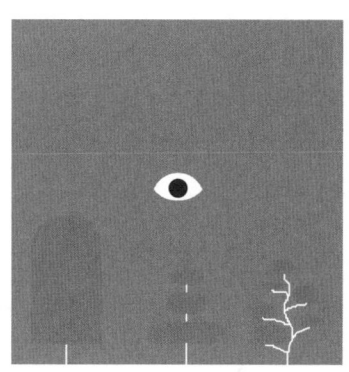

Open specificity

日本建築が街中につくり出す都市性と巧みさは私たちを魅了し続けてきた。我々の事務所においても明らかに日本の建築家たちの影響を受けているし、日本のプロジェクトを参照することもよくある。

しかしながら、このように賞賛している日本の事例を参照することに我々は常にためらいを感じている。我々が魅力を感じるそれらの空間は、日本文化に深く根ざしているため、その空間モデルだけを文化から切り離して輸出することは難しい。何を参照するのか、あるいはプロジェクトやある場所から我々が何を学ぶか、それは永遠の問いであり、特にフランスと日本を向かい合わせる場合、なおさらである。

L'architecture japonaise fascine aujourd'hui autant par sa finesse que par l'urbanité qu'elle arrive à produire dans la ville.

Au sein de notre agence nous sommes clairement influencés par plusieurs architectes japonais et les références de projets japonais sont nombreuses. Néanmoins, nous sommes toujours hésitants quant à la possibilité de se servir d'exemples japonais comme références. Tous ces espaces, que nous admirons tant, sont si liés à la culture du pays, qu'il est difficile d'imaginer importer ces modèles spatiaux sans prendre avec eux la culture dont ils sont le produit. La question de la référence, ou de ce que nous pouvons apprendre d'un projet ou d'un lieu, est une question que nous nous posons en permanence, et particulièrement lorsque nous mettons en vis à vis la France et le Japon.

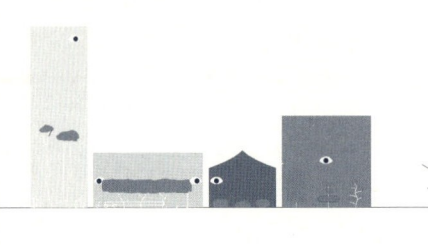

『Open Specificity（開かれた特性）』は、日本と、日本のパブリックスペースへと眼差しを向けることで、フランスにおけるパブリックスペースの設計に、どの範囲で、どんな風にインスピレーションを得られるのかを探索するものである。
東京では、各建物はその手前に断片的なパブリックスペースをもち、直接通りに様々な価値観や雰囲気を投影している。欧米に比べて移ろいやすい構造をもち、建築物が都市の表面に現れては消えていくなかで、パブリックスペースは確固として存在し続ける。逆説的に、一見するとそれはもっとも壊れやすい要素としてありながら、実は都市で1番持続する要素として存在している。パブリックスペースは、「誰もが自由に使える」という意味では、日本にはほぼ存在しない。駅のような大空間、あるいは狭小空間や都市の

« Spécificité ouverte » est un regard sur le Japon et ses espaces publics où nous cherchons à explorer dans quelle mesure, et de quelle façon, il est possible de s'inspirer de l'espace public japonais dans la production de l'espace public en France.
A Tokyo, chaque bâtiment crée un morceau de l'espace public devant lui, projetant des qualités et ambiances diverses directement dans la rue. Alors que les bâtiments apparaissent et disparaissent sur la surface de la ville, construits dans une culture plus éphémère que celle du monde occidental, l'espace public reste lui présent, formant paradoxalement l'élément le plus durable de la ville, alors qu'il apparait au premier abord comme le plus fragile.

GRAU

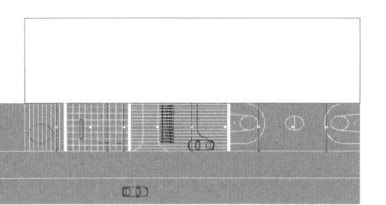

隙間であっても、民間によってつくり出されているのである。
反対にフランスでは、また一般的にヨーロッパでは、パブリックスペースは公共活動の表出であり、現代都市においては経済性をもち、実務的な問題をひきおこしている。どのようにして新しいパブリックスペースをつくり出すのか？ 日本とその多様性を観察することは、そのための手がかりを見つけるための助けになるかもしれない。

日本のパブリックスペースを細かく観察すると、特に場所固有で文化的なスケールが見受けられる。それは、日本文化において重視される人と自然との、そして近代化と伝統との関係を照らし出すことができる。

一般的に日本では、人と自然の間に、惹かれ合いながらも反発する関係があり、時に一方が他方から利益を得、またその逆がおこる。

L'espace public, au sens de la propriété, n'existe presque pas au Japon. Que ce soit les grands espaces, comme les gares, ou les micro-lieux et interstices de la ville, c'est bien le privé qui fabrique le public.
A l'inverse, en France, et en Europe de façon générale, l'espace public est une représentation de l'action publique. Dans le contexte urbain contemporain, sa production pose aujourd'hui question, à la fois dans l'économie et dans l'usage. Comment construire de nouveaux espaces publics en Europe ? Regarder le Japon et sa diversité urbaine peut peut-être nous aider à trouver des pistes.
En examinant l'espace public japonais de près nous observons une dimension spatiale et culturelle spécifique, qui révèle des relations particulièrement importantes dans la culture japonaise entre homme, nature, modernité et tradition.

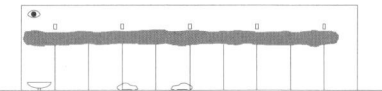

特に都市においては、余剰であり同時に特別な小さなスペースが、様々な要素のつながりを生み出す管理され栽培された自然によって占有されている。それは日常生活に欠かせない要素なのである。
また、都市空間の中で不確定要素としての役割を更新するような、より意外な自然も存在する。アトリエ・ワン設計の宮下公園の足下には、細い歩道があり一本の木にぶつかっている。木が先か歩道が先かを知るよしもないが、どちらにしてもその状況はちぐはぐである。つまり、その木は障害でありながら意図されているのだ。どちらにしろ、この不安定な関係は、とても小さいながらパブリックスペースに特筆すべき性質を加えている。

De façon générale, il existe au Japon un rapport à la fois attractif et répulsif entre l'homme et la nature, où l'un gagne sur l'autre et vice versa. La structure même du Japon, en partie bâtie et en partie laissée à l'état sauvage, témoigne de cela. Plus particulièrement au sein de la ville, les petits espaces, à la fois résiduels et spécifiques, sont occupés par une nature contrôlée et apprivoisée, une nature qui établit une qualité de proximité entre les choses : elle fait partie intégrante du mode de vie quotidien.
Il existe également dans la ville un autre type de nature, plus incongrue, qui reprend son rôle d'élément d'instabilité à l'intérieur de l'espace urbain. Au pied du parc Miyashita, conçu par l'atelier Bow Wow, un minuscule passage piéton mène à un arbre planté dans l'enrobé. Il est

|fig.1| |fig.2| |fig.3|

|fig.7| |fig.8| |fig.9|

|fig.13| |fig.14| |fig.15|

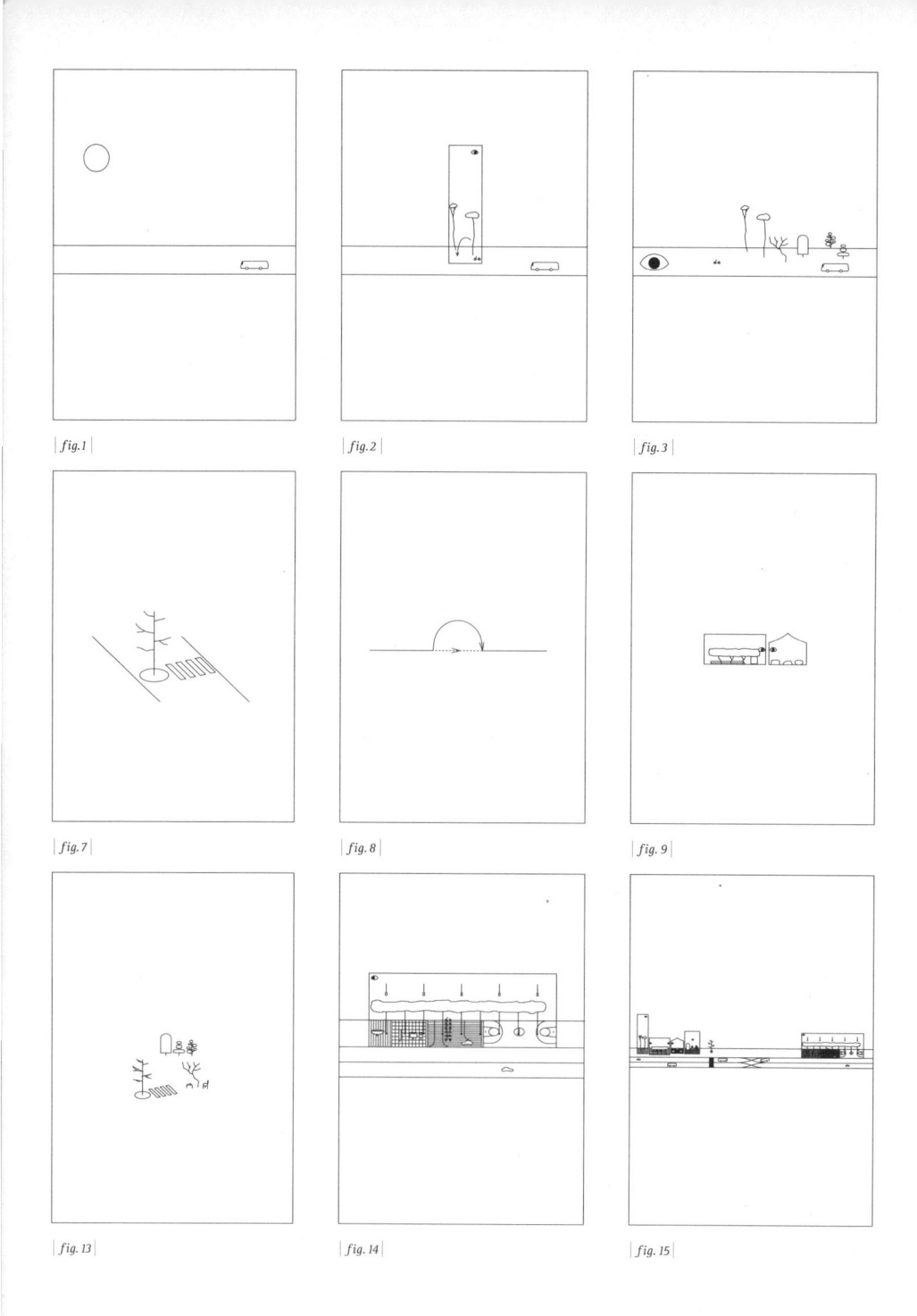

GRAU

| *fig.4* | | *fig.5* | | *fig.6* |

| *fig.10* | | *fig.11* | | *fig.12* |

| *fig.1* | 特定の場所というよりも、東京のパブリック・スペースは都市を横切る連続面である。
Plus que des lieux spécifiques, l'espace public de Tokyo est une surface continue qui traverse la ville.

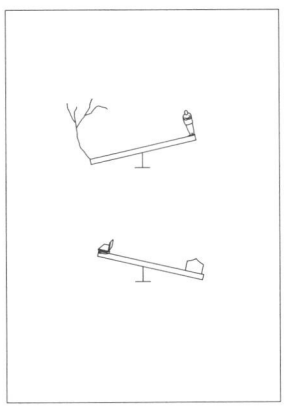

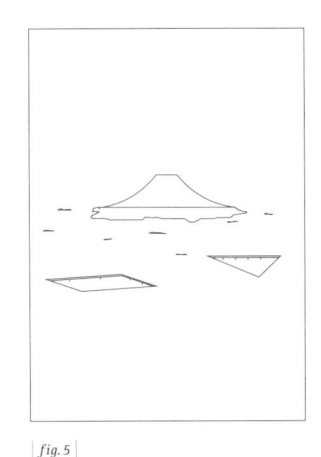

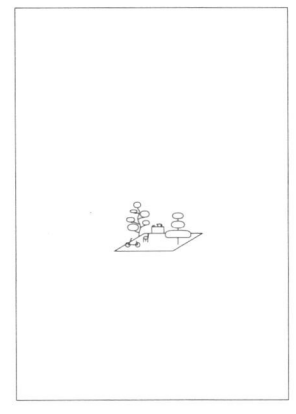

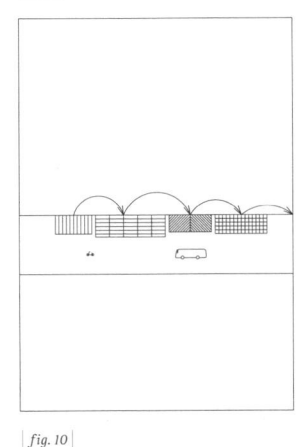

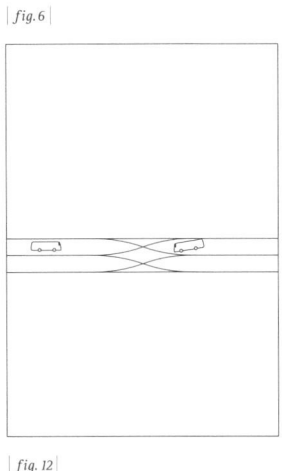

| *fig.2* | この領域は、私有のものによって「構築」されている：都市の各建物が他から切り離され、部分部分を形成する。
Cette surface est «construite» par le privé : chaque bâtiment de la ville, détaché des autres, en fabrique un morceau.

| *fig.3* | 近づいて観察すると、非常に異なる性質や雰囲気の連続的変化が見える。
En le regardant de près, on voit une succession de qualités et d'ambiances très diverses.

| *fig.4* | 日本のパブリック・スペースは、2つの主要な組み合わせによって決定される：人間と自然との関係、そして近代と伝統との関係。
L'espace public japonais est déterminé par deux grands couples : la relation entre l'homme et la nature d'un côté et la relation entre modernité et tradition de l'autre.

| *fig.5* | 一般的に、人間と自然と間には、親密でありながら同時に暴力的な関係があり、時に一方が他方から利益を得、またその逆もある。
De façon générale il y a un rapport à la fois proche et violent entre l'homme et la nature, où l'un gagne sur l'autre et vice versa.

| *fig.6* | 都市では、小さなスペースは 飼いならされた自然によって占有されていて、それは物と物を近付ける。
Au sein de la ville, les petits espaces sont occupés par une nature apprivoisée qui crée de la proximité entre les choses.

| *fig.7* | また、都市空間の中で不確定要素としての役割を再開するような、もっと意外な自然も存在する。
Il existe également une nature plus incongrue, qui reprend son rôle d'élément d'instabilité à l'intérieur de l'espace urbain.

| *fig.8* | 日本では、国の近代化が非常に迅速だったため、伝統が断たれることはなかった。
Au Japon, il n'y pas de rupture par rapport à la tradition car la modernisation du pays s'est faite de façon très rapide.

| fig. 9 | 寺院、ガラスのビルや伝統的な家屋が、統合の必要性も全くなく都市で共存している。
Temples, immeubles en verre et maisons traditionnelles se côtoient dans la ville sans poser aucun problème d'intégration.

| fig. 10 | 公共空間の表面はまたこれらの並置を、材質やその表面を校正する要素のパッチワークの中で受け入れる。
La surface de l'espace public accueille également ces juxtapositions dans les patchworks de matériaux et d'éléments qu'elle assemble.

| fig. 11 | これら2つの組み合わせが空間や用途において豊かな環境を描く。
Ces deux couples dessinent un environnement riche en matière d'espaces et d'usages.

| fig. 12 | ヨーロッパのの公共空間で、これらの質を再びつくり出すことはできるだろうか？
Peut-on retranscrire ces qualités dans les espaces publics européens?

| fig. 13 | 最初に私たちが何を抽出できるかを理解しなければならない。それは、何が強く特徴的であるかを見分けることある。土地と、絶対的にクリーンで再作成不可能な文化に依存していながら、なお開かれた特性であって、我々の役に立つものであり……
Il faut d'abord comprendre ce que nous pouvons extraire. Il s'agit de distinguer ce qui est fermement spécifique, c'est à dire ce qui dépend d'une situation et d'une culture absolument propre et non retranscriptible, de ce qui est ouvertement spécifique et dont nous pouvons nous servir.

| fig. 14 | ……新しいハイブリッドなヨーロッパの公共スペースを進めるために、公共と民間によって都市をつくる新たな方法を考案し始めるものである。
Pour aller vers des nouveaux espaces publics européens plus hybrides, qui commencent à inventer de nouvelles manières de faire ville avec le public et le privé.

| fig. 15 | 日本を観察することによって私たちは、開放の新しいかたちのための小さな交換をおこなうことができる。
Il existe également une nature plus incongrue, qui reprend son rôle d'élément d'instabilité à l'intérieur de l'espace urbain.

近代化と伝統の間にある優れたつながりは、パブリックスペースにおいてはっきりと見られる。日本の近代化があまりに速かったため、伝統からに完全に断たれることはなかった。寺院、民家、高層ビルが、何の統合の必要性もなく共存している。現代的な建築も、日常に共存するため、伝統の中に巣くっている。公共空間はこれらの並置を、ある種の「無秩序さ」をつくりだすことで、材質やその表面の構成要素のパッチワークの中に受け入れている。コントラストは都市を活気づける主要素であり、これは東京新宿区の居住地区を散策した時に感じられた。そこでは過去の遺産と現代の建造物との親密な関係が、ごく小さいながらも蓄積されたパブリックスペースを創り出している。

この2つの関係は、最小限のパブリックスペースを定義する。空間とアクティビティへの配慮において豊かな環境を描き、我々にインスピレーションを与えてくれる。ただしそのためには、そこから何が抽出できるかを知らなくてはならない。何が真に特性であるのか。それは再生産不可能な状況や文化に属する特性と、描きかえたり利用することのできる開かれた特性とを区別することである。

今回提示するモデルはこの問に対するひとつの探求である。それは東京の都市的な状況を再現する目的でつくられた4つの建物とそれぞれの外部空間からできており、コンパクトで高密度かつ整然と立ち並ぶ建物という状況から導きだされた日本の新しい都市状況と向かい合っている。

この新しい建物は、異なる規模の住宅、施設、商店を含む事で多様性を生みだしている。さらに、噴水、新聞の自動販売機と郵便ポスト、電気自動車用の充電設備、小さな遊び場所といった、都市的な小さな出来事によって、外部との相互作用をつくりだす。一方で、パブリックは1列に並んだ街路樹と建物に設置された街灯によって、これらの場所の間に連続性を形成する。

日本が我々にもたらしてくれるもの。それは固有な空間的質感のみならず、ヨーロッパの新しいパブリックスペースへ向かうための「手助け」になるかもしれない。そしてその空間は、より混成的で、公共部門と民間が等しくかかわる事によるオルタナティブな方法を新しいオープンさの形成へと導いていく。

GRAU

impossible de savoir qui de l'arbre ou du passage est arrivé en premier mais dans tous les cas, la situation produite est incongrue : l'arbre est à la fois perturbateur et planifié. Néanmoins, ce rapport d'instabilité, à très faible dose, offre une dimension qualitative supplémentaire à l'espace public.

Le lien étroit entre modernité et tradition est également très lisible dans l'espace public. Du fait de la modernisation rapide du pays il n'y a pas vraiment eu de rupture par rapport à la tradition. Temples, immeubles en verre et maisons traditionnelles se côtoient dans la ville sans poser aucun problème d'intégration. Les bâtiments modernes se « collent » à la tradition, pour une coexistence banale. La surface de l'espace public accueille également ces juxtapositions dans les patchworks de matériaux et d'éléments qu'elle assemble, pour une certaine « anarchie » spatiale. La rupture est un élément essentiel dans la vitalité de la ville, que l'on ressent lorsque l'on se promène dans des quartiers résidentiels comme *Wakaba* et *Suga cho*, où la relation proche entre patrimoine ancien et moderne fabrique un espace public minuscule mais cumulatif.

Ces deux relations dessinent un espace public minimal mais un environnement riche en matière d'espaces et d'usages dont nous pourrions nous inspirer. Mais pour cela nous devons savoir ce que nous pouvons en extraire. Il s'agit de distinguer ce qui est fermement spécifique, c'est à dire ce qui dépend d'une situation et d'une culture absolument propre et non retranscriptible, de ce qui est ouvertement spécifique et dont nous pouvons nous servir.

La maquette représente une première exploration de cette question : elle met en vis à vis une situation urbaine japonaise, composée de quatre bâtiments distincts et leurs espaces extérieurs respectifs, et une nouvelle situation qui cherche à reproduire les qualités urbaines tokyoïtes à travers un bâtiment plus compact, dense et ordonné.

Le nouveau bâtiment crée de la diversité en alignant logement, équipement et commerce de tailles différentes. Il interagit avec l'extérieur en produisant des petits évènements urbains : une fontaine, un distributeur de journaux et une boite aux lettres, une borne de recharge électrique pour voitures, un terrain de jeu contraint.

En retour le public offre de la continuité à travers ces lieux avec une rangée d'arbres en alignement et un éclairage urbain accroché au bâtiment.

Ce que le Japon peut nous offrir, autant que des qualités spatiales particulières, c'est peut-être un premier « coup de main » pour aller vers des nouveaux espaces publics européens plus hybrides, qui commencent à inventer des manières de faire ville autant avec le public qu'avec le privé, dans une forme d'ouverture nouvelle.

GRAU

グラウ | GRAU

Associant Susanne Eliasson et Anthony Jammes et anciennement Erwan Bonduelle et Ido Avissar, l'agence d'architecture et d'urbanisme GRAU créée en 2010 se caractérise par une approche pluridisciplinaire et transversale de la ville et de l'architecture. Fonctionnant le plus souvent en partenariat avec divers collaborateurs (économistes, programmiste, architectes, paysagistes...), GRAU considère la pratique de l'urbanisme comme un exercice consistant à trouver les leviers de nouveaux usages, de nouvelles économies urbaines. Architectes, ils travaillent sur plusieurs projets urbains,notamment à Bordeaux dans le cadre du projet *50 000 logements* ou sur le plan guide du quartier de Caudéran.
--

シュザンヌ・エリアソン、アントニー・ジェイムスと、初期にはエルワン・ボンデュエルとイド・アヴィサールも含めた4人によって2010年に設立された建築都市設計事務所GRAUは、建築と都市に対して、多分野にわたる横断的なアプローチを特徴としている。経済学者、計画学者、建築家やランドスケープアーキテクトなど多様なコラボレーターとの協働のなかで、GRAUは都市における実践を、新しい都市経済や新しい用途の"てこ"を発見するための密な試行と考える。建築家として、主にボルドーの50,000戸に及ぶ住宅プロジェクトやコーデラン地区のガイドライン作成を中心に、数多くの都市計画プロジェクトを手がけている。

| propositions | 04 |

HAUSSMANNISATION 2.0

| 吉村靖孝 | Yoshimura Yasutaka |

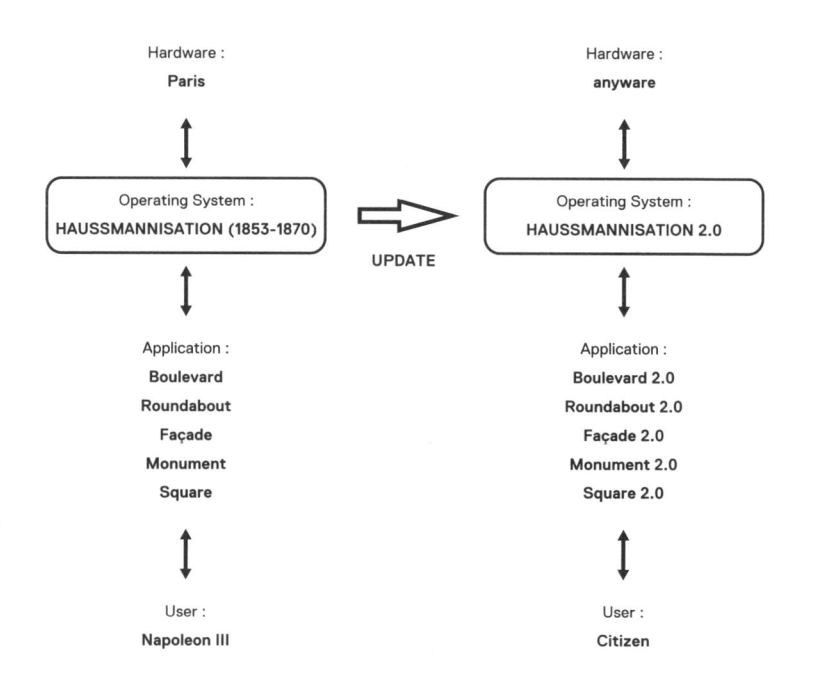

```
Hardware :                              Hardware :
  Paris                                   anyware
    ↕                                        ↕
Operating System :      UPDATE        Operating System :
HAUSSMANNISATION (1853-1870)  ⇒   HAUSSMANNISATION 2.0
    ↕                                        ↕
Application :                          Application :
  Boulevard                              Boulevard 2.0
  Roundabout                             Roundabout 2.0
  Façade                                 Façade 2.0
  Monument                               Monument 2.0
  Square                                 Square 2.0
    ↕                                        ↕
  User :                                  User :
  Napoleon III                            Citizen
```

吉村靖孝

--

1972年愛知県生まれ。1997年早稲田大学大学院理工学研究科修士課程修了。1999〜2001年MVRDV在籍。2005年吉村靖孝建築設計事務所設立。2013年明治大学特任教授に就任。法規、規範、プロセスといった都市を生成するメカニズムへ着目しプロジェクトを展開している。著書に『ビヘイヴィアとプロトコル』(メディア・デザイン研究所、2013)など。主な作品に『Nowhere but Sajima』(2009)、『中川政七商店新社屋』(奈良市、2010年)、『CC House』(日本、2010)など数多くのプロジェクトを手がけている。

Yoshimura Yasutaka

--

Né en 1972 à Aichi, Yasutaka Yoshimura est architecte diplômé de l'Université Waseda en 1997. Passé chez MVRDV entre 1999 et 2001, il crée son agence d'architecture à Tokyo en 2005. Professeur invité à l'Université Meiji depuis 2013, Yoshimura Yasutaka développe un intérêt particulier pour les mécanismes qui produisent la ville : réglementations, normes et processus. Auteur d'ouvrages clés tels que *Behaviour and Protocole* (Ed. Maison concept, 2013), Yoshimura Yasutaka est aussi l'architecte de nombreux ouvrages tels que la célèbre maison *Nowhere but Sajima* (2009), les nouveaux locaux de Nakagawa-Masashichi (Nara, 2010), *CC House* (Japon, 2010).

How to export a city?

建築家が軽々国境を越えるようになって、建築の様式や建築家の個性が輸出可能かどうか試される機会が増えた。技術的な問題にとどまらず、商習慣や言語の問題など障壁は数多あれど、私見を言えばそれは可能である。では都市はどうか。都市は建築の集合であるからこそ障壁は拡大し同時に先鋭化するだろう。しかしもちろん先例がある。軍事拠点を出自に持つローマ都市群には構造的な相同性が認められるし、あまたの条理都市も、それがマンハッタンなのか、バルセロナなのか、長安なのかと、ある種の系譜を探ることができるだろう。また近年日本は新幹線や郵便システムなどインフラの輸出を成長戦略の一翼を担うものと位置づけている。

「パリ」もそういた輸出可能な都市モデルなのではないか。"東京のシャンゼリゼ"などという言い方があるくらいだから、部分的には既にフランスの輸出品目に加わっているとも言える。道を広げ衛生状態を飛躍的に改善したジョルジュ・オスマンによるパリ改造は、今日のパリの重要な下地をつくった近代都市計画の源流のひとつであり、豊かな生活の拠点となって、また同時に多くの観光客を日々惹きつけつづけている。これを今後、より積極的に輸出しない手はないのではないか。

しかし現実的な問題としては、パリ郊外にすらパリの手法をそのまま適用することはできていない。規模も違い、歴史も違う。何より、ナポレオンのような大ナタを振るい得るステークホルダーがいない。しかし、現代の都市成立要因に合わせてオスマニザシオンを解体し、再構築することで、パリの遺伝子を持った都市を増やすことができるのではないか。それがこの提案に内在する仮説である。

提案は、Boulevard2.0、Roundabout2.0、Facade2.0、Monument2.0、Square2.0からなる。それぞれオスマニザシオンの中心的な手法のアレンジであるが、2.0化によって、小さな資本、あるいは小さなユーザーの関与が可能になる。これら都市デザインのパッケージを組み合わせながら、疲弊した郊外、あるいはアジアやアフリカの新興都市に適用する可能性を探りたい。

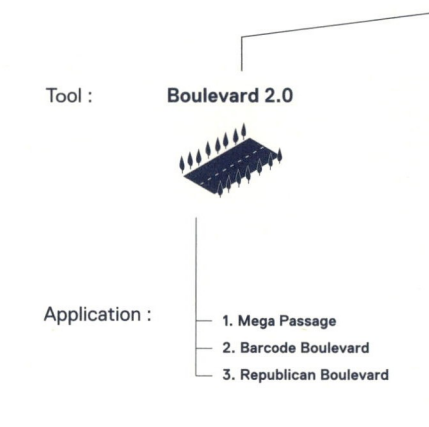

Tool : **Boulevard 2.0**

Application :
- 1. Mega Passage
- 2. Barcode Boulevard
- 3. Republican Boulevard

Depuis que les architectes franchissent facilement les frontières, les occasions de tester s'il est possible d'exporter les styles d'architecture et les spécificités des architectes sont devenues de plus en plus nombreuses. Si on ne se limite pas aux problèmes techniques, et même s'il subsiste de nombreuses barrières telles que les pratiques commerciales ou la langue, je pense que cela est possible.
Qu'en est-il de la ville ? Il y a bien sûr des précédents. On peut par exemple percevoir des similitudes structurelles entre les cités romaines, originellement conçues comme des bases militaires, de la même manière qu'il est possible de trouver des formes de filiations dans les composantes de nombreuses villes telles que Manhattan, Barcelone ou encore Chang'an. De même au Japon l'importation des infrastructures comme le Shinkansen ou le système de la poste ont été intégrés pour répondre à une stratégie de

Yasutaka Yoshimura

Operating System :

HAUSSMANNISATION 2.0

Roundabout 2.0	Facade 2.0	Monument 2.0	Square 2.0
4. Roundabout City 5. Circle in a Circle 6. Spiralabout Tower	7. Mega Penthouse 8. Backdrop Streets 9. Open Court	10. Collective Monument 11. Obelisk Condo. 12. Nega Monument	13. Posi Square 14. Privatized Square 15. Drifting Square

fig.3 コンセプトダイアグラム Diagramme conceptuel

croissance économique.
« Paris » ne pourrait-elle pas être aussi un modèle de ville exportable ? Il existe des expressions comme « les Champs-Elysées de Tokyo » [Avenue Omotesando ndlr]. Cette fameuse avenue pourrait apparaitre comme l'un des modèles exportés par la France. Le remodelage de Paris par Haussmann ayant considérablement amélioré les conditions d'hygiène par l'élargissement des voies constitue toujours l'une des sources de l'urbanisme parisien actuel car il génère une grande animation et continue à attirer de nombreux touristes. Il n'y a donc aucune raison de ne pas l'exporter.
Dans la pratique, il n'est cependant pas possible d'appliquer tel quel le modèle parisien, même en banlieue : trop de différences d'échelles et d'histoire. D'autant qu'il n'existe plus de personnage avec les mêmes pouvoirs que Napoléon III pour imposer d'aussi grands travaux.

Cependant ne serait-il pas envisageable de développer des villes contenant les gènes de Paris en décomposant et en recomposant l'haussmannisation, tout en prenant en compte les facteurs de formation des villes contemporaines ? C'est l'hypothèse émise par cette proposition. Elle se compose de plusieurs éléments : Boulevard 2.0, Rond-point 2.0, Façade 2.0, Monument 2.0, Square 2.0. Chaque thème est un dispositif central de l'haussmannisation mis à jour en 2.0. La participation des investisseurs, ou celles des utilisateurs devient possible.
J'aimerais alors explorer les possibilités de mise en œuvre de ces dispositifs urbains dans les banlieues ou bien dans les villes émergentes d'Asie ou d'Afrique.

01

Mega Passage

パサージュとブールバールの合成。屋根のかかったブールバールとも、巨大化したパッサージュとも言える。

Synthèse d'un boulevard et d'un passage. Cette synthèse génère une forme de boulevard couvert, ou également de passage 'gonflé'.

Boulevard 2.0

02

Barcode Boulevard

緑と道のバーコード。広い道を細分化して対面通行による事故を最小化。公園のような道。

Code barre rue / espace vert. Cette division d'un large boulevard réduit les risques d'accident en séparant les voies. Le résultat est un 'parc-rue'.

Boulevard 2.0

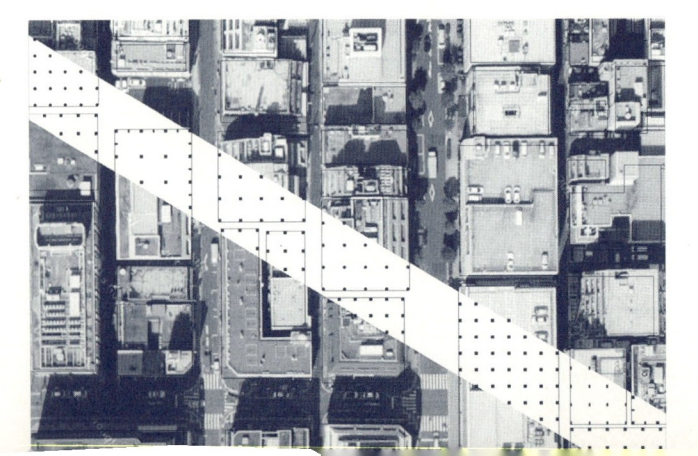

03

Republican Boulevard

民地を開放しながらつくる歩道。行政による道路が提供する利益をハックして享受する道。

Percement de territoires privés par un passage destiné aux piétons. Cette rue générée par les espaces privé reprend les qualités du public.

04

Roundabout City

ラウンドアバウトだけでできた都市。円から円と乗り継ぎながら直角に交差することなく都市全体を覆う。信号のない都市。

Ville composée uniquement par des ronds-points.
Les cercles couvrent la ville entière en se touchant chacun sans se croiser. Autrement dit une ville sans feu de signalisation.

Roundabout 2.0

05

Circle in a Circle

Roundabout Cityと同様だが入れ子状に展開。都市空間に期待される中心を持つことができる。

La même chose que l'image précédente mais positionnée d'une manière concentrique, en profitant des avantages d'un centre urbain.

Roundabout 2.0

06

Spiralabout Tower

ラウンドアバウトの内側を開発。道路網の結節点としてのアクセスの良さを活かす。

Développer l'intérieur du rond-point, profitant ainsi de son accessibilité autant que de son accroche au sein des réseaux routiers.

07

Mega Penthouse

パリの典型的なマンサード屋根を、日本などに見られる三角形の屋根にして容量を上げる。

Toit en pyramide typiquement japonais qui remplace celui à la Mansart. Il peut augmenter la capacité volumétrique d'un bâtiment.

Façade 2.0

08

Backdrop Streets

連続による閉鎖感はパリの特徴。郊外で面積を埋められない場合薄くしてでも歯抜けにしない。

La continuité conférée par l'alignement des façades est l'une des caractères indispensables à Paris. Même en banlieue, on pourrait prolonger cette continuité, en affinant les immeubles.

Façade 2.0

09

Open Court

ファサードの連続性を守り、内庭へのアクセスを確保する。

Garder la continuité de la façade, tout en donnant une accessibilité publique à la cour intérieure,

10

Collective Monument

高さ制限の法律により集合的なモニュメントをつくる。地価の高い土地ならスカイラインをコントロール可能。

Monument collectif formé par une règlementation limitant les hauteurs constructibles. La skyline est ainsi maîtrisée malgré le coût des terrains.

Monument 2.0

11

Obelisk Condo

モニュメントに住む。すべての人に好まれるモニュメントはない。せめて住人に愛されるモニュメントを。

Habiter dans un monument. Il n'existe malheureusement aucun monument aimé par tout le monde, il le serait au moins par ses habitants.

Monument 2.0

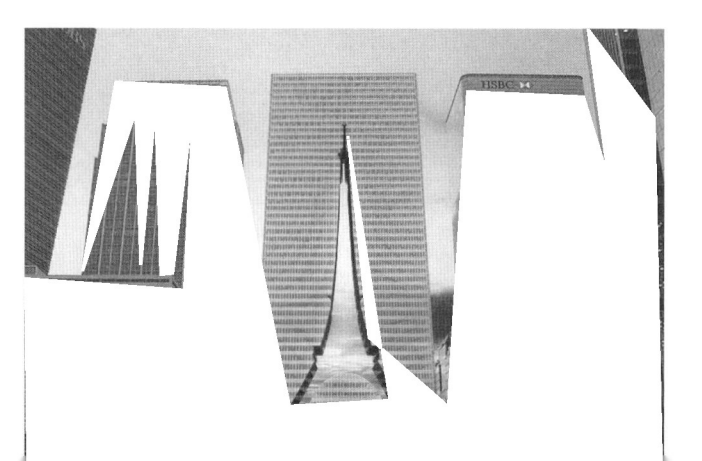

12

Nega Monument

ヴォイドでつくるモニュメント。モニュメントに対する投資を最小化。

Monument formé par le vide. Cela minimiserait le financement pour un projet de monument.

13

Posi Square

スクエアに積極的に都市機能を挿入。スクエアからつくる街。

Insérer des programmes urbains fondamentaux au sein des places publiques. La ville se construit à partir de la place.

Square 2.0

14

Privatized Square

大きすぎるスクエアに屋根をかけて、小規模に分解。場所を規定する影の存在。

La position de places publiques à cheval crée une continuité comme des passages liés.

Square 2.0

15

Drifting Square

スクエア同士が一部重なって、道のようなネットワークを形成。

Couvrir une très grande place publique d'un toit, pour la décomposer en plusieurs entités. C'est l'ombre du toit qui donne un caractère différent à chaque espace.

Xavier Wrona (Est-ce ainsi) × Jo Nagasaka

« Altérer les intolérances de la ville moderne en changeant le mode de contrôle des limites est interéssant. Au Japon nous trouvons une manière positive d'utiliser les frontières ambiguës. »
—— Jo Nagasaka

« J'ai ressenti qu'il y avait peu d'espaces de 'liberté' dans Paris. Ce qui est moins le cas dans l'atmosphère des banlieues. On peut y développer une autre valeur. »
—— Jo Nagasaka

« Quand on commence à travailler, on ne se pose qu'une seule question : sur quoi va-t-on avoir l'opportunité de réfléchir et quels outils va-t-on pouvoir solliciter ? Quelle logique, quelle idéologie, quel mode de fonctionnement, quelle construction va-t-on pouvoir imaginer ? »
—— Xavier Wrona (Est-ce ainsi)

長坂常×グザヴィエ・ロナ(エ・サンシ)

境界のコントロールの方法を変えることで近代都市の非寛容さをどのように変更できるのか、そのことに興味があります。境界の拡張によって曖昧な境界を使いこなし、豊かさを共有できるのかを考えていましたが、パリにはあまりにも強いコントロールが存在していました。
── 長坂常

パリの内部にはほとんど自由な空間がないように感じました。けれど郊外には何かが起きそうな雰囲気があります。様々な価値を挿入することができそうです。
── 長坂常

仕事を始めるとき投げかける問いはこうです。「どのようなことについて考える機会が与えられるのだろうか、どんな手段でやらせてもらえるだろうか。」すなわち、どのような論理で、イデオロギーで、そしてどのような機能を追求し、どういう建設手段を条件に設計できるのか? ということを考えるのです。
── グザヴィエ・ロナ(エ・サンシ)

Jo Nagasaka×Xavier Wrona(Est-ce ainsi)

| propositions | 05

Ambiguës frontières

曖昧な境界

Est-ce ainsi [Xavier Wrona]

エ・サンシ[グザヴィエ・ロナ]

日本における「共生のための建築」と「建築家のための建築」の狭間
建築という語の再定位ための45の分析と30の事象

この作品は建築がデザインされたものであるのと同様に、社会の中に存在していることを確認することを意図している。ここで私たちは建築とは単に「建物」ではなく、衣服やエロティシズム、福島原発の爆発のような "物事" も、建築の結果のひとつであるという仮説を主張しようとしている。そしてまた建築とは、建築家によってデザインされたものではなく、むしろ広島や長崎に落とされた原爆や、1945年から1950年の期間の日本におけるアメリカの存在などによってデザインされたものであると主張する。ゆえに建築は、建築家による創作物であるというよりもむしろ、経済システムやエロティシズム、伝統行事などの我々の生活(ともに生きること)を体系化する文化的な原理を意味している。この時、建築は一種の枠組みとなる。それは人の営みがおこなわれるための枠組みであり、結果として、衣服、建物、旗の色や形といった我々をとりまく事象として具現化するにすぎない。

なぜこのような意味の移し替えをおこなう必要があるのか？引き続き建築家によって生み出された作品の実態として建築を理解し続けることもできるだろう。しかしそれでは、それらの価値や知性、洗練にかかわらず、建築家、建築雑誌、少数の裕福なクライアント、そして幾人かの見物人しか興味を示さない建物が残るだけではないか。言うなれば、建築は一般に人々が関心を寄せる問題とは遠く隔たったところの専門分野にとどまってしまう。逆に、私たちが建物の生産を重視することをやめれば、建築的思考によって得たことを、共生という課題に対し適応することが可能になるかもしれない。例えば、公共空間の破壊と、とどまることを知らない民間部門の成長に関して社会は何ができるのか？災害住宅（しかしよくデザインされた）を提案するために災害の後を追いかけるよりも、むしろどこに、またどのように、現在の破局の継続を妨げるために介入できるのか？そして、どのように貨幣以外の統合したヨーロッパが存在できるのだろうか。また誰がそれを保証するために活動するのか。本提案の目的は、これらの現象の全ては「建築」であり、それは介入が可能なプロセスで思考され建設され、これに対し建築的思考は分析し、オルタナティブを提示することの両面において役に立つだろうということを表明することにある。

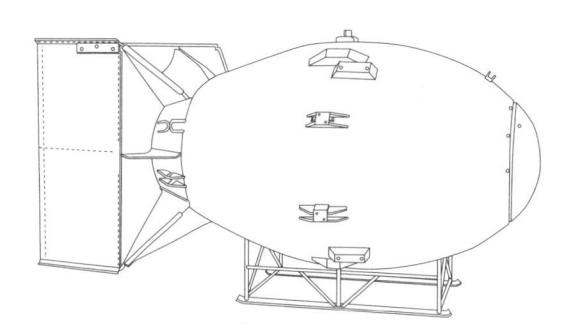

| fig.1 | 一度解放コードネーム " ファットマン "、長崎に爆弾
"Fatman", nom de code de la bombe A lachée sur Nagasaki

" 米国政府は、開国を強制することを決定。ペリー提督によって列島に向かって命じ、印象的な艦隊を送った。1853 年 7 月、それは東京湾に入り、米国は大統領からの手紙を届け、両国間の貿易関係の確立を求めた。"

« Le gouvernement américain décide de contraindre le pays à s'ouvrir. Il envoie en direction de l'archipel une imposante escadre commandée par l'amiral Perry. En juillet 1853, ce dernier pénètre dans la baie de Tokyo et remet une lettre du président des Etats-Unis demandant l'établissement de relations commerciales entre les deux pays. »
R.Edwin.O, Histoire du Japon (Des Origines à 1945), 1973

Est-ce ainsi (Xavier Wrona)

fig.2

*Entre « architecture du vivre ensemble » et « architecture d'architecte » au Japon :
45 cases et 30 documents pour une tentative de réorientation du terme architecture*

La question que tente de poser ce travail est de savoir où se situe l'architecture au sein d'une société et qui la dessine? Nous défendrons ici que l'architecture ne se situe pas dans le bâtiment mais plutôt que le bâtiment n'est qu'une conséquence de l'architecture parmi d'autres que sont le vêtement, l'érotisme, l'explosion de Fukushima...

Nous y défendrons l'hypothèse que ce ne sont pas les architectes qui dessinent l'architecture mais la présence des USA au Japon entre 1945 et 1950 ou les bombes de Nagasaki et Hiroshima. Ainsi, par « architecture » nous entendons non pas la production des architectes, mais les éléments culturels structurant du vivre ensemble tels que par exemple le système économique dominant, l'érotisme, les évènements historiques déterminants... L'architecture serait donc ce cadre structurant les interactions humaines que l'on retrouve matérialisé par la suite dans nos objets : vêtements, bâtiments, couleurs et formes des drapeaux...

Pourquoi tenter ce déplacement ? Nous pourrions continuer de dire que l'architecture est la production de bâti réalisée par nous autres architectes. Mais nous resterions avec une somme de bâtiments qui, quelque puisse être leur qualité, leur intelligence ou leur finesse, n'ont majoritairement d'intérêts que pour les architectes, les revues spécialisées, une poignée de clients « aisés », quelques badauds... Soit une discipline assez distante des problèmes d'intérêt général. A l'inverse, si nous cessons de mettre l'accent dans notre travail sur la production de bâti, il devient possible d'utiliser ce qui se joue dans la pensée architecturale pour tenter d'influer sur les problèmes qui s'imposent à l'échelle du vivre ensemble. Que peuvent par exemple les sociétés face à l'affaiblissement généralisé de la sphère publique et à l'hyper-puissance croissante du privé? Où et comment intervenir pour prévenir l'actuelle multiplication des catastrophes plutôt que d'être appelé à construire des cabanons de fortunes, si soignés soient ils, après les drames ? Qui pense et comment se travaille la difficulté de l'Europe à exister au-delà d'une monnaie commune ? L'objet du présent tableau est de tenter de démontrer que tous ces phénomènes sont de l'architecture, c'est à dire, des processus pensés et construits sur lesquels il est possible d'intervenir et pour lesquels les modes de pensée des architectes pourraient être grandement utiles : utiles pour les analyser, utiles pour y proposer des alternatives.

fig.2

洋服の軍事将校と情熱的にキスをする看護師
Infirmière militaire et officier s'embrassant fougueusement en habit occidental

"最もファッショナブルなスタイルは、赤十字の看護師の濃紺均一である[……]1945年4月に女性誌主婦の友は、小さな星の付いたその制服を掲載した。このイメージの宣伝効果が重要であったため、翌年赤十字へのエントリーが劇的に増強した。"

« Le style le plus à la mode devient l'uniforme bleu sombre de l'infirmière de la croix rouge, (...) après qu'en avril 1945 le Magazine féminin "Shufu no Tomo" montra Suito Mitsuko, une petite étoile montante, portant cet uniforme. L'effet de propagande de cette image fut important, et les inscriptions à la croix rouge augmentèrent dramatiquement l'année suivante »

J.M.Atkins, *Extravagance is the Enemy : Fashion and Textiles in Wartime Japan*, 2005

それゆえ、日本を理解するために重要なことは、日本文化の日本らしさや、それがフランス文化とどう異なっているかではなく、むしろ日本においてもフランスにおいても社会組織を根本的に変化さすうる同時代的なメカニズムなのだ。我々はこれらのメカニズムが存在し、社会の中で作用しており、そしてそれこそが建築であると考える。なぜなら、建築家が建物におこなうことと同様のことを、メカニズムが現実の社会におこなっている。すなわち、社会に秩序を与え、全体的で体系的な組織的思考を付与する。
例えば日本の衣服が、動作を制約する着物から、イギリスやフランス、ロシアの軍隊から着想された制服まで、劇的な変化を遂げたのはどうしてだろう。あるいは着物の時代、伝統的に欲望の対象は女性のうなじであったのに、なぜ日本のエロティシズムは西欧の一般的な欲望の対象である下半身や下着に移っていったのかなど……。このような一見個人的に思える変化も、ある事実にもとづいている。我々はそうした事も建築だと主張する。

| fig.3 | 福島の爆発 *Explosion de la centrale nucléaire de Fukushima*

「アイデアが結果をもたらす」ミルトン・フリードマンは、このことの最初の体現者である。
« Milton Friedman est l'incarnation de cette vérité première que "les idées ont des conséquences". »
D.H.Rumsfeld, *Secrétaire à la Défense des USA lors d'un hommage à Milton Friedman*, 2002

Est-ce ainsi (Xavier Wrona)

fig.4 沖縄の米軍基地の現状
Situation actuelle des bases militaires américaines à Okinawa

明治政府のスローガン「富国強兵」を基に、資本主義国家日本は産業界をつくり上げた。たとえば、三井、三菱、住友などの財閥は、明治政府による、鉄、鉱業、製鉄業、造船業などの公共財の譲渡によって形成された。

« Sur la base du slogan du gouvernement de Meiji, "pays riche, armée forte", le secret de polichinelle du capitalisme japonais tient au fait que l'état a formé l'industrie. Les trusts Mitsui, Mitsubishi et Sumitomo se sont constitués, par exemple, grâce au "bradage" par le gouvernement de Meiji de biens publics comme les mines, les aciéries, les chantiers navals et les filatures d'état » "K.Satoschi, *Expropriation à la Japonaise*, 2000"

Aussi, dans le cas du Japon, ce qu'il nous semble urgent de comprendre n'est pas ce qu'il y a de Japonais dans la culture japonaise ou en quoi elle diffère de la culture française. Mais plutôt de travailler à comprendre les mécanismes du contemporain en capacité de profondément modifier ce qui dans l'organisation sociale fonctionne actuellement en France comme au Japon. Nous proposons de penser que de tels mécanismes existent, qu'ils sont à l'œuvre dans nos sociétés et qu'ils sont de l'architecture. Ils sont de l'architecture parce qu'ils font au réel ce que les architectes font aux bâtiments : ils y mettent de l'ordre, ils imposent un certain type d'organisation à la « matière sociale » dans une pensée d'ensemble et de système.

Comment se fait il par exemple que le vêtement japonais ait subi une telle évolution ? Passant du Kimono fermé et ses mouvements contraints, à l'uniforme scolaire inspiré des armées Anglaises, Françaises et Prussiennes ? Pourquoi alors que traditionnellement le Kimono avait fait du cou féminin l'objet du désir, l'érotisme japonais s'est vu reconfiguré aujourd'hui sur les objets du désir occidental que sont majoritairement les jambes, les dessous, etc... De telles reconfigurations, aussi intimes puissent-elles sembler, sont factuelles. Nous défendons l'idée qu'elles sont de l'architecture.

Le problème n'est pas de pleurer la disparition de certains traits culturels, présentement japonais, mais de mettre en évidence que certains mécanismes politiques et économiques sont en capacité de détruire des structurations populaires profondes. Si nous arrivons à démontrer que ces phénomènes ne sont pas accidentels mais pensés, dessinés, alors il sera difficile de ne pas pouvoir les comprendre comme de l'architecture, un certain type de « dessein ».

我々の意図するところは、日本のように、ある文化的特性の消失を嘆くことではなく、ある政治的、経済的現象が、深いルーツを持つような一般的な構造をも破壊することができるという事実に光を当てることだ。もしそのような現象、メカニズムが偶然的ではなく、考察され、構想されていることを証明できれば、それを建築として、もしくは何かしらのデザインとして見なさないことは難しい。我々はこの提案で、従来の建築学校の持つ考え方の構造を把握し、新たに方向付けようと試みたい。その技術的、政治的、社会的、経済的、哲学的な関心の接合によって、建築が現代社会の主要な問題に対して適応されることを願っている。それは、その偉大な能力に適しているとされる問題に改めて直面させることで、建築家の創造主としてのイメージを強調することではない。むしろ建築家としての訓練が、今日の憂慮すべき問題に対する解決を見いだすために役立つように有効に作用させることだ。これは単に、来るべき問題がパリであれ東京であれ、全ての利用可能な資質を必要とするほどの規模であると思われるからだ。

Nous souhaiterions que ce travail aide à se saisir de la pensée d'ensemble auxquels sont formés les architectes, à cheval entre des considérations techniques, politiques, sociologiques, financières, philosophiques qu'ils reçoivent durant leur enseignement, pour l'appliquer aux problèmes majeurs du vivre ensemble florissant dans l'état actuel du monde. Il ne s'agit surtout pas de renouer avec la lourde tradition « démiurgique » de l'histoire de la figure de l'architecte en le remettant face à des enjeux supposés « dignes de sa grandeur », mais au contraire de mettre les architectes au service de questions terriblement inquiétantes pour lesquelles leur formation s'avérerait utile. Et peut-être tout simplement puisqu'il semble que les problèmes à venir seront de taille à requérir toutes les « capacités » à disposition, tant à Tokyo qu'à Paris.

| *fig. 6* | 武装した侍、1860年撮影
Samuraï en armure photographié en 1860

| *fig. 7* | 日本人の表現によるペリー総督「黒船」来航（1853年）
Représentation japonaise de l'arrivée au Japon d'un "bateau noir" du Commodore M. Perry (1853)

| *fig. 8* | webサイトViewtifuldari上のミルトン・フリードマン肖像の広告
Flyer à l'effigie de Milton Friedman sur le web par Viewtifuldari

| *fig. 9* | 模型写真
Photographie des maquettes exposées

| *fig. 10* | 沖縄諸島に現在も存在する米軍基地
Bases étasuniennes actuellement existantes sur l'île d'Okinawa

| *fig. 11* | デトロイトのクライスラー・タンク・アーセナル工場は1940〜1942年にアルバート・カーン事務所によってウォーレン郷に建てられた
Arsenal de Tank Chrysler réalisé en 1940-42 par Albert Kahn Associates à Warren Township, MI, USA 19

| *fig. 12* | 「1937年にゲルニカの遺跡」
Ruines de Guernica en 1937

| *fig. 13* | 西洋的着物と伝統的着物。ジャポニスムによって西洋女性たちは胸元を開いた着物を身につけたが、1872年の絵画で描かれていたような伝統的なうなじの露出ではなかった。
Port du kimono à l'occidental et traditionnel. Le Japonisme fait porter aux européennes le Kimono qu'elles ouvrent sur leur poitrine et non pas sur la nuque comme c'est traditionnellement le cas au Japon. Peinture de 1872.

| *fig. 5* | 女の子のための制服
Uniforme scolaire pour les filles

日本の繊維産業は、西洋のファッションへ技術を発見したのち、明治政府の強力なサポートを受けて、日本の近代化を推し進める第一の産業として発展した。明治政府が西洋式の軍服を採用したことが、その発展の大きな要因となった。

« Après avoir découvert la mode et la technologie occidentale, l'industrie textile japonaise, forte de l'appui du gouvernement, devint une des premières industries du Japon vouée à une intense modernisation. La décision du gouvernement Meiji d'utiliser l'uniforme militaire occidental fut une des raisons premières de la rapidité de son développement »
J.M.Atkins, *Extravagance is the Enemy : Fashion and Textiles in Wartime Japan*, 2005

Est-ce ainsi (Xavier Wrona)

| fig.6 |

| fig.10 |

| fig.7 |

| fig.11 |

| fig.8 |

| fig.12 |

| fig.9 |

| fig.13 |

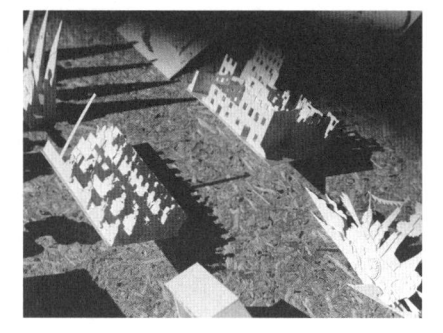

150–151

Est-ce ainsi

グザヴィエ・ロナ | Xavier Wrona
メレディッツ・ブラック | Meredith Black

Créée en 2006 par Xavier Wrona, l'agence Est-ce ainsi (en référence à Aragon), lauréat des AJAP en 2010, inscrit sa démarche dans une pensée globale de la société. Réalisant des projets de petites tailles aux budgets modestes, proche du mobilier (des cuisines, des salles de bain) pour des particuliers, l'agence développe une posture sensible aux questions sociales, politiques, philosophiques et sociologiques. Se réclamant de l'humanisme, son activité s'étend autant dans la conception d'ouvrages d'architecture que dans la pratique littéraire ou de l'engagement politique.

--

詩人ルイ・アラゴンの「Est-ce ainsi que les homme vivent」にちなみ、エ・サンシは2006年にグザヴィエ・ロナによって設立。2010年度若手建築家アルバムAJAP受賞。社会的でグローバルな思考を手法としている。個人宅のキッチンや浴室といった家具に近く、低予算で小さな規模のプロジェクトを通じて、社会学的、政治的、哲学的な諸問題に精細な取り組みを展開している。人間性の探求を通じて、彼らの活動は建築作品のコンセプトだけでなく、政治的、文学的実践にまで広がる。

propositions | 06

関係しない関係

Relation sans relation

長坂常 [スキーマ建築計画]

Jo Nagasaka [Schemata]

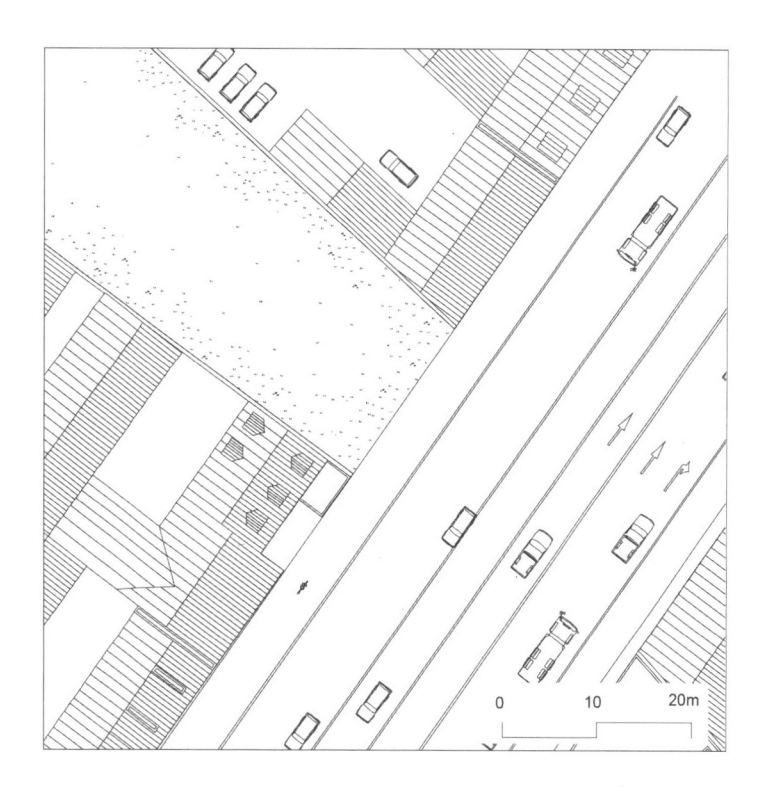

| 関係しない関係 |　　*Case.1* | 道にはみ出す民間の敷地からの木
　　　　　　　　　　　　　Des arbres plantés sur une propriété privée débordent sur la rue.

A l'instar de l'équipe d'architectes français venue à Tokyo pour mener une étude préliminaire pour l'organisation de cette exposition, les visiteurs étrangers nous font souvent remarquer que ce qui est intéressant à Tokyo c'est le brouillage des domaines publics privés : « les frontières sont ambiguës ». Ce phénomène est tellement naturel pour moi que je ne m'y étais jamais intéressé jusqu'alors. Mais effectivement, en observant bien, depuis qu'on m'en a fait la remarque, il est vrai que cet effet d'éparpillement sans attention portée aux alentours est assez disgracieux. Par exemple, les pots de fleurs se confondent sans distinction avec les poteaux électriques et les panneaux de signalisation. Il est aussi vrai que ces jardinières et ces objets du quotidien qui s'affranchissent des limites privées/publiques de manière ambiguë rendent le visage de la ville attendrissant. Cette absence de contrôle a un effet positif sur Tokyo et participe à son image.

Au début j'ai commencé mon projet en recherchant ce genre de « frontières ambiguës » à Paris. Mais contre toutes mes attentes il fut difficile d'en trouver : à Paris la plupart des espaces sont régulés. Dans le centre de Paris, le style d'architecture le plus répandu se caractérise par des constructions dont les commerces se situent au rez-de-chaussée et les logements seulement à partir du 1er étage. Et lorsque l'on observe la ville, même les terrasses de cafés, dont on pourrait penser qu'elles débordent sur l'espace public, sont en fait bien disciplinées : leurs limites sont bien définies et elles s'y cantonnent. Qui plus est, elles ont un rôle économique important puisqu'elles représentent 15% des revenus fiscaux de la ville de Paris. Il existe peu d'endroits non-régulés comme on en trouve au Japon et s'il y en a, ils sont clôturés et l'accès y est interdit. Il est alors difficile de penser que ces espaces puissent avoir un effet positif sur la ville.

Jo Nagasaka

Case study = Meguro, Tokyo, Japan

ケーススタディ＝東京 目黒区

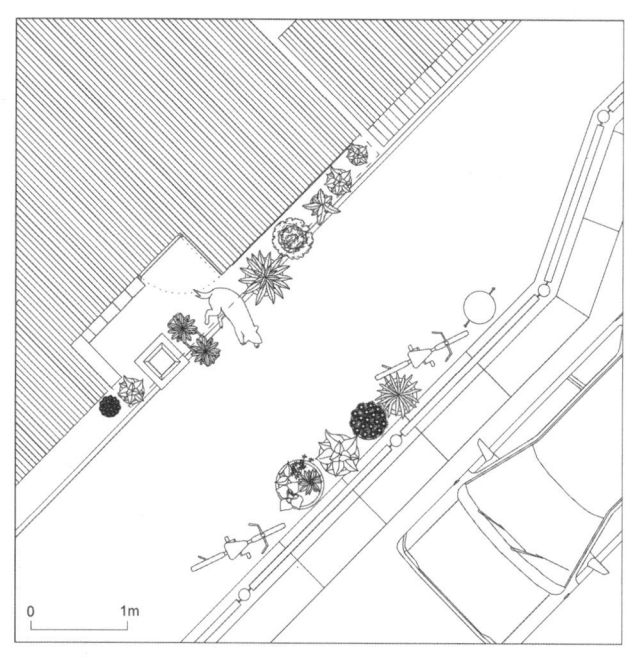

| Case.2 | 鼻先を道に突き出して、家の前で寝そべっている犬　Un chien se repose dans son foyer mais son museau dépasse sur la rue.

Relation sans relation

この展示のリサーチで東京に来たフランス建築家チームにも指摘されたが、よく海外から来た方に、公私が入り交じった東京の「Ambiguous Border（曖昧な境界）」が面白いと言われる。それは私にとって当たり前すぎて、指摘されるまで全く気にもしたことがなかった。でも指摘された後に見てみると「なるほど。」周りの空気を読みながらちょっとずつ領域を広げていく感じは何ともかっこ悪い。電柱や看板などによって凸凹があるとそのくぼみに電柱の影のように植木鉢が並ぶ。そして、またその曖昧に越境して来る植栽や生活用品によって町の表情が柔らかくなっているのも事実でアンコントロールなことが町にとってよい結果につながっているのは、これまた東京らしいところだ。

そんな「Ambiguous Border」を今度はパリで探してみようと思ったのがこの計画の始まりだった。しかし、パリではかなりの部分でコントロールされており、意外にもなかなか「Ambiguous Border」が見つからなかった。パリ中心部では1Fを店舗、2F以上を住居とする下駄履き型建築のスタイルが行き渡っている。そして、町の表情をつくる一見するとはみ出したようなオープンカフェですら全てルール化されきっちりと境界が描かれその範囲内で使われている。そしてさらに税務上パリ市の年間の税収の15％を稼ぎだし、経済的にもしっかり役割を担ってる。日本のようにアンコントロールなところはなかなかなく、あったとしてもフェンスなどで進入禁止とされ、コントロールできない物が排除され、アンコントロールな部分が町にとってよい結果につながることなどなかなか考えられない。

154--155

パリ中心部までは前述の下駄履き型の形式がちゃんと守られているが、一度パリ周辺部に出るとその形式は維持できなくなり、所々虫食い状に空き地が生まれたり、1階が住居になったり、平屋の建物が出来たりする。つまり、需要が理想の器を満たせないのだ。ある意味パリの都市型建築様式の破綻を意味しているともいえる。それであれば、これ以上、その様式に縛られることなく、その土地土地のコンテクストにゆだね、需要にあわせた自由なプランを計画する必要を感じる。ただ、その時に「自由＝なんでもあり」というユートピア的思想を安易に取り込めないことは1960年代にこの近所に出来たEmile AillaudによるCrèche des Courtillièresや1984年に出来た"each inhabitant can use the town as he wishes."を思想に取り込んだRenée Gailhoustetによるソーシャルハウジングが物語っている。

ラヴィレット駅より北、パリ市の境界に至るまでの場所には、「Ambiguous Border」といういう場所が多く存在する。タクシー会社やバスターミナルなど近隣との関係を必要としない用途の施設が多く集まり、お互いが裏をつくったり、その用途同士が干渉し機能を喪失してしまったり、途中で歩道が途切れていたり、浮浪者がたまってしまうために柵で囲われ存在を否定されながらも視覚的には存在する不幸せな緑地帯があったり、中世から続く市街の拡張と周辺都市の成長が衝突する、相容れない矛盾した関係が存在する場所である。その曖昧さを加速しているのが、立ち入ることのできない高架の高速道路や、またこれも容易には立ち入ることの出来ない運河や鉄道の終点らしい複数の列車が待機しているような、立体的な地形によって生まれている「関係しない関係」の存在だ。

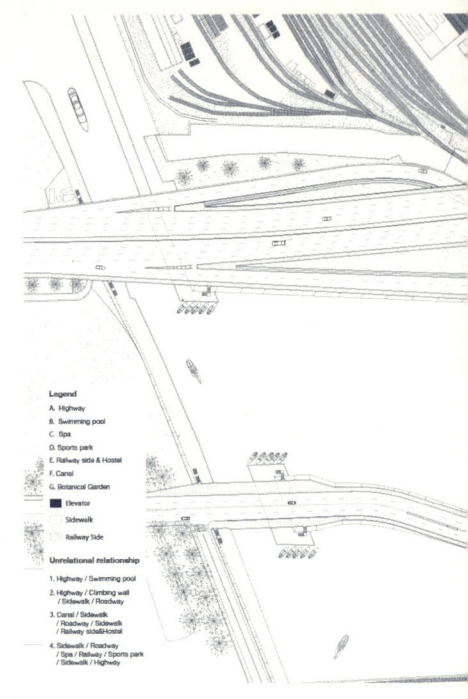

fig.1 Site : Porte de la Villette, Paris, France

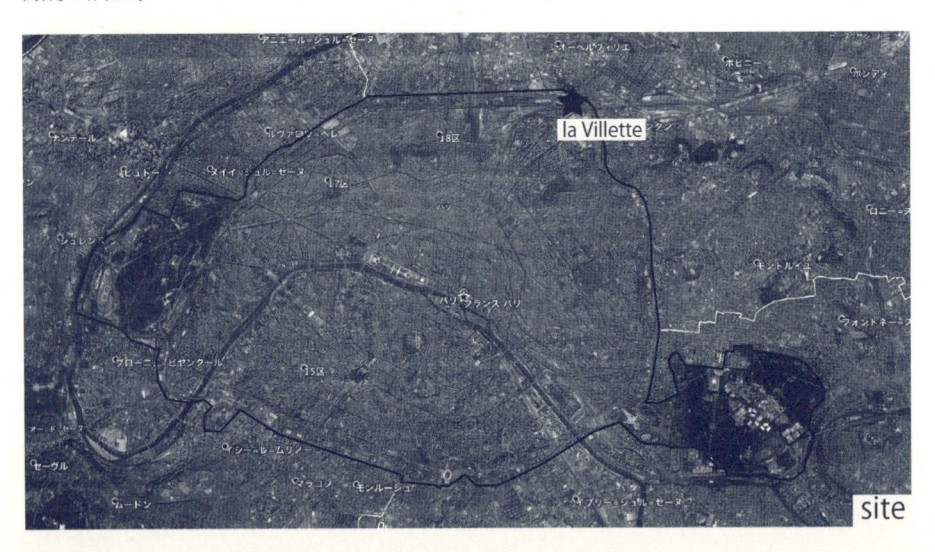

Jo Nagasaka

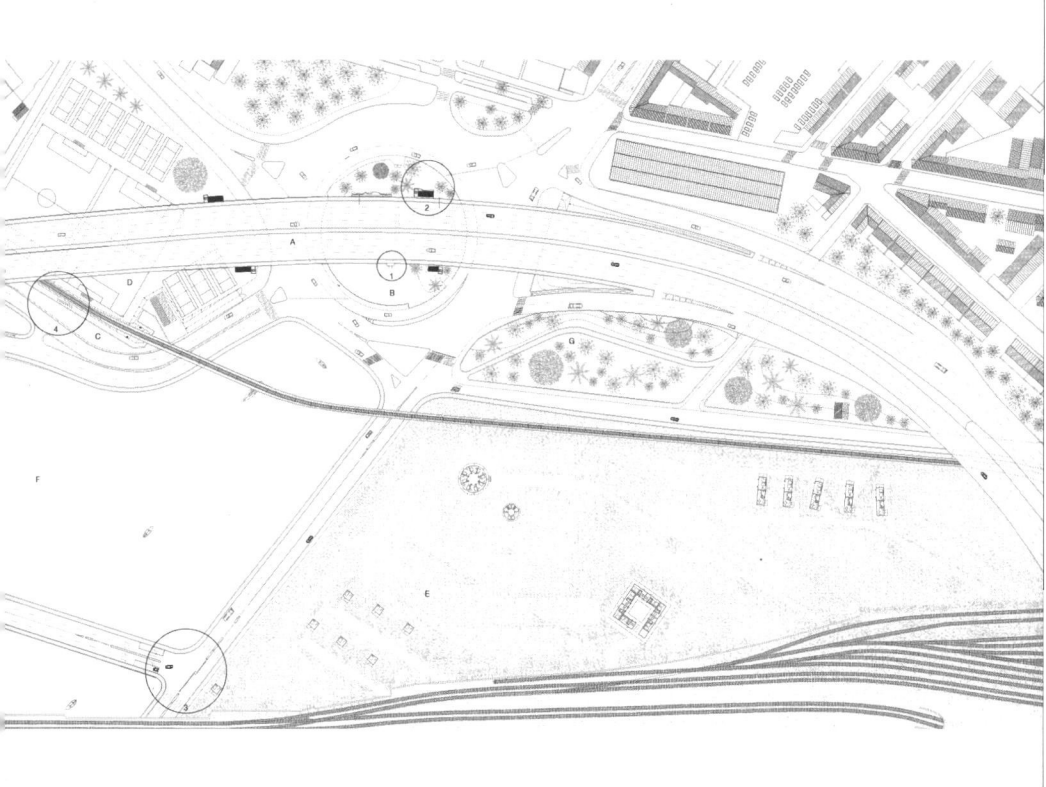

Dans Paris, le modèle d'immeubles avec commerces au rez-de chaussée et appartements d'habitation aux étages est bien respecté. Mais dès que l'on sort aux alentours du centre ville, ces mêmes typologies se délitent, des terrains vagues résiduels apparaissent ici et là. On trouve des logements au rez-de-chaussée et des maisons de plain-pied. En bref, la typologie idéale parisienne n'est plus en capacité de répondre à la demande. D'une certaine façon, on peut dire que cette situation signifie l'échec du modèle architectural parisien. Si tel est le cas, il me semble nécessaire de concevoir un plan libre et approprié aux demandes en se fiant aux spécificités de chaque lieu et en se détachant de ce style. Cependant, la crèche des Courtilières construite par Emile Aillaud dans les années 1960 et les logements sociaux conçus par Renée Gailhoustet avec le mot d'ordre de « chaque habitant peut utiliser la ville comme il le veut » témoignent qu'il ne faut pas prendre trop à la légère ce concept utopique si l'on ne veut établir l'équation « libre = n'importe quoi ».

Au nord de la station de la Villette, avant d'arriver à la frontière de la ville de Paris, il existe beaucoup d'endroits qu'il est possible d'appeler « frontières ambiguës » : des établissements tels que des entreprises de taxi ou des terminaux de bus, qui n'ont besoin d'aucun rapport avec leur voisinage, se rassemblent, créent des revers et font disparaître leurs fonctionnalités par l'interaction de leurs usages ; des trottoirs qui s'arrêtent soudainement ; de tristes espaces verts encerclés de grillages dont on nie l'existence à cause des SDF qui s'y installent. Ce sont des endroits où l'extension de la ville de Paris, qui perdure depuis le Moyen Age, se heurte avec les villes limitrophes générant des relations d'opposition et de contradiction. Cette ambiguïté se manifeste d'autant plus avec la présence de lieux inaccessibles, tels que les autoroutes surélevées, les canaux ou les stations de triage : ces différents territoires entretiennent des « relations sans relation ».

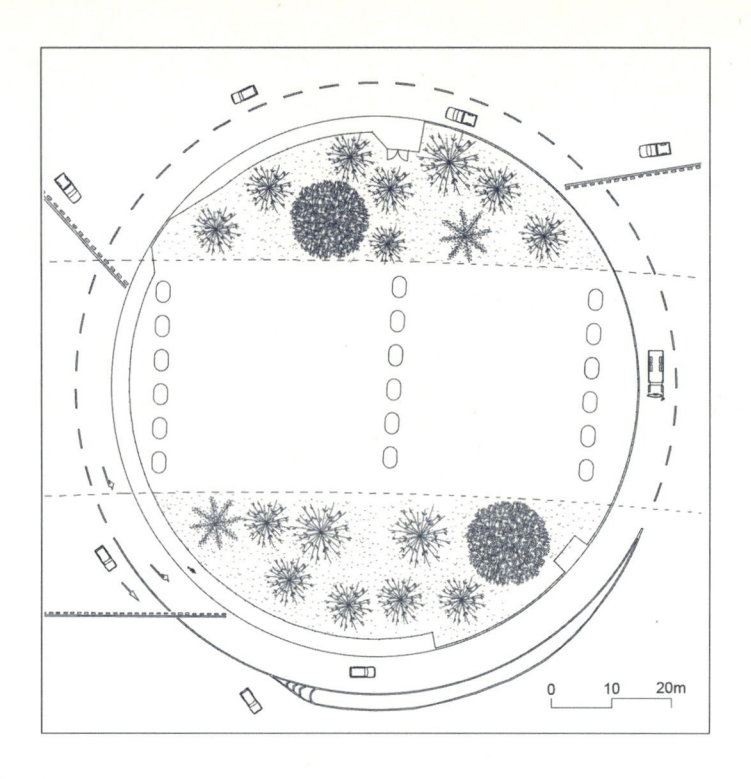

| Case.1 |
見ることは出来るが立ち入ることの出来ない、
道からフェンスで隔離された不幸せな緑地
*Un triste espace vert, séparé de la rue par un grillage,
que les gens ne peuvent qu'entrevoir sans pouvoir y accéder.*

我々はそこの複雑に重なる「関係しない関係」を改善し新たな関係をつくるよりも、「関係しない関係」ゆえに得られる緊張感とそれによって得られる自由を前向きに利用して都市をつくろうと考えている。例えば運河を走る船の上の船乗りと運河沿いの歩道を歩く人のような、物理的距離は近く間近に感じられるが、両者を隔てる道のりは遠く「ねじれの関係」にあるものを「関係しない関係」という。それは時に都市のもつ冷ややかな関係性に通じ、批判の対象になることもあるが、どこまで行っても平行線で近いがつながらない、見守られている安心感は決して交わらないゆえに得られる無責任な居心地の良さを提供する。我々はそんな「関係しない関係」を積極的に都市の計画に取り込み、もうひとつの都市の自由なあり方を考えてみた。

Jo Nagasaka

Case study = Porte de la Villette, Paris, France

| Case.2 |

重ね合わされた新旧の歩道
Une ancienne et une nouvelle voirie en superposition

Le travail que je propose consiste à concevoir ces espaces non-pas en améliorant ces « relations sans relation » qui se juxtaposent de manière complexe, mais en utilisant positivement ces situations en tension et les libertés qu'elles peuvent générer. Par exemple, un marin naviguant sur un canal et une personne marchant sur le trottoir au bord de celui-ci sont physiquement proches mais le chemin qui les sépare est long, leur relation « imbriquée » pouvant être ainsi définie comme une « relation sans relation ». Ceci peut parfois mener à une forme de froideur de la ville et faire l'objet de critiques. Mais cette sensation de tranquilité produite par ce parallélisme offre aussi un certain confort insouciant. Nous avons essayé d'imaginer quelle pourrait être l'utilisation de ces espaces urbains en « relations sans relation » s'ils étaient utilisés librement et positivement.

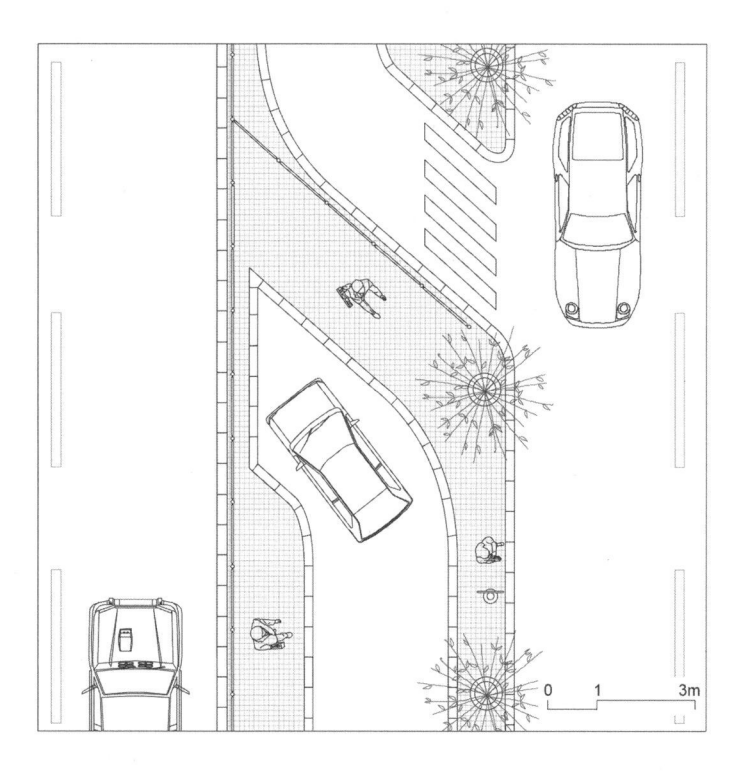

Schemata Architects

長坂常 | Jo Nagasaka

1971年大阪府生まれ。1998年東京藝術大学美術学部建築学科卒業。同年、スキーマ建築計画開設し、その後、2007年事務所を上目黒に移転し、ギャラリーとショップなどを共有するコラボレーションオフィス「HAPPA」を設立。要素を引き算する手法を用いた低予算の集合住宅の改修から、素材の再利用によって製作されるオブジェ、商店のインテリアデザインなど活動は多岐にわたる。代表作にSAYAMA FLAT (2008)、奥沢の家 (2009)、LLOVE (2010)、ハナレ (2011)、TAKEO KIKUCHI (2012) など

--

Jo Nagasaka est né en 1971 à Osaka. Aprés avoir obtenu son diplôme au département d'architecture de la Faculty of Fine Arts de Tokyo, il crée "Schemata Architects" en 1998. Il commence en 2007 un bureau de collaboration dénommé HAPPA qui partage ses espaces de galerie, boutique et d'autres installations. Sa pratique peut englober à la fois la rénovation de logements à un prix modeste par le procédé de la soustraction d'éléments, la création d'objets recyclant des matières, ainsi que l'aménagement intérieur de boutiques. Ses projets clés sont notamment le *Sayama flat* (2008), la maison d'Okusawa (2009), *le Llove* (2010), *Hanake* (2011) et la boutique *Takeo Kikuchi* (2012).

BuildingBuilding × TNA

« Si l'on ne confère pas dès le début une fonctionnalité prédéterminée à un espace, nous pouvons dès lors l'organiser et lui donner une plus forte constitution. »
—— Makoto Takei (TNA)

« Ce qui m'a le plus étonné lors de la visite conseillée par Takei à Ginza, c'est le rapport des pleins et des vides »
—— Thomas Raynaud (BuildingBuilding)

« Ma préoccupation est de traiter de l'espace urbain jusqu'aux intérieurs. Tout en ayant en tête les capacités de reconversion : faut-il concevoir l'espace de manière complètement déterminée ou de manière indéterminée ? »
—— Thomas Raynaud (BuildingBuilding)

TNA×ビルディング・ビルディング

最初から空間に機能を与えるのではなく、強い空間の構成を生み出すことによって建築と空間を組織していくことができるのです。
—— 武井誠

銀座を訪れた際に驚いたことは、
ヴォイドと実体の間の関係性にありました。
—— トマ・レイノー

私の関心は、近代化に対抗する都市からインテリアまでの新しいヴィジョンをいかにあつかっていけるかにあります。そしていかにそれをつくり替えていけるのか？ 決定論的であるべきか、それとも否か？
—— トマ・レイノー

propositions | 07

La dynamique des limites
制限の推進力
Thomas Raynaud [BuildingBuilding]
トマ・レイノー［ビルディング・ビルディング］

| Formulation |

À travers le relevé de vides parisiens et tokyoïtes, notre intention est de constater les conditions morphologiques à priori établies d'une ville-tissu (Paris) et d'une ville-objet (Tokyo). Cette sélection non exhaustive s'intéresse aux formes en creux engendrées par la densité de ces deux matrices urbaines. Ces espaces vacants n'ont rien de fortuit, ils sont le produit d'une agrégation de contingences extrêmement variées. Intentionnellement construits ou résidus d'opérations collatérales, ils partagent néanmoins une même condition spatiale ambiguë, un même dénominateur commun impermanent : leur indétermination quant à leur capacité d'usage. Cet état équivoque ne permet pas d'identifier clairement leur statut de propriété et ouvre un champ de potentiels habitables. Hors de toute tentative conclusive d'une mise en parallèle des deux villes, la monstration exclusive de ces vides célibataires annule les dispositifs qui les génèrent pour ne s'intéresser qu'aux relations qu'ils engendrent. Il s'agit ici de faire émerger des formes situationnelles déduites, sujettes à interprétation.

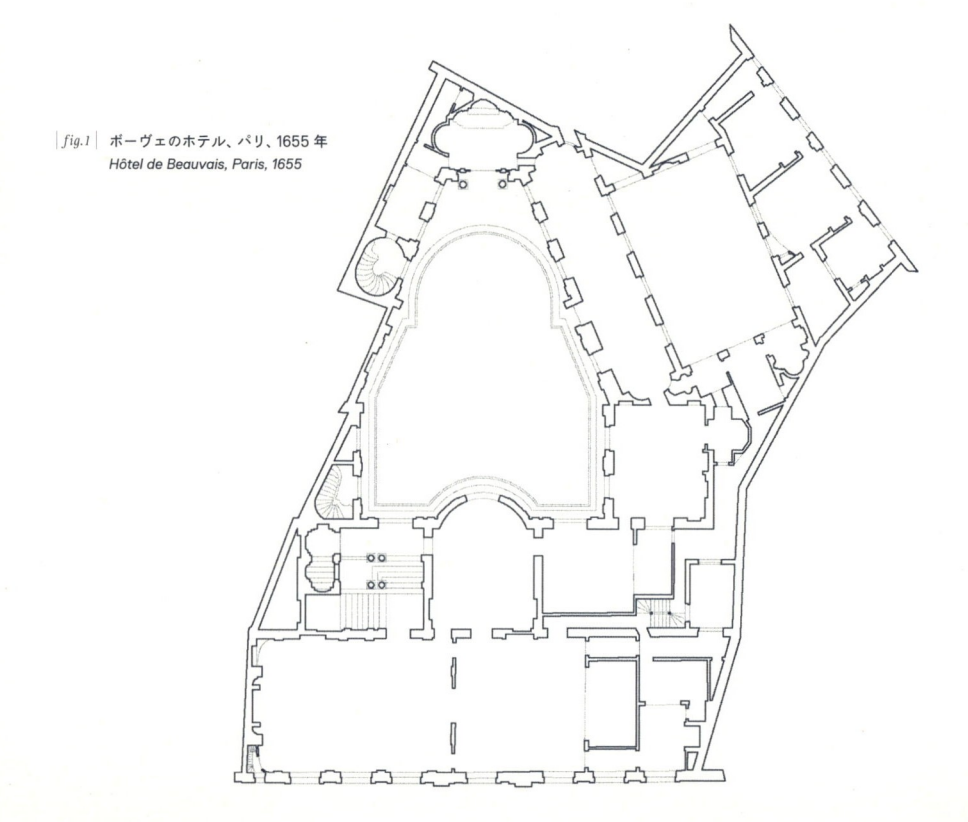

| fig.1 | ボーヴェのホテル、パリ、1655 年
Hôtel de Beauvais, Paris, 1655

Thomas Raynaud

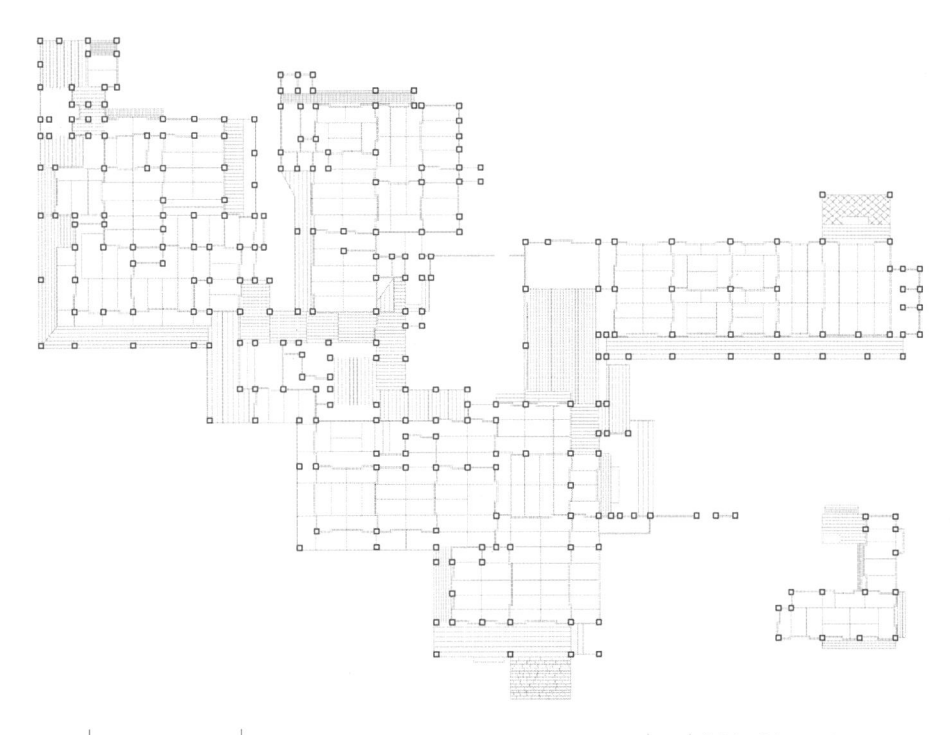

| *fig.2* | 桂離宮、京都、1615 年
Villa impériale Katsura, Kyoto,1615

| 制限の推進力 |

我々の目的はパリと東京の都市空間の記録から、織物としての都市（パリ）と物体としての都市（東京）の地形学的な条件を明らかにすることである。この不完全な記録はこの2つの都市マトリクスの密度から生み出されたヴォイドの形に関心を寄せるものである。これらのヴォイド空間は偶発的なものではなく、様々な偶発事の集まりの結果としてある。2次的な操作により意図的につくられたり残ったりしながら、それらはしかしながら同じ曖昧な空間条件、そして共通の可変的な分母を共有している。つまり、それらの使用可能性に対する不確定性である。この曖昧な状況はそうした空間の属性を不特定にし、利用可能な領域を開放する。2つの都市を比較しようとする分かりやすい試みからはずれるこれらのヴォイド空間単独の提示は、それらを生成しているしくみを無効にし、それらが生み出す関係のみに焦点を当てる。ここで主題となっているのは、差し引かれた、そして解釈を促す状況的な形を浮かび上がらせることである。

都市（パリと東京）のヴォイド空間への60のプロジェクト　*Relevé de 60 vides parisiens et tokyoïtes parisien*

Thomas Raynaud

166–167

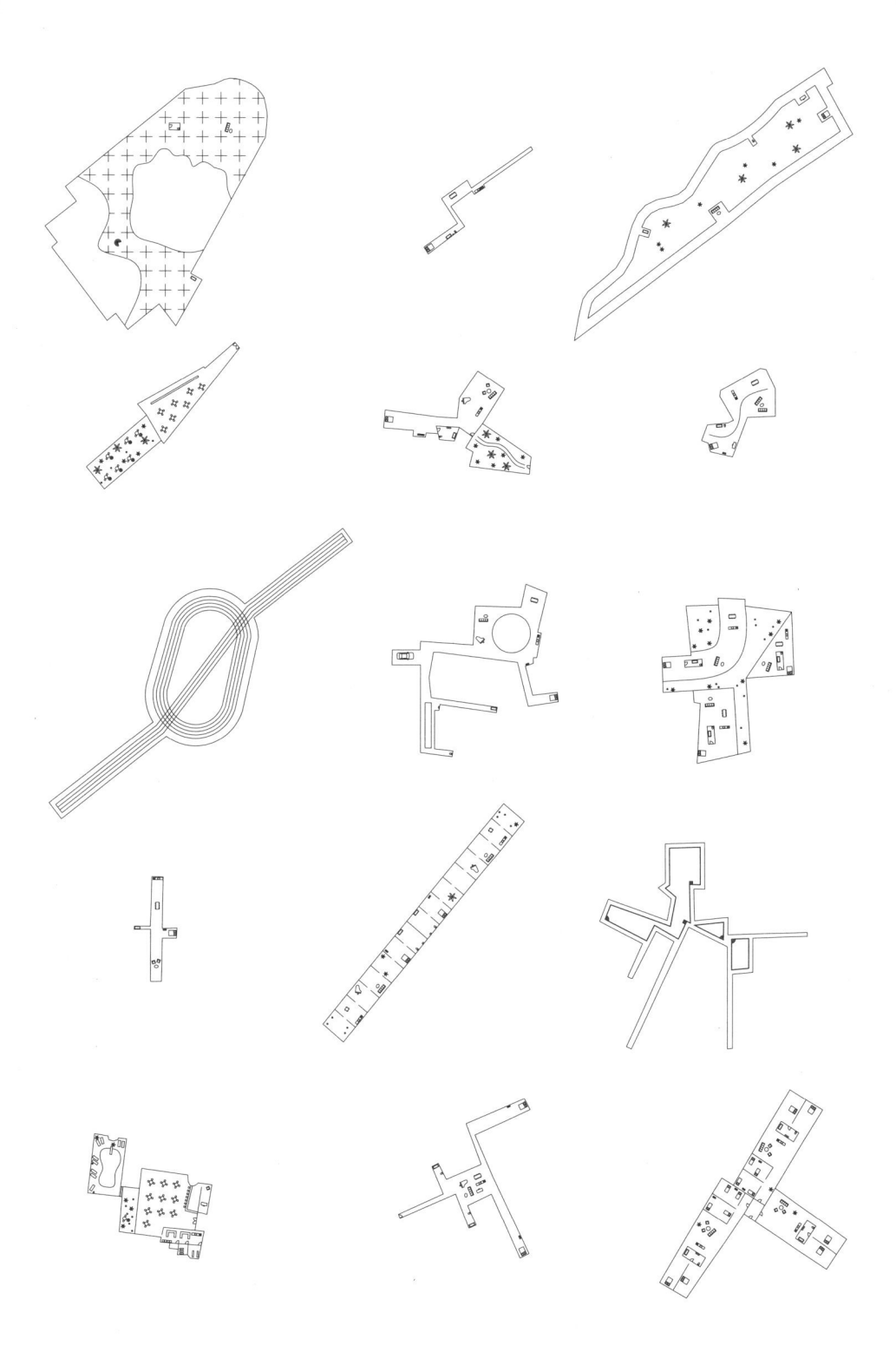

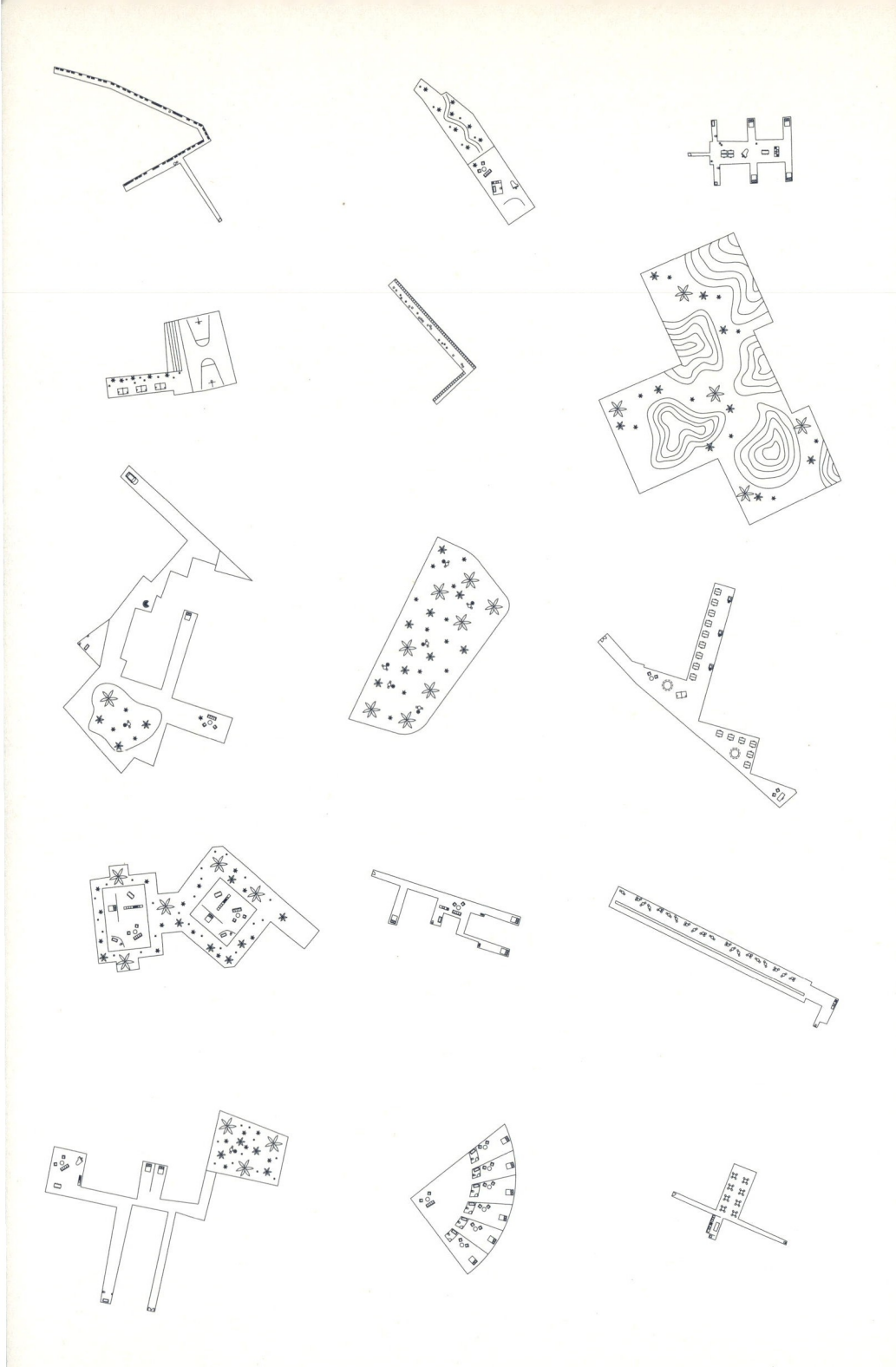

Thomas Raynaud

168–169

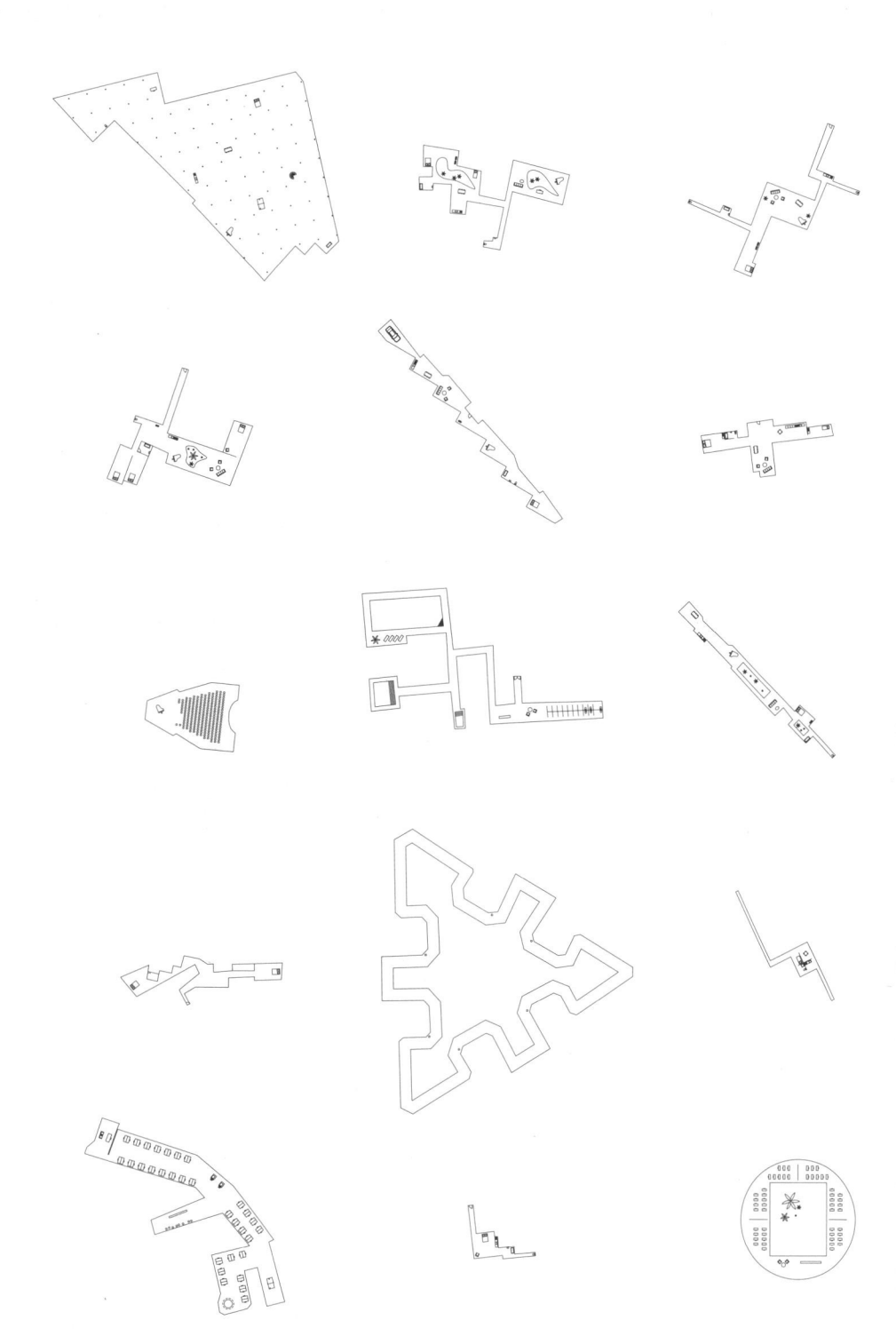

BuildingBuilding

Thomas Raynaud｜トマ・レイノー
―――

Créée en 2005 par Thomas Raynaud, lauréat des albums de jeunes architectes en 2010, l'agence Buildingbuilding porte l'idée d'une architecture 'capable', ouverte à l'évolutivité des modes de vie et des usages. Caractérisée par une approche 'dépouillée' de l'architecture, l'agence est concepteur de projets tels que la rénovation de l'Ecole Supérieure des Arts Graphiques à Marseille (2012), l'extension du Centre international d'art et du paysage (Ile de Vassivière), ou encore l'Ecomusée du lac d'Aiguebelette (2011).

--

2005年にトマ・レイノーによって設立。2010年度若手建築家アルバムAJAP受賞。BuildingBuildingは、生活習慣の変化に対し開かれた建築のありかたを探求する。既存の価値にとらわれずに個別的な状況にたいして建築へとアプローチしている。マルセイユ・グラフィックアート高等学校の改修（2012）やヴァシヴィエール島・アート/ランドスケープ国際センター増築、エブグレット湖エコミュージアム（2011）のコンセプトデザインを手がけている。

Thomas Raynaud

| propositions | 08 |

都市の肌理
KIME de la ville
TNA

| 都市の肌理

人の肌をよく見ると、網目をつくるように細い線がたくさん見える。細い線は溝でできていて、溝で囲まれた平らな部分が見える。「KIME」とはその皮膚や物の表面の細かい模様のことであり、その肌理の状態が人の健康を表すひとつの指標になっている。このような「肌理」は都市にも存在する。例えば、エッフェル塔という巨大構築物は、高さ30cmの縮小模型にすると便箋1枚程度の重さしか無いくらい軽い。それは鉄の塊というより空気を含んだ編まれた鉄といって良いだろう。風に抗うことなく風と一体となった塔。それは高層建築の構造部材で主流の鋼鉄を使わず、敢えて粘りのある練鉄製の部品をひとつひとつ手工業的に組み合わせることで、祝祭性や合理性、大衆性や象徴性を超えた美しい肌理をもっていると言えるだろう。それは、パリと世界をつなぐ健康的な建築の力なのである。

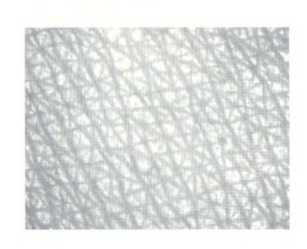

KIME de la ville

Si l'on observe bien la peau humaine, on peut apercevoir de fines lignes qui s'entrelacent.
Ces fines lignes forment des sillons qui créent des sortes des plateaux. « KIME » (qui s'écrit littéralement la raison de la peau) est le terme japonais pour désigner les minutieux motifs d'une peau ou de la surface d'un objet. Son aspect fait parti des indices qui révèlent l'état de santé d'une personne. Ce genre de « KIME » existe aussi dans la ville. Par exemple la tour Eiffel, grand monument architectural, devint légère comme une feuille de papier à lettre lorsqu'on en réalise une maquette de 30cm de haut. On pourrait considérer cette construction comme un tissage métallique qui contient bien plus d'air que de fer. Une tour qui ne s'oppose pas au vent mais, plutôt, fusionne avec lui. En utilisant l'acier non pas comme un simple matériau rudimentaire nécessaire à la composition des immeubles élevés, mais plutôt comme un matériau artisanal demandant la combinaison une à une de pièces forgées, la tour Eiffel contient une beauté qui dépasse ses images rationnelles, festives, populaires ou encore symboliques. Il s'agit d'une force architecturale saine qui relie Paris et le monde.

Nous avons décidé d'insérer dans la ville un nouvel axe qui révèle le « KIME caché ». Ce n'est pas quelque chose de provisoire qui côtoie le paysage de la ville de Paris, ni un élément construit qui la rénove. C'est une structure, simple mais immense, destinée à souligner le « KIME » de la ville. Elle traverse le ciel, passe sous un bâtiment, franchit une rivière et frôle un parc comme si elle n'avait aucun rapport avec les surfaces et les reliefs des quartiers historiques. Ce n'est pas une simple passerelle ou du mobilier urbain. C'est une galerie qui s'étend dans le sens horizontal, s'éloigne et se rapproche du sol ou des bâtiments créant ainsi un nouveau rapport de distance entre les gens et la ville. Sans échelle, ce corridor en touchant les bâtiments, connecte les nouvelles et les anciennes constructions et permet de relier des endroits qui jusqu'à présent n'avaient pas de points communs. Cette galerie est tel un nouveau marquage qui permet de redécouvrir le « KIME » de la ville.

我々は「隠れた肌理」を顕在化させる新たな軸を都市に挿入することにした。それはパリの街並に寄り添う仮設的なものでもなく、またパリの街並を刷新するような築造的なものでもない。都市の肌理を浮かび上がるように用意された単純で大きな骨格である。古くからの街区の平面や立面とは全く関係がないかのように、上空を横切り、建物をくぐり抜け、川を渡り、公園をかすめてゆく。それは、単なる歩道橋や、ストリートファニチャーではない。水平に伸びる回廊は地面から遠ざかったり近づいたり、建物に近づいたり離れたり、人々と街との間に新しい距離を生み出す。建物と回廊が接する場所は、古い建物と新しい建物が付かず離れずの状態でつながり、今までに全く接点のなかった場所と場所をつなぐ。これは都市の肌理を発見する新たな道標なのだ。

| *fig.1* | 方向　Direction

|fig.2| 橋 Pont

|fig.3| 什器 Meuble

KIME signifie aussi « rainure de bois » : des dessins créés par les fibres, visibles dans la coupe d'un bois. Ces motifs n'apparaissent pas par coïncidence mais par une somme de contingences liées au processus de croissance de l'arbre. Les nuances du KIME de la ville, créées par les histoires architecturales, génèrent des paysages complètement différents entre Paris et Tokyo, mais chacun est attirant à sa manière.

fig.4 ランドマーク Repère

fig.5 風景 Paysage

TNA

KIMEは「木目」とも書く。木材の断面に現れる繊維の組織による模様である。それは偶然ではなく木の生育過程において必然的にできた模様である。建築の摂理が織りなす都市のKIMEの濃淡は、パリと東京とで全く違う風景でありながら、同じように魅力的に見える。

|fig.6| 通路　Passage

|fig.7| 骨組み　Structure

TNA

武井誠 | Makoto Takei
鍋島千恵 | Chie Nabeshima

2004年に武井誠と鍋島千恵によって設立。武井は1974年東京都生まれ。1997年東海大学工学部建築学科卒業。1997年東京工業大学大学院塚本由晴研究室研究生＋アトリエ・ワン。1999〜2004年手塚建築研究所在席。鍋島は1997年東海大学工学部建築学科卒業。1997年東京工業大学大学院塚本由晴研究室研究生＋アトリエ・ワン。1999〜2004年手塚建築研究所。主な受賞に、2010年JIA新人賞、2009年吉岡賞、2014年には「上州富岡駅」でグッドデザイン賞受賞などがある。構の郭（茨城、2013）やキリの家（東京、2011）、モザイクの家（東京、2007）といった数々の有名な作品を手がけている。

--

Nés en 1974 à Tokyo, Makoto Takei et Chie Nabeshima fondent l'agence TNA en 2004. Tous deux diplômés de l'Université de Tokai en 1997 après un passage par l'atelier de Yoshiharu Tsukamoto à l'Institut Technologique de Tokyo et Atelier Bow-wow, ils travaillent chez Tezuka Architects de 1999 à 2004. Lauréats des Nouveaux Talent JIA en 2010, du prix Yoshioka en 2009, du Good Design Award en 2014 pour le projet de la Gare de Joshu-Tomioka, leurs projets les plus diffusés sont la Gate Villa (Ibaraki, 2013), Mist House (Tokyo, 2011) et Mozaic House (Tokyo, 2007).

La Ville Rayée × Ryuji Nakamura

« La chose qui m'attire dans l'architecture c'est qu'elle ne bouge pas.
On peut ressentir le monde au travers de choses fixes et qui ne changent pas. »
—— Ryuji Nakamura

« Je suis interessé par le gap qui existe entre la réalité quotidienne et la permanence des formes parisiennes. »
—— Ryuji Nakamura

« La façon d'utiliser l'espace public est similaire à celle dont nous vivons dans un appartement Haussmanien. Par exemple, nous vivons dans un espace qui existe déja en soi en l'adaptant à de nouvelles situations par des objets. C'est une sorte de métabolisme intérieur. »
—— La Ville Rayée

« Nos pensées sont très similaires [avec Ryuji Nakamura]. Nous considérons qu'il faut donner une valeur automones aux choses qui existent déjà. »
—— La Ville Rayée

中村竜治×ラ・ヴィル・レイエ

建築が私を魅了するのはそれが動かないからです。変化せず固定した物事を認識することで、世界を感じることができます。
―― 中村竜治

パリにおける現実と形の画一性の間にあるギャップがおもしろかったです。
それはとても魅力的でした。
―― 中村竜治

公共空間の使い方は我々が暮らしているオスマン時代のアパートとよく似ています。たとえば、そうした空間はかつてより存在し、我々は目的を持って新たな状況へと適合させてきました。
―― ラ・ヴィル・レイエ

私たちの考え方はとても似ていますね。既存のものごとに自律的な価値を与えようと考えています。
―― ラ・ヴィル・レイエ

proposition | 09

Linéaments | リニアメント
La Ville Rayée
ラ・ヴィル・レイエ

リニアメントは物事の一般的な側面から描き出された特有の線を意味する。
それは主要なカタチを描き出し、その輪郭を強調する。

Les linéaments désignent l'ensemble des lignes distinctives caractérisant l'aspect général d'un objet, ils en soulignent d'un trait les contours et les formes principales.

フラットな表面上の等価性

パリと東京を観察し比較した結果、私たちはある基本前提を導き出した。都市は、非常に多種多様で異なるスケールのオブジェから成り立ち、同時にそれは等価なものと見なされるべきである。東京にだけ特異なことではないが、この逆説はより明瞭に現れている。技術的で政治的で社会的でさらに経済的でもあるといったロジックによって管理されているけれども、建築物、ストリートファニチャー、植物はどれも、都市環境を構成する姿勢を等価に持ち得ている。

我々はこのことから、都市はフラットな表面上に最初からあったものではない自律的な要素がその上に置かれていると推論する。鉢植えから個人住宅まで、フォルムの違いやスケールの広大さ、密度等のヴァリエーションはあるにしても、これらのオブジェは、直接的な接触によって等価な状態へと向かう。

Equivalence sur un lieu plat

De l'observation comparée de Paris et Tokyo, nous tirons un postulat : la ville est faite d'objets de natures et d'échelles extrêmement variées qui pourtant peuvent être considérés comme équivalents. Non spécifique à Tokyo, ce paradoxe y apparaît cependant de manière plus explicite. Architecture, mobilier et végétation, bien que régis par des logiques spécifiques, à la fois techniques, politiques, sociales ou économiques, sont in fine égaux dans leur aptitude à constituer l'environnement urbain.

Nous en déduisons une interprétation de la ville comme lieu plat sur lequel sont posés des éléments autonomes sans organisation a priori. Du pot de fleur à la maison individuelle, malgré la diversité des formes, l'amplitude des échelles et les variations de densités, ces objets tendent par leur côtoiement immédiat vers une équivalence de statut.

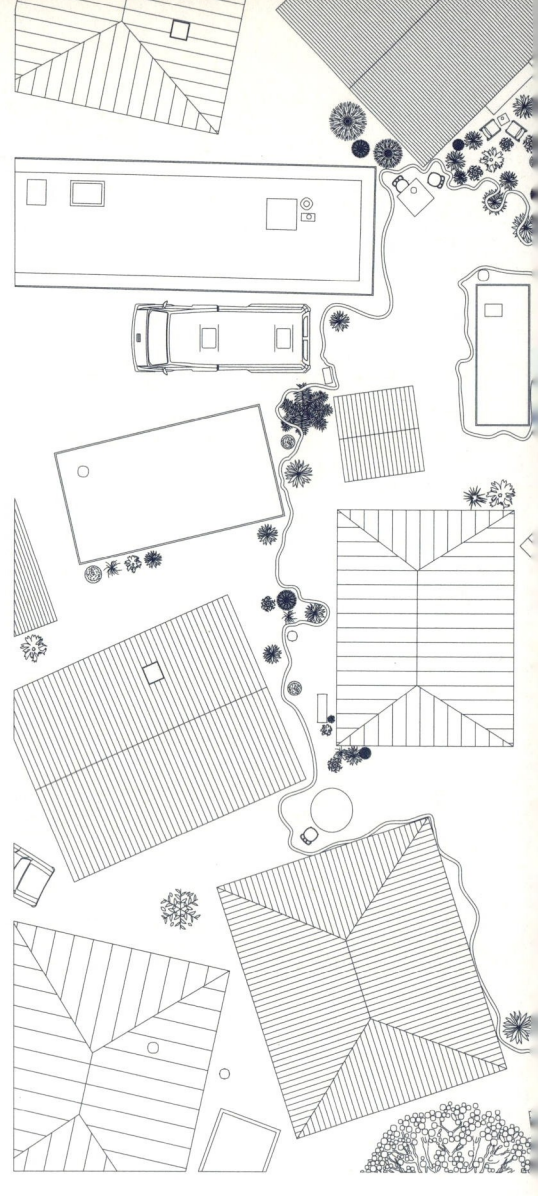

La Ville Rayée

fig.1 Linéaments, fragment urbain quelconque, plan
リニアメント、任意の都市の断片、平面図

形式化

我々が今回展開するプロジェクトは、この基本前提の建築的な形式化である。独立した線のからまりがある都市の一部分から構成された形に適合する。物体に出会う度に向きを変えながら、これらの線は視覚的な現実を定義していく。

物事をつかさどる集合的で矛盾に満ちたロジックを一切考慮せずに、リニアメントはそれらの形と位置の外形を描き出す。それは、単なる複製としてではなく、直接的な特徴やありきたりな形式を明示していく。リニアメントはそのようにしてもたらされた現実の、明確で明晰な表現となる。それはオリジナルのないまがいもの、領域をつくりだす地図である。

移動はせず外形を取り囲む形であり、周囲の物事の跡をトレースしながら、リニアメントは自ら見いだした輪郭の要素との等価な状態を共有する。流動的で繊細な構造であるリニアメントは、その占拠する地域の中に溶け込みそれとひとつとなる。つまりリニアメントは、ある環境の条件を組み込み同時にその環境となるのである。

非機能的なインフラストラクチャー

この網目状の線は、脈絡のない散在した物事のコミュニティーを明確につなげながら、そのインフラストラクチャーとなる。リニアメントは、構造的な空間よりも関係に基づく空間の物象化である。無意味だがそこにあって、この非機能的なインフラストラクチャーは不必要であると同時にやっかいな存在である。特定の目的が与えられていない形であるゆえに、潜在的使用可能性を有するベクトルとなる。手すりであると同時に物干竿ともなり、相反する使用方法の間の弱い結びつきを描き出す。

不安定ながらも定着し、弱くも永続可能な、わずかな物質でできた後付けのインフラストラクチャー。リニアメントは弱さと組織化を共に想起させながらインフラストラクチャーという単語の意味論的な両義性をさぐる。

La Ville Rayée

Formulation

Le projet que nous développons ici est celui d'une formulation architecturale de ce postulat. Sur un extrait de ville quelconque, un mélimélo de lignes solidaires accompagne les formes qui le compose. S'infléchissant par contact avec les volumes rencontrés, ces lignes constatent approximativement une réalité observable.

Sans aucune considération pour les logiques contradictoires et combinées qui gouvernent les objets, les linéaments en détournent seulement les formes et positions. Ils en révèlent leurs attributs immédiats, prosaïquement formels, sans en être le fac-similé. Forme de constat, les linéaments deviennent alors la représentation tangible et explicite d'un état de fait ; une imitation sans original, une carte devenue territoire.

Forme immobile et circonscrite, esquissant la trace d'objets disposés çà et là, les linéaments partagent le statut d'équivalence des éléments dont elle sonde les contours. Structure fine et déliée, les linéaments se fondent et se confondent au quartier qu'ils occupent. En somme, les linéaments intègrent les conditions d'un environnement tout autant qu'ils sont cet environnement.

Infrastructure dispensable

Liant de manière explicite la communauté éparse d'objets qu'il rencontre, ce filet de lignes en devient l'infrastructure. Les linéaments sont la réification d'un espace relationnel plus que compositionnel. Inutile, mais pourtant là, cette infrastructure afonctionnelle est à la fois dispensable et encombrante. En tant que forme sans compétence attribuée, elle devient alors vecteur d'usages potentiels. Simultanément rempart et étendoir à linge, elle trace des liens distendus entre des usages a priori incompatibles. Une infrastructure après coup, faite de peu de matière, instable mais figée, faible mais pérenne. Les linéaments exploitent l'ambivalence sémantique du terme infra-structure évoquant à la fois faiblesse et organisation.

| *fig.2* | Maquette, photographie 模型、俯瞰

| 自生的な自律性 |

小さな集合体である地区というスケールの形でありながら、事前の計画なしでドメスティックな出来事に作用し、このインフラストラクチャーはヒエラルキーなく物と同化し混合する。遭遇する物全てに同じように作用することによって、リニアメントはこれらの事物の等価性を表現し、実在するコミュニティー、パターンへと再結合する。

それらはある時、ある場所に存在する事物の偶然的かつ便宜的な組織の建築的な転換である。リニアメントは自生的秩序から生まれる都市的状況を形式化し刺激するインフラストラクチャーなのである。

La Ville Rayée

Ordre spontané

Forme à l'échelle d'un quartier quelconque –
d'un petit ensemble – mais réagissant à des
faits domestiques sans planification préalable,
cette infrastructure intègre et amalgame sans
hiérarchie. En réagissant de la même manière à
tous les objets qu'ils rencontrent, les linéaments
expriment leur équivalence, et les réunit dans une
communauté objective, une mise à plat.
Ils sont la transposition architecturale de
l'organisation fortuite et opportuniste des objets
à un moment donné, dans un lieu donné. Les
linéaments sont une infrastructure qui formule et
stimule les situations urbaines issues d'un ordre
spontané.

fig.3 | Maquette, photographie 模型、俯瞰

La Ville Rayée

David Apheceix | ダヴィッド・アフセクス
Benjamin Lafore | バンジャマン・ラフォル
Sébastien Martinez Barat | セバスチャン・マルティネス・バラ

La Ville Rayée est un groupe d'architecture fondé en 2006 par David Apheceix, Benjamin Lafore et Sébastien Martinez Barat, durant leurs études à l'Ecole Nationale Supérieure d'Architecture Paris-Malaquais. La Ville Rayée cultive une mobilité projectuelle de l'exposition au magazine papier, du design d'objets à la construction. Ils collaborent avec de nombreuses institutions culturelles à l'instar du Centre Pompidou-Metz dont ils ont conçu le restaurant temporaire Group Form en 2010, de la Galleria Continua pour laquelle ils réhabilitent une friche industrielle en centre d'art en Seine et Marne. Ils réalisent aussi des projets domestiques telle que la construction de L'Outfront, une maison individuelle à Antibes, livrée en 2014. Les trois membres de La Ville Rayée mènent indépendamment des projets de publications et de recherches tels que le Pavillon Belge de la Biennale d'architecture de Venise en 2014.

--

ラ・ヴィル・レイエは、2006年にパリ・マラケ建築大学で同窓のダヴィッド・アフセクス、バンジャマン・ラフォル、セバスチャン・マルティネス・バラによって設立された、建築のグループである。ラ・ヴィル・レイエは、展示から雑誌まで、あるいはオブジェのデザインから施工まで、プロジェクトにおける身軽さを開拓する。数多くの文化機関と協働し、例えば2010年の仮設レストラン「グループ・フォーム」設計時のメス・ポンピドゥーセンターや、セーヌ・マルヌのアートセンター内の工業空地改修のためのガレリア・コンティニュアなどである。彼らは2014年竣工したアンティーブの個人住宅「アウトフロント」のような住宅規模のプロジェクトも実現している。また3人のメンバーは個々で執筆調査活動もしており、2014年ヴェネツィア・建築ビエンナーレのベルギー館などがある。

| propositions | 10 |

| 形式とルール | Format et règle du jeu |
| 中村竜治 | Ryuji Nakamura |

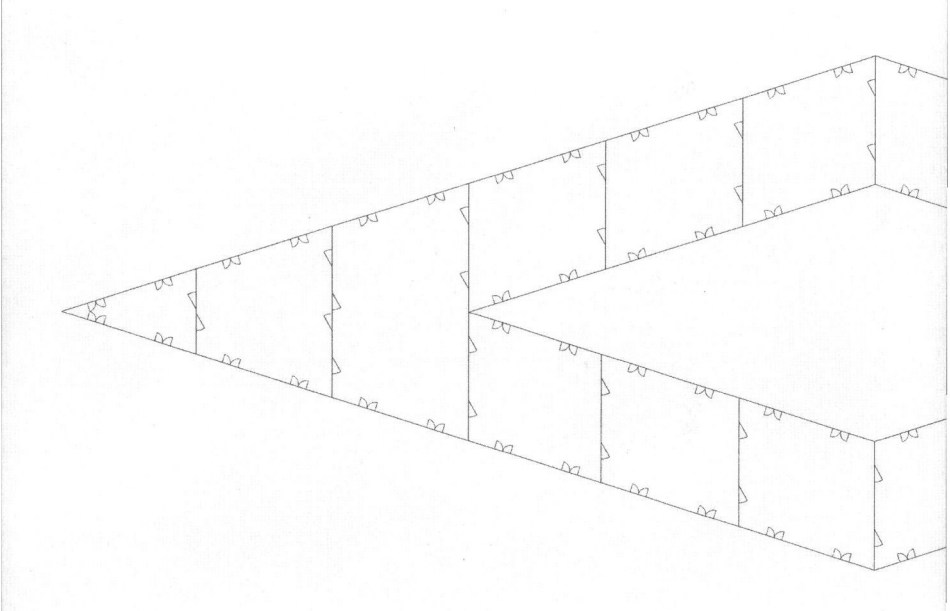

「形式」というテーマをもとに、ラ・ヴィル・レイエと共に東京とパリの一般的な街を一緒に歩き、比べました。パリでは、外観だけでなく、彼らの事務所や住まいも見せてもらい、内外両方を体験することができました。言うまでもないですが、パリの街は東京に比べ強い形式を持っています。大雑把に言うと、「平面が中庭型」、「階数が5〜6階」、「縦長の内開窓で統一されている」といったことがあげられます。そして、それらは、どんな用途の建物にも等しく与えられています。東京であれば、敷地や規模や用途によって形式が異なりますが、パリでは、住宅でも学校でも美術館でも、日本でいうところの中庭形の集合住宅のような形式をしています。これはとても興味深いことです。まず無根拠に決められた形が街中に均質にあり、それを否応無く使っているということになります。「無根拠」や「均質」は、どちらかというとあまり良いことを生まないように思ってしまいがちですが、かえって街に思いがけない魅力を生んでいます。同じような窓が同じような間隔で並んだファサードをもつ建物が、同じような高さでずうっと並んでいるのをじっと眺めていると、実に様々な想像が湧き起こってきます。つまり、形を機能や記号やイデオロギーとしてあつかうのではなく、それが生み出す実際の効果を観察することで、今まで気付かなかった魅力を発見することができるのではないかと思うのです。その場合、形式はルールという言葉に置き換えた方が分かり易いかもしれません。ルールと言っても様々な種類のルールがありますが、ここで言うルールとは、スポーツやゲームを成立させる類のものです。それ自体に意味はないものの、それがあることによって、面白いことが生まれるというものです。パリはそのような面白さや想像力を引き出す良質なルールが与えられた街だと言えると思います。

fig.1

窓越しにバスケットコートが見えるファサードの写真。窓の向こうは屋内のはずなのに、中庭に解放された明るいバスケットコートが屋外としてあるという意外性に富んだ風景。

Une image d'une façade où l'on peut apercevoir un cours de basket de la fenêtre. Normalement l'autre côté de la fenêtre est l'intérieur du bâtiment, mais ici c'est un paysage surprenant avec un terrain de basket ouvert sur une cour en tant qu'extérieur.

Ryuji Nakamura

| fig.2 |

J'ai visité à pied avec La Ville Rayée les quartiers ordinaires de Tokyo et de Paris et les ai comparé en ayant en tête l'idée de « forme ». A Paris, j'ai pu observer les apparences des bâtiments et j'ai visité des appartements et des agences ce qui m'a permis d'expérimenter l'intérieur et l'extérieur.

Il est évident que la ville de Paris possède une forme plus forte que celle de Tokyo. De Paris, on peut en gros énumérer les principes suivants : « le plan se constitue d'une cour », « il y a 6 à 7 étages » et « le tout est unifié par des portes fenêtres qui s'ouvrent vers l'intérieur ». Toutes ces règles s'appliquent à tous les bâtiments, quelle que soit leur fonction. A Tokyo, les formes sont différentes selon le terrain, l'échelle ou l'usage. Mais à Paris, les logements, les écoles, ainsi que les musées sont tous de la même forme, au point qu'on pourrait tous les confondre avec des logements collectifs. Ceci est un point très intéressant : dès l'origine une forme prédéfinie existe de manière homogène dans toute la ville et celle-ci doit être appliquée qu'on le veuille ou non. On pourrait considérer cela contraignant ou trouver cette homogénéité négative, mais elle confère aussi à la ville un charme surprenant. Voir cette continuité de bâtiments avec ces façades similaires et ces fenêtres semblables positionnées à intervalles réguliers, aiguise l'imagination.

| fig.2 |

窓の高さが上の階にいくに従って低くなっていることに気付いたファサードの写真。窓の高さに比例して階高も低くなっているとラ・ヴィル・レイエに教わった。日本ではあまり見かけない風景。

Photo d'une façade dont je me suis aperçu que la hauteur des fenêtres rétrécissait selon la hauteur des étages. La Ville Rayée m'a indiqué qu'en général, plus on montait d'étages plus les hauteurs sous plafond diminuaient. Une typologie que l'on ne voit pas souvent au Japon.

パリの建物のファサードからは、あるルールが前提としてあることによって初めて感じることができる魅力をとらえることができます。例えば、窓の高さが上の階に行くに従って低くなっているというものです。その変化は、階高の変化と比例しているらしく、上に行くに従って徐々に階高も小さくなっているというのです。日本でそのような建物はあまり見たことがありません。階ごとに分けて使われていると、あまりその変化に意味は生まれませんが、上から下まで続けて使用するようなことができたら、階高の変化はとても魅力的な効果を発揮するのではないかと思います。階高の変化を味わえる建物、そんなことを想像させてくれるファサードです。また、直角でない角地に建つ建物のファサード。直角でないことは日本でもよくありますが、これに面や窓の左右対称が加わると突然不思議さが生まれます。それは、中のプランはいったいどうなっているのかというような想像を誘う不思議さです。全ての部屋が平行四辺形になっているのではないか（実際には角部屋だけが歪められているのだと思いますが）？ もしそうだとしたら、その空間はどんな使われ方をするのか？ どんな感覚を生むのか？ というように様々な想像力をかきたててくれます。その他、ファサードに斜めに道らしきものが貫通しているというものなどです。このように、ルールを意識することで生まれる魅力的な風景を少し歩いただけでもあちこちに見付けることができます。

| fig.3 |
斜めに道らしきものが貫通しているファサードの写真。奥の方に日光が差し明るくなっていることで、建物の中に広く明るい外部が広がっているような幻想的な風景となっている。光の関係にあまりにも違和感があり、合成写真のようにすら見える。

| fig.4 |
直角でない角地に建つ建物のファサードの写真。左右対象が加わることで、中の間取りをいろいろ想像させる不思議な風景となっている。

| fig.5 |
高い塀に囲まれた小学校のファサードの写真。刑務所のような高い塀に囲まれていながら、子供の声が通りまで溢れ出ていて、閉鎖的でありながら同時に開放感のある風景。まるで、通りの方が閉ざされた屋内で、塀の向こう側が開けた屋外であるかのような内と外が反転するような錯覚を覚える。

Ryuji Nakamura

Après-tout, il me semble qu'observer les effets réels créés par ces formes, plutôt que de ne les analyser qu'au travers du prisme fonctionnel, symbolique ou idéologique, permet d'en découvrir les qualités inédites. Dans ce cas, remplacer le mot 'forme' par 'règle' pourrait rendre les choses plus faciles. Une règle qu'il faut comprendre comme celle des sports ou des jeux : elle n'a pas de sens en soi, mais sa présence rend les choses plus intéressantes. Je pense que Paris est une ville qui contient ces règles de haute qualité qui stimulent l'imagination et le plaisir.

En observant de manière empirique les façades des bâtiments Parisiens, il est possible d'en saisir les qualités et d'en déduire les règles. Par exemple, plus on monte en étage, plus la hauteur des fenêtres se réduit. Cette gradation est proportionnelle à la hauteur des étages. Il n'existe pas beaucoup de bâtiment de ce genre au Japon. Si l'on observe chaque étage séparément, on ne s'en aperçoit pas. C'est seulement si l'on regarde de haut en bas que cette différenciation des hauteurs d'étage devient captivante. On peut dès lors apprécier que les variations du bâtiment s'expriment à travers la hauteur des étages de la façade.

Un autre exemple fascinant est celui de la façade de bâtiment construit sur un terrain avec un angle obtus. Il existe des angles obtus au Japon aussi mais si l'on ajoute la symétrie des surfaces et des fenêtres, tout d'un coup une étrangeté se produit. C'est une étrangeté qui invite à imaginer le plan de l'intérieur. Est-ce que toutes les pièces sont en parallélogramme (je pense qu'en réalité seulement la pièce à l'angle est déformée) ? Si c'est le cas, comment utilise-t-on un espace comme celui-ci ? Quelle sensation crée-t-il ? Tout cela stimule l'imagination. Je pense aussi à une façade traversée par une route en diagonale. Juste en se promenant et en faisant un peu attention, il est possible d'apercevoir partout des paysages attirants.

| fig.3 |

Image d'une façade avec une sorte de rue qui la transverse en diagonal. La lumière qui luit au fond crée un paysage fantastique comme si un vaste et lumineux extérieur existait à l'intérieur du bâtiment. La relation de la lumière est tellement en discordance que l'on dirait presque une image montée.

| fig.4 |

Image d'une façade d'un bâtiment construit sur un terrain avec un angle obtus. Avec la symétrie qui s'ajoute, cela crée un étrange aspect qui me pousse à imaginer quel pourrait être son plan intérieur.

| fig.5 |

Image d'une façade d'école entourée par de hauts murs. Malgré le fait qu'elle soit emmurée comme une prison, les voix des enfants débordent jusque dans la rue, ce qui génère un paysage fermé et en même temps ouvert. Cela donne une illusion de renversement du dedans et du dehors : comme si la rue était plutôt un intérieur fermé et que l'autre côté des murs était un extérieur ouvert.

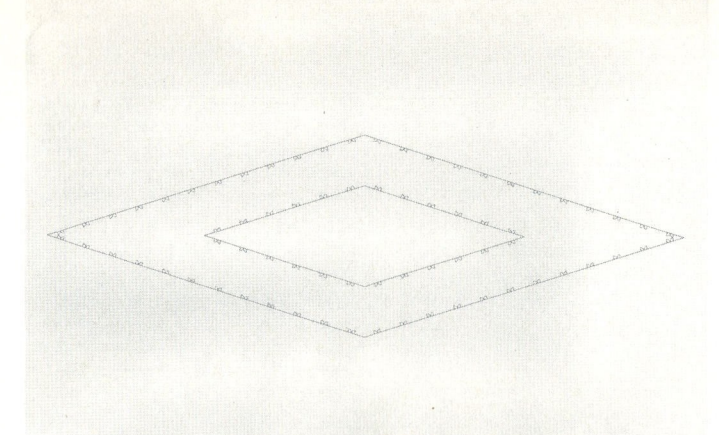

Le projet présenté ici est un espace imaginaire qui s'inspire d'un bâtiment construit sur un terrain aux angles aigus. J'ai réalisé une maquette en me demandant « Quel est le plan de l'intérieur ? » ou « Comment serait-ce si toutes les pièces étaient en forme de losange ? ». L'intention est de montrer les possibles de la forme (ou de la règle) qui a été fixée dans le passé à Paris.

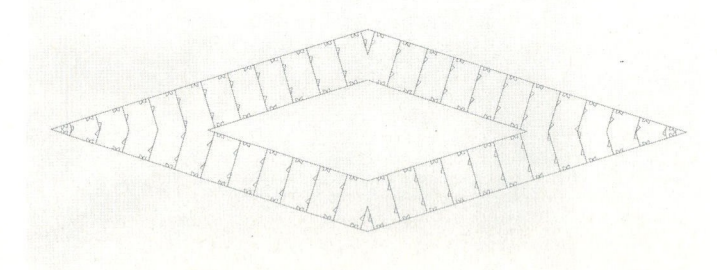

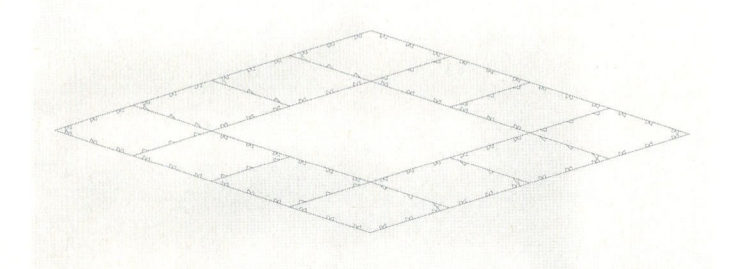

Ryuji Nakamura

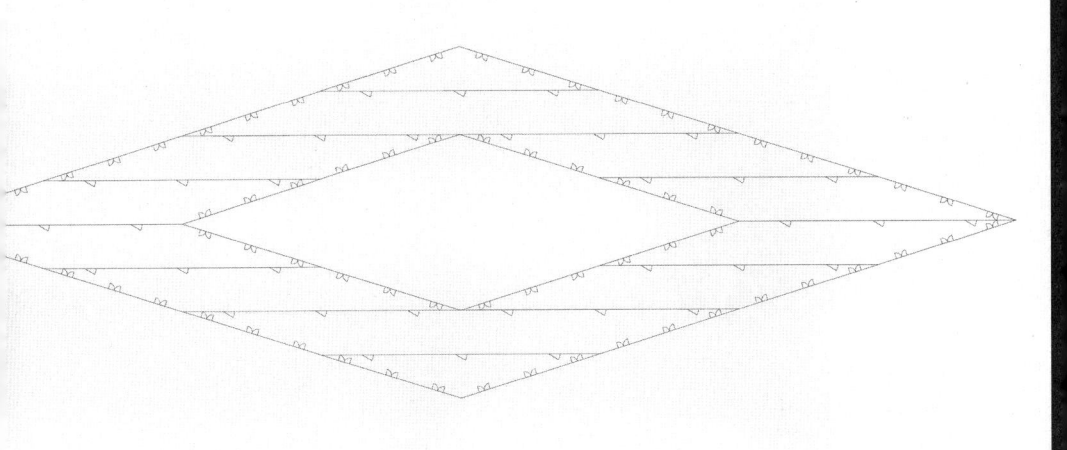

展示しているのは、先ほど紹介した直角でない角地に建つ建物をモチーフにし、そこから想像した空間です。その建物を見たときに思った、「中のプランはいったいどうなっているのだろう?」「部屋が皆菱形になっていたらどうなるのだろう?」といったような空想を模型にしています。パリに過去に偶然に設定された形式（ルール）の可能性が伝えられればと思います。

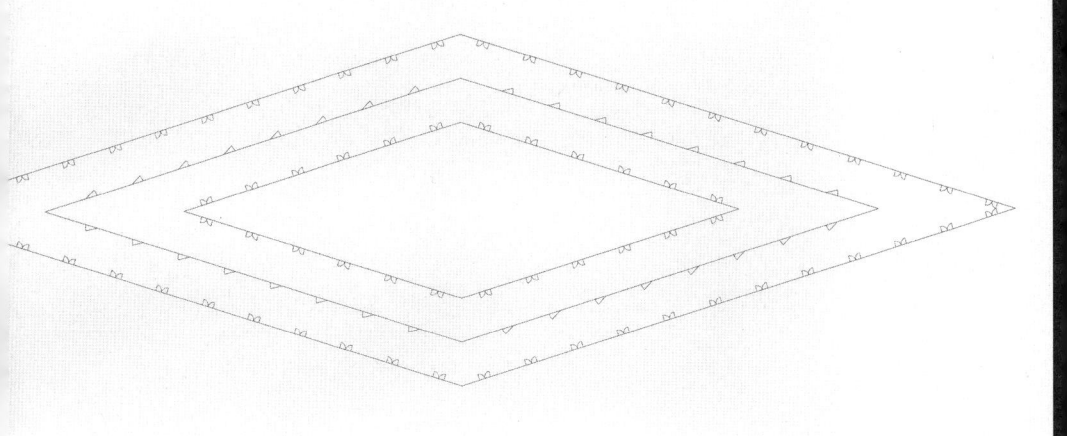

パリ、アパルトメント 空想の平面図　*Plan imaginaire d'un appartement parisien*

Ryuji Nakamura

中村竜治 | Ryuji Nakamura

1972年長野県生まれ。1999年東京藝術大学大学院修士課程修了。2000〜2003年青木淳建築計画事務所に所属し、2004年中村竜治建築設計事務所設立。主な受賞に、JCDデザインアワード2009大賞など。多様な解釈に開かれる"かたち"に着目し、展覧会や家具、インテリアデザインなどを手がけている。主な作品にミラノ・サローネで発表されたキャノンのための"water lily"(2012)、展覧会"Feel and Think"のためのインスタレーション"beam"(2011)など。

--

Né en 1972 à Nagano, Ryuji Nakamura est architecte diplômé de l'Université des beaux-arts de Tokyo en 1999. Il établit son agence en 2004 après avoir travaillé chez Jun Aoki & Associates. Il est lauréat du Grand Prix et du Prix d'Or du JCD Design Award (2009). Observant la « forme ouverte » aux divers définitions, Ryuji Nakamura mêle installations spatiales pour des expositions, design de mobiliers urbains et domestiques et conception de bâtiments. Ses projets clés sont notamment une installation pour une exposition par Canon *Water lily* en 2012 présentée à Milan, une installation, *Beam*, pour l'exposition *Feel and Think* en 2011.

RAUM × Yuko Nagayama

« Je pense que ce qui est formidable c'est quand tout le monde partage un attachement à un lieu et devient familier au travers d'un processus partagé qui mêle habitants et constructeurs. Il y a différentes manières d'utiliser un matériau. L'une est de l'ordre de l'écologie et de l'efficacité, l'autre est une approche sensible au même titre que l'on attache de l'importance à quelqu'un. »
—— Yuko Nagayama

« Notre approche est une sorte de recette de cuisine, nous souhaitons utiliser les vieilles matières plutôt que d'en utiliser de nouvelles. »
—— RAUM

« Il est de plus en plus important de prendre en compte l'insertion des futurs habitants dans une ville. Surtout dans la construction d'un nouveau quartier sur un ancien. Nous devrions aussi penser sous ce même angle la fabrication d'une nouvelle communauté. »
—— RAUM

永山祐子×ラウム

場所への愛着を持ち、住人と建設会社が時間とプロセスを共有することで親密さを生み出すことはとても重要だと思っています。そこにはマテリアルの異なる用いられ方があります。環境的で能率的である一方で、人々に愛着の感情を与える効果をもっています。
―― 永山祐子

我々のアプローチはレシピのようなものです。新しい素材よりは古い素材のほうを使います。
―― ラウム

新規の住民をどのように街に取り込んでいくのかはますます重要です。特に建設において、新旧住人の関係は重要です。それをコミュニティつくりの観点から考えていくべきなのです。
―― ラウム

| propositions | 11 |

| City Demolition Industry |
| 都市解体産業 |
| RAUM | ラウム |

| City Demolition Industry |

谷中：地域からエコシステムへ

--

「パリはたしかに因果的に関係づけられる法則によって素晴らしく美しくあったが、二十一世紀に向って時間軸上に発展することはもはや不可能となってきた。しかし東京は常に共時的な全体の布置を読みとり、なんとかアメーバ状に生き残る可能性をもっている。できうるならば今少し心くばりのあるアメーバであれば、と願う心を私は隠すことができないのである。」(第三章 内部の空間 2 陰影礼賛 陰と陽、161頁)

「わが国ほど、しっかりした中心がなく、どこの都市に行っても似たりよったりのごちゃごちゃで、都市のアイデンティティーとしての顔もなく、ただなんとなく蚕が桑の葉を食べるようにスプロールしてとりとめのない都市空間をつくっている国はない。そして、あちらが焼ければこちらを建てる、こちらが駄目になればあちらを強めるというような、短期的視野のもとに長期的都市計画もないまま、ただそれなりに生存してきたのである。」(第二章 外観の曖昧性について 2 アメーバ都市 隠れた秩序、97頁)

芦原義信、『隠れた秩序：二十一世紀の都市に向かって』、中央公論社、1986

Yanaka : du quartier à l'écosystème

--

« Ruins are dead architecture. Their total image has been lost. The remaining fragments require the operation of the imagination if they are to be restored. Anything that is done to them after they have become ruins is limited to replacement of lost parts with new ones. At the instant when perfect saturation - complete restoration - has been attained, the former ruins face the coming of another void and reversion to the ruins state. Within a time that imposes these conditions, ruins inevitably face corrosion. A ruin is the future of our city and the future city is a ruin itself. »
Kazuo Shinohara in *Progressive Anarchy*, 1988

« Paris est une ville splendide, mais qui aura certainement des difficultés à s'adapter au XXIe siècle. Son architecture de pierre en fait un monument statique et inorganique appartenant au passé. Au contraire, Tokyo possède des facultés d'adaptation et de survie proche des amibes. C'est une métropole laide et chaotique, mais elle est organique, en constant changement. Il m'arrive de souhaiter que l'amibe prolifère avec plus de soin, mais sa vigueur reste indéniable. (...) C'est un espace incohérent qui se répand sans ordre et sans borne, avec des frontières mal définies. Si un quartier brûle, il est immédiatement reconstruit. Si cet endroit dépérit, on construit ailleurs. »
Yoshinobu Ashihara in *L'ordre caché. Tokyo, la ville du XXI ème siècle ?*, 1986

2階建ての住宅が連なる谷中は、東京の中で江戸時代から続く伝統的な雰囲気が特徴的なエリアである。そして過去の大きな災害による破壊を免れたことにより、東京の中でも最も変動のポテンシャルを秘めた場所となっている。そして非物質的な伝統行為から、住宅の建替えの頻度にいたるまで、日本における特異な伝統との関係性が存在している。

東京の住宅スケールの土地割は、一時的な建設に対して、エコシステムを有する地域というアイデアを与えることはできるのだろうか？
--

土地の強い私有制、素材のはかなさ、火災、そして戦争や気候、地震、台風、津波によって引き起こされた大破壊が、日本とその建築の関係性を形成している。したがって、文化的遺産は得てして無形物に、建築物よりも記憶に結びつく（建物ではなく伊勢の大工職人の知恵が保護され認められているのである）。島国である日本がそのエネルギー消費を減らそうと模索している時に、素材の変化についてのサイクルと法的な問題は、それ自体エコシステムとなりえるような都市再生の可能性を探ることによって、この「継承する」という問題に直面している。

Nappe continue de constructions isolées à deux étages, Yanaka est un quartier de Tokyo caractérisé par son ambiance traditionnelle de l'époque d'Edo. Si Yanaka participe par sa multitude de formes individuelles au magma chaotique en perpétuelle mutation de la métropole Tokyoïte, le quartier se singularise par l'ancienneté de son bâti et sa relative préservation vis-à-vis des catastrophes majeures subies par le Japon, en offrant un des plus important potentiel de mutation urbaine de Tokyo.

L'échelle domestique du parcellaire tokyoïte peut-elle offrir une temporalité de construction propice à la pensée d'un quartier écosystème ?
--

La prédominance de la propriété privée, le caractère périssable des matériaux, les incendies, les destructions massives liées aux guerres ou aux conditions climatiques, tremblements de terre, typhons, tsunamis, ont façonné le rapport du Japon à son architecture.
Le patrimoine culturel s'attache ainsi plus volontiers à l'immatériel, à la commémoration plutôt qu'à la chose construite (ce n'est pas le bâti mais le savoir des maîtres charpentiers de Isé qui est protégé et classé). Au moment où le Japon, insulaire, cherche à diminuer sa consommation énergétique, la question du statut du matériau et des cycles de transformation de la matière peut être confronté avec celle du « faire patrimoine ».

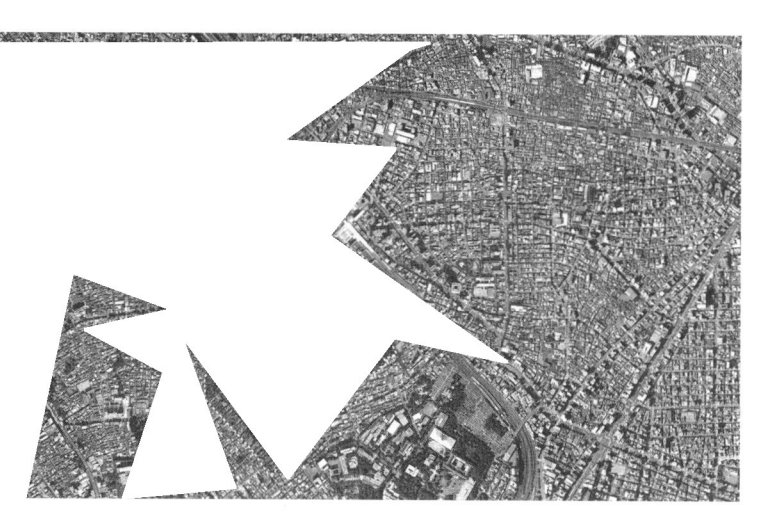

|fig.1| 谷中 *Yanaka*

素材を地域的に再利用することは、遺産の継承に寄与しうるのだろうか？

--

日本の都市の本質は、高頻度な変質を生み出していることにある。常に建設中であり、自身を再構築し再発見し続けている。この都市的混沌からは、ある種の均質性が、計画や誘導によってではなくむしろ、自生的秩序の中で組織される。こうした 日本の都市が持つ異種混合性と高頻度の変化の中に、我々は特異性による一貫した体系という質を見い出すことができる。

日本における変動の速度は、都市の現代空間に対する順応可能性を表しているのか？

--

東京の土地区画のはかない性質と住宅スケールという性質を際立たせることで、都市のエコシステムの展開という観念を仮定する。つまり、特定の場所において住人と周囲の関係によって活性化される完全なシステムである。また近所の廃材を回収することは、別個の物体によってつくられた空間で、集合と個別の間の関係に取り組むことを可能にする。それは、「継承する」ことを目的とした建築と同様、その「遺産」を現代問題につなげる可能性について問いかけている。

都市のエコシステムな観念は持続可能な都市計画の条件なのだろうか？

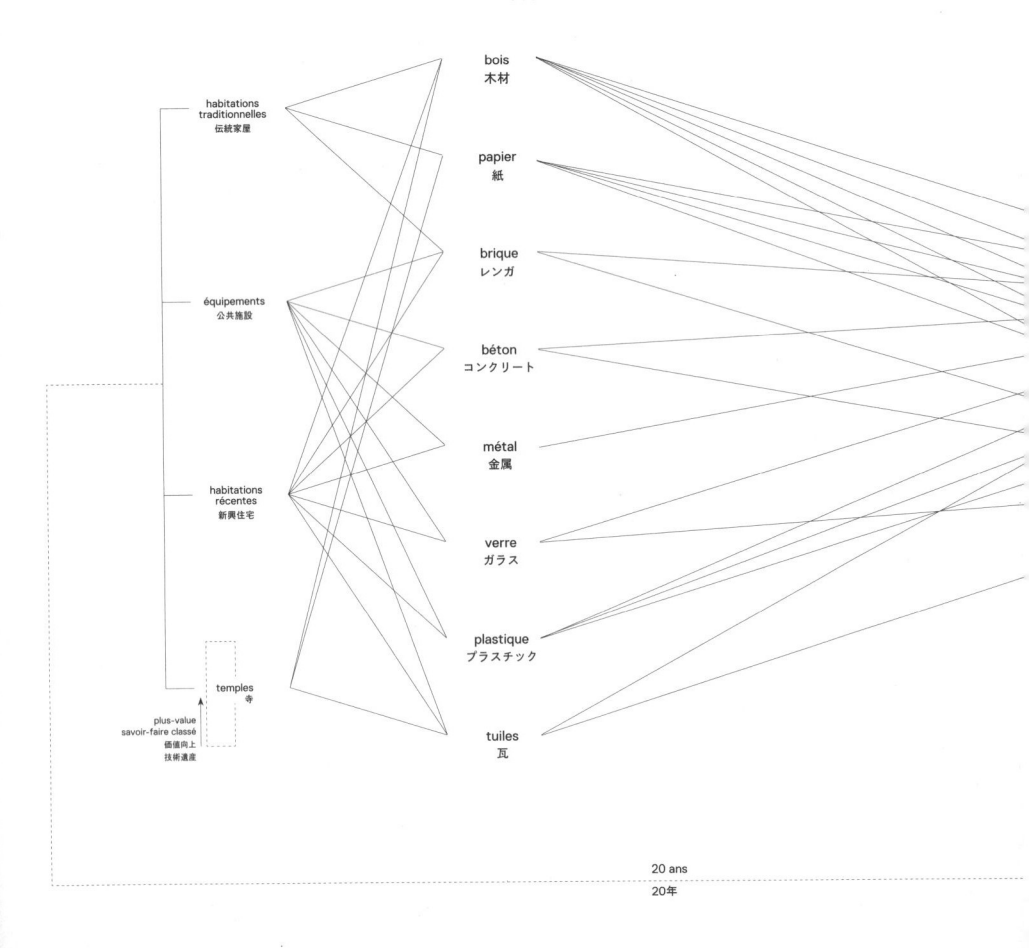

habitations traditionnelles
伝統家屋

équipements
公共施設

habitations récentes
新興住宅

temples
寺

plus-value
savoir-faire classé
価値向上
技術遺産

bois
木材

papier
紙

brique
レンガ

béton
コンクリート

métal
金属

verre
ガラス

plastique
プラスチック

tuiles
瓦

20 ans
20年

RAUM

Le ré-usage local de la matière peut-il participer à la fabrication du patrimoine ?
--

L'essence de la ville japonaise génère une haute fréquence de mutation. Toujours en chantier, elle ne cesse de se reconstruire, de se réinventer sur elle-même. De ce chaos urbain émerge une certaine homogénéité organisée selon un ordre spontané plutôt que selon un ordre planificateur et urbanistique (Kazuo Shinoara in Progressive Anarchy). Aussi, on peut voir dans la spontanéité de cette multitude et la haute fréquence de mutation les qualités d'un corps cohérent de singularités, possédant la capacité de s'adapter aux problématiques actuelles.

La vitesse des mutations urbaines au Japon est-elle une opportunité à l'adaptabilité des villes dans l'espace contemporain ?
--

Isoler le caractère éphémère et l'échelle individuelle du parcellaire Tokyoïte permet d'émettre l'hypothèse d'une pensée urbaine écosystémique, c'est-à-dire d'un système complet activé par les relations entre les habitants et le milieu dans un endroit donné.
Aussi l'action de transformer la matière à l'échelle du quartier permet d'aborder la relation un / multiple dans un espace constitué d'objets isolés, et questionne autant les conditions d'une architecture à « faire patrimoine » que sa capacité à réintégrer cet « héritage » dans une matière singulière connectée aux enjeux contemporains.

Une pensée écosystémique de la ville est-elle condition d'un urbanisme durable ?

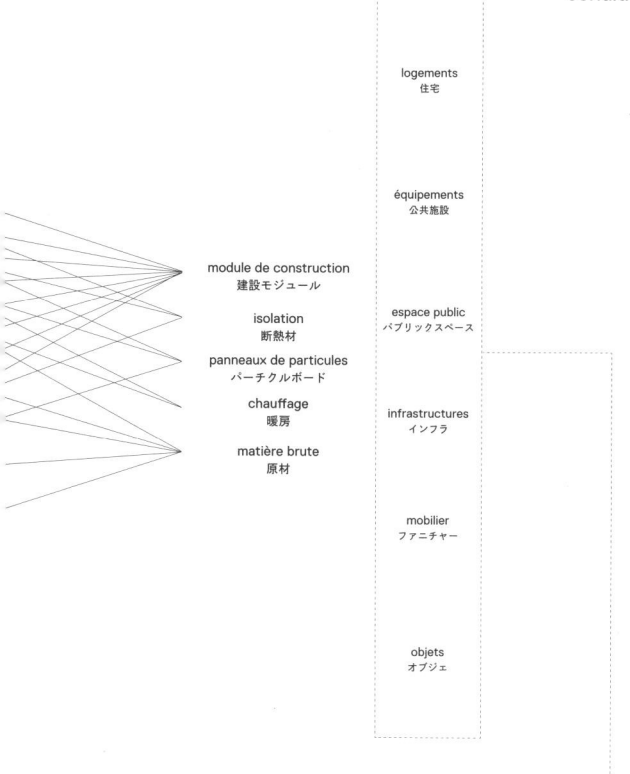

| *fig.2* | ターンオーバー *Turnover*

地区スケールのエコシステム構築モデルの機能概要
Principe de fonctionnement d'un modèle de construction écosystémique à l'échelle du quartier.

202--203

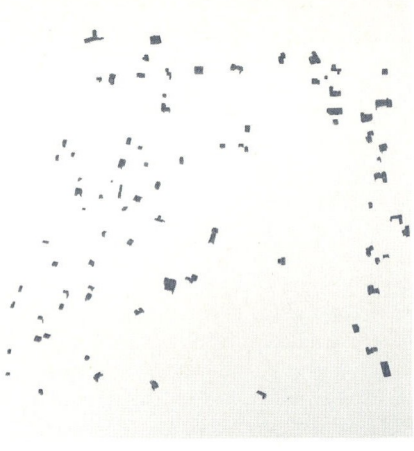

|fig.3|

|fig.4|

|fig.5|

|fig.6|

|fig.3|

谷中地区(日本、東京都台東区)の航空写真ズーム
Vue aérienne extraite du quartier Yanaka (Taito, Tokyo, Japon)

|fig.4|

谷中に適したスケールにおいて、エコシステムモデルのポテンシャルとして識別された構築物を強調。
Mise en évidence des constructions identifiées comme potentiel de ressources d'un modèle écosytémique à l'échelle de Yanaka.

|fig.5|

谷中地区(日本、東京都台東区)の航空写真ズーム
Vue aérienne extraite du quartier Yanaka (Taito, Tokyo, Japon)

|fig.6|

谷中に適したスケールにおいて、エコシステムモデルのポテンシャルとして識別された構築物を強調。
Mise en évidence des constructions identifiées comme potentiel de ressources d'un modèle écosytémique à l'échelle de Yanaka.

RAUM

東京
人口｜1,322万2,760人（2013年）
人口密度｜6,041人/km^2
面積｜2,188.67 km^2
パリ
人口｜224万3,833人（2010年）
人口密度｜2万1,289人/km^2
面積｜105.40 km^2

1923年 - 関東大震災および東京大火災
1945年 - 第二次世界大戦時の原子爆弾投下
1950年 -「文化財保護法」無形の遺産に対する法律の制定
1963年 - 東京における法律上の建物の高さ制限の撤廃
1962年 - アンドレ・マルローのよる指定保全地区に対する法律の制定（フランス）
1973年 - オイルショック
1981年 - 新耐震基準
1990年 - 東京におけるバブル崩壊
2011年 - 東日本大震災と東北地方における大津波、福島原発事故

20年 - 日本における「慣習的な」建造物の耐年数
100年以上 - フランスにおける「伝統的」建造物の耐年数
50年 - 日本における新耐震基準で定められた公共施設および建造物の平均耐年数
75年 - フランスにおける公共施設および新築の建造物の最低耐年数
東京の半数以上の建設可能敷地は100m^{2}以下
20年 - 日本における平均建て替えサイクル
20年 - 日本における大きな自然災害の平均自然サイクル
（地震、津波、台風……）

Tokyo
Population : 13 222 760 habitants (2013)
Densité : 6 041 hab./km^2
Superficie : 2 188,67 km^2
Paris
Population : 2 243 833 habitants (2010)
Densité : 21 289 hab./km^2
Superficie : 105,40 km^2

1923 - Tremblement de terre de Kanto & grand incendie de Tokyo
1945 - Bombardements de la Seconde guerre mondiale
1950 - « bunkazai hogo ho » loi sur le patrimoine immatériel
1963 - Révision de la réglementation limitant les hauteurs des constructions à Tokyo
1962 - Loi pour la définition de zones patrimoniales classées par André Malraux
1973 - Crise pétrolière
1981 - Nouvelle réglementation sismique des bâtiments
1990 - Fin de la bulle immobilière à Tokyo
2011 - Tremblement de terre & Tsunami à Tohoku / Accident nucléaire à la centrale de Fukushima

20 ans : durée de vie moyenne des constructions « traditionnelles » au Japon.
100 ans ou plus : durée de vie moyenne des constructions « traditionnelles » en France.
50 ans : durée de vie moyenne des équipements ou constructions répondant aux nouvelles réglementations sismiques au Japon.
75 ans minimum : durée de vie des équipements et nouvelles constructions en France.
Plus de la moitié des parcelles constructibles de Tokyo font moins de 100 m^2
20 ans : cycle moyen de renouvellement des constructions au Japon.
20 ans : cycle naturel moyen des catastrophes naturelles importantes (tremblements de terre, tsunamis, typhons, ...)

RAUM

Julien Perraud ｜ ジュリアン・ペロー
Benjamin Boré ｜ バンジャマン・ボレ
Thomas Durand ｜ トマ・デュラン

―――

Lauréat des AJAP 2009-2010, du Prix de la Première Œuvre 2010 et du Prix COAL art et environnement 2011, RAUM est un atelier fondé en 2007 qui propose un travail expérimental questionnant l'architecture comme condition de transformation des villes et comme outil de mise en lien du lieu et du milieu, de l'individuel et du collectif.
Fondé par Julien Perraud, Benjamin Boré et Thomas Durand et regroupant 8 architectes, l'atelier RAUM offre un outil de travail (160m² d'atelier comprenant prototypage, maquette et sérigraphie) et réalise actuellement un conservatoire de musique et de danse, plusieurs projets de logements (individuels et collectifs), ainsi qu'un cinéma et des projets de recherche expérimentaux.

--

2009〜2010年度若手建築家アルバムAJAP受賞、2010年初施工賞および2011年度COAL芸術環境賞受賞、ラウムは2007年に設立されたアトリエであり、都市の変形条件としての建築を問う、あるいは場と間、個人と集合をつなぐ道具をとしての建築を問う、実験的な手法を提案する。
ジュリアン・ペロー、バンジャマン・ボレ、トマ・デュランによって設立、8人の建築家を取りまとめ、アトリエ・ラウムは仕事道具を提供し（160m²のアトリエではプロトタイプ作成、模型作製、シルクスクリーン印刷が可能）、現在音楽舞踏学校計画と複数の(個人と集合)住宅プロジェクト、そして映画館と実験的調査のプロジェクトを実現している。

propositions | 12

都市の記憶継承装置

Dispositif de succession de mémoire de la ville

永山祐子 | Yuko Nagayama

Dispositif de succession de mémoire de la ville

Récemment dans les projets dont je m'occupe, les commandes de rénovation augmentent. Du « Kayaba café », un vieux café dans le quartier de Yanaka à Tokyo, au « Kiya ryokan » une auberge japonaise ancienne à Uwajima dans la préfecture de Ehime, jusqu'à la « Maison Toyoshima Yokoo », un musée consacré à Tadanori Yokoo sur l'île isolée de Toyoshima dans la mer intérieure. Ce à quoi je réfléchis à chaque fois porte sur la mémoire accumulée et la qualité de l'espace formé à travers le temps qui s'est écoulé. A l'inverse d'une construction qui partirait de « zéro » sur un terrain neuf, je cherche à saisir les occasions qui permettent d'offrir de nouveaux points de vue sur les lieux à partir d'une observation attentive des situations existantes. La ville existante est un continuum de mémoires variées et accumulées au fil du temps. Le côté agréable d'une ville se forme à partir de ces mémoires empilées en couches épaisses. La complexité produite par celles-ci génère ainsi un attachement à la ville. Cela me rappelle que Terunobu Fujimori parlait du « dispositif de mémoire de la ville ». L'architecture est en soit un dispositif de mémoire de la ville. De la même manière, les matériaux qui la constituent peuvent être perçus comme des « dispositifs de succession de mémoire ».

L'aspect physique et l'aspect mental du matériel

--

Dans un matériau il existe un aspect physique et un aspect mental. L'aspect physique réfère à la fonctionnalité, à la rationalité, et à la structure; à laquelle s'ajoute aujourd'hui une exigence sociale afin de réduire son impact sur l'environnement. Par ailleurs, il existe aussi un aspect mental au matériau : il contient les mémoires et les images successives de la ville à travers le temps. Ces mémoires et ces images sont en voie de disparition

最近、私が手がける仕事でリノベーションの物件が増えてきている。東京谷中の古い喫茶店「カヤバ珈琲」からはじまり、愛媛県宇和島の老舗旅館である「木屋旅館」、瀬戸内海の離島、豊島の横尾忠則氏の美術館「豊島横尾館」と続いている。そこでいつも考えるのが既にそこに集積されている記憶、流れてきた時間によって形成されてきた空間の質である。まっさらな場所で一からつくり上げるのとは違って、既にそこにある状態を注意深く観察し、そこに新しい視点を与えるようなきっかけをつくりたいと考えている。都市も時間と共に積み上げられてきた様々な記憶によって現在に続いている。都市の心地よさはこの重層的に積み上がった記憶によってつくられている。その重層的な記憶が作り出す複雑さによって人はその街に愛着を感じる。藤森照信氏が建築は"都市の記憶装置"と言っていたのを思い出す。建築はすでにその存在が都市の大きな記憶装置となっている。建築を構成している各マテリアルもまた、"記憶の継承装置"と言える。

マテリアルのphysicalな面とmentalな面

--

マテリアルにはphysicalな側面とmentalな側面が存在している。physicalな側面は物理的な機能性、合理性、構造であり、現在では環境負荷の低減のための配慮がマテリアルに対するphysicalな社会的要求としてある。一方でマテリアルが内包する時間的な流れの中に積み上げられた都市の記憶やイメージの継承というmentalな側面がある。この記憶、イメージは昨今の都市のグローバル化にともなって失われつつある。都市はphysicalにもmentalにも満たされている状態が望ましい。都市は時間とマテリアルが作り出す質量を持ったイメージの集合体といえないだろうか。

Yuko Nagayama

avec l'impact de la mondialisation. Il est pourtant préférable que la ville continue à considérer ces deux aspects. Ne serait-il pas possible de considérer la ville comme un rassemblement d'images issues du temps condensées dans les matériaux ?

Dispositif de succession de mémoire

--

Utiliser des déchets de constructions produits par la ville de Tokyo, construire des petites boîtes recouvertes de ces matières diverses, extraire de la ville seulement les matériaux pour en composer un volume abstrait, ne pourrait-il pas déjà créer des occasions de rappeler à la mémoire des images urbaines ? Le spectacle créé à partir du rassemblement de ces boîtes peut être perçu comme un paysage urbain abstrait.

Ces boîtes que je propose peuvent être utilisées comme mobilier urbain dans toute la ville. Constituées de fragments de la « mémoire » Tokyoïte, mon intention est de les disposer dans Paris afin d'y transposer l'image de Tokyo. Je serais curieuse de savoir quelles impressions en auront les gens, à quelles mémoires vont-ils les rattacher et comment les images des deux villes vont se présenter à partir des matériaux étrangers apparus soudainement dans la ville de Paris.

記憶の継承装置

--

東京の都市から出る建築廃材等を使い、様々なマテリアルに覆われた小さなボックスをつくる。都市の中からマテリアルだけを抽出し、抽象化されたボリュームとなっただけでも、都市的な記憶、イメージを想起させるきっかけとなるのではないか。ボックスが寄せ集まった姿は都市の風景を抽象化したものに見えてくる。このボックスは街中のストリートファニチャーとして使われる。今回東京の"記憶"の断片であるマテリアルによってつくられたボックスをパリの市内に置き、東京のイメージを移植してみたいと思っている。パリの町中に唐突に現れた見慣れないマテリアルにパリの人々がどのような印象をもち、自身のどのような記憶と結びつけるのか、両都市のイメージがどのようなかたちで見えてくるのかに興味がある。

| fig.1 | リサイクル施設のタイル廃材置き場にて素材を採取をした。
Echantillons de matériaux récupérés dans une décharge de carrelage.

| *fig.2* | 都市の記憶継承装置
Dispositifs pour prolonger la mémoire de la ville

街中から抽出された様々な素材が貼られたボックス……東京の街角においてみる。
それぞれに違った都市の記憶が見えてくる。これがパリの街角におかれた時、日常の風景にどんな変化がおこるのか見てみたい。

Boîtes habillées de textures variées extraites de la ville Tokyo…Dans le paysage d'origine, chaque boîte raconte une histoire différente de la ville. Alors quand elles se posent dans une rue à Paris, quel effet vont-elles nous faire…?

Yuko Nagayama

La ville d'à présent

--

Quand on réfléchit à la ville, il est important de ne pas la considérer comme une feuille vierge. Il me semble que le sujet dorénavant doit être de penser dans chaque lieu à la succession et au renouvellement de l'ambiance et des mémoires entassées d'une ville spécifique. Le matériau étant l'un élément principal qui incarne l'image d'une ville en faisant appel directement à la sensibilité d'une personne. Si l'on regarde les villes mondialisées sous un certain angle, toutes pourraient nous paraître quasiment semblables. Cependant on peut trouver des façons de les mettre à jour tout en héritant des ambiances liées aux souvenirs des lieux; pour cela il faut utiliser la mémoire sédimentée dans les matériaux afin que les souvenirs transparaissent dans les nouvelles architectures. A partir de cette succession de mémoires, nous pourrons ressentir un attachement et avoir un lien mental avec la ville qui se renouvelle chaque jour.

これからの都市

--

これらからの都市を考えるうえで、重要なのはまっさらな紙に新しい線を引く事ではない。グローバル化した都市はある一面から見ると、どの都市を見てもほとんど同じような印象を持ってしまう。その場所それぞれの都市の風土、積み上げてきた記憶をどう継承しながら更新していくかはこれからの課題であると思う。人の心理に直接訴えかけてくる都市の主要なイメージ要素であるマテリアル。特にマテリアルが持つ時間軸の中で内包されていく記憶、イメージをどう新しい建築に活かしていけるかは考えていく必要がある。その記憶の継承によって日々更新される都市に対して私たちは愛着を感じ、精神的なつながりを持ち続ける事ができる。

Enquête à Paris

--

1. La ZAC de Masséna

Durant le workshop à Paris, nous avons non seulement visité des lieux « typiques parisiens » aux rues pavées et aux immeubles en pierre, mais aussi des ZAC (zone d'aménagement concerté ndlr), des lieux en redéveloppement urbain. Les paysages de ces endroits, constitués de nouveaux lotissements, sont similaires à ceux que l'on peut voir dans les banlieues tokyoïtes. La première ZAC visitée, le quartier Masséna, nous a marqué par son manque de lien avec le contexte alentour : les constructions toutes neuves entretiennent peu de relation avec leur environnement. A la différence de lieux construits par la superposition des mémoires générées par l'addition des temps, la ville construite en peu de temps apparaît comme un lieu en manque de mémoires et qui ne relèverait que du seul aspect physique du matériel.

パリでのサーベイ

--

1. ZAC Massena

今回のパリでのサーベイでは旧来のパリのイメージである石畳と石造建築が立ち並ぶ旧市街だけではなく、パリの都市再開発地であるZAC (Zone d'Aménagement Concerté 協議整備地域) 計画の場所も訪れた。そこにあった風景は東京の郊外でも見られる新興住宅地の風景。ZACの初期の開発地区Massena地区ではパリの文脈とは無関係なただ新しいだけの町がつくられてしまったことで地域の人々と町に精神的なつながりが断たれた街並みになっていた。時間の蓄積によって記憶を積み重ねてきてきた場所とは違い、短い期間でつくられた街は、記憶の欠如した物質的なマテリアルの集積でできた場所に見える。

| fig.2 | ZAC Massena
La ZAC de Masséna

Yuko Nagayama

2. Le quartier du Plateau
« TRANS305 » est un projet qui stimule la mémoire des habitants et qui leur permet de partager l'histoire du quartier. Les expérimentations faites par l'atelier tendent à faire que les matériaux racontent la « mémoire des lieux » dans un nouveau quartier en construction afin que les nouveaux habitants puissent ressentir et partager son histoire avec le voisinage. Le recyclage des déchets des bâtiments ne répond donc pas uniquement à une problématique écologique mais aussi à une volonté de maintenir la mémoire et l'identité des lieux.
Par exemple, dans ce cadre, RAUM a créé un mobilier public en béton concassé mélangeant les matériaux récupérés après les démolitions liées au projet; ce mobilier garde toujours des textures du lieu et du temps passé. La réalisation de cet essai sur le site du chantier avec les anciens et nouveaux habitants propose un moment de partage.

2. Plateau 地区
"TRANS305" という人々の記憶を刺激し、時間を共有できるような取り組みが行なわれている。計画地に以前建っていた建物の廃材や石灰の採掘跡を利用する事で、新しくつくられるものに、もともとそこにあった時間や記憶を取り入れる試みである。
ここでのマテリアルの役割は人々の記憶にうったえかける"記憶の継承装置"となっていた。この取り組みによって新しく造られる街に対し地域の人々が愛着を持てるようになる。廃材利用には環境負荷の軽減という効果もあるが、それと同時に人々の記憶とイメージを刺激する心理的効果を持つ。
例えば、アトリエRAUMの取り組みでは再開発によって取り壊された建物などから得られた廃材を粉砕したものを混ぜ込んだコンクリートを用いて記憶や時間を継承することのできるパブリックファニチャーがつくられていた。工事現場で行われるこの取り組みは周辺に住まう人々と新しい街がつくられていく時間を共有するきっかけとなっている。

fig. 4 Plateau 地区
Le quartier du Plateau

fig. 5 TRANS305

Yuko Nagayama

Yuko Nagayama | 永山祐子

1975年東京都生まれ。1998年昭和女子大学生活美学科卒業。1998〜2002年青木淳建築計画事務所。2002年永山祐子建築設計設立。主な受賞に、2006年AR AWARD 優秀賞、2012年ARCHITECTURAL RECORD DESIGN AWARDなど。木屋旅館のカフェ（宇和島、2012）、インテリアの改装"Sisii"（神戸、2011）など、記憶や感情を引き起こす建築の可能性に注目し場所の記憶に重きをおいた様々な手法を試みている。

--

Née en 1975 à Tokyo, architecte diplômée de Showa Women's University, Yuko Nagayama crée son agence à Tokyo en 2002 après avoir travaillé chez Jun Aoki & Associates. Lauréate de prix prestigieux tels que l'AR Award (UK, 2006), Architectural Record Award, Yuko Nagayama est forte d'une grande variété de projet et de nombreuses commandes. Dans ses travaux, elle s'intéresse plus particulièrement à la capacité de l'architecture à engendrer du souvenir, de l'émotion. Du café Kiya Ryokan (Uwajima, 2012) à l'aménagement intérieur dit « Sisii » à Kobe en 2011, la genèse des travaux de Yuko Nagayama consiste à explorer différentes manières de mettre en valeur la mémoire des lieux.

KA – Dates clés
KAの変遷

2010 ǀ Juin 6月
Début du projet Kenchiku Architecture par
Shinichi Kawakatsu et Benjamin Aubry
バンジャマン・オーブリと川勝真一によりプロジェクト始動

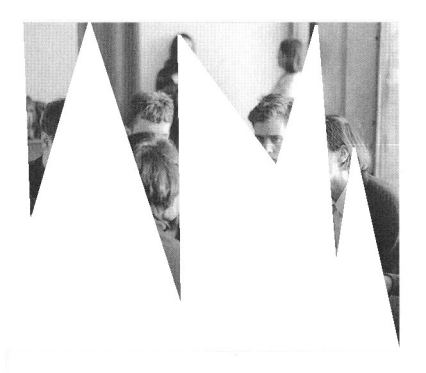

2011 ǀ Juin-Août 6月-9月
Interviews des douze architectes participants
12組の参加建築家へインタビュー

2011 ǀ Octobre 10月
Kenchiku Architecture 2011-
Avec Cédric Libert, conseiller scientifique
Ecole Spéciale d'Architecture, Paris
Du 19 au 21/10/2011
–
Première rencontre des douze architectes français
et japonais. Exposition des travaux des architectes.
KENCHIKU ARCHITECTURE 2011 開催。
パリ、建築特別大学にて10月19日から21日まで。

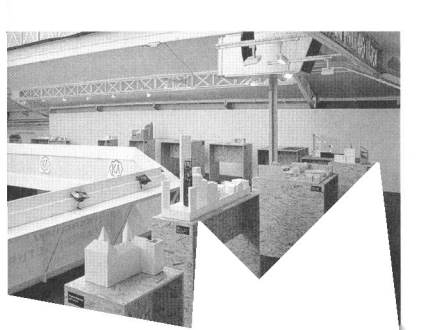

2013 ║ Mai 5月

Workshops à Tokyo, Université de Meiji
Du 01 au 04 mai 2013
5月1日から4日まで明治大学にてワークショップ開催

Workshops à Paris, Pavillon de l'Arsenal
Du 16 au 18 mai 2013
5月16日から18日までパヴィヨン・ド・ラーセナル にてワークショップ開催

2013 ║ Septembre-novembre 9月-11月

Exposition Paris Tokyo, Kenchiku Architecture
Pavillon de l'Arsenal, Paris
Du 19 septembre au 10 novembre 2013
–
9月19日より11月10日までパリ、パヴィヨン・ド・ラーセナルにて 「PARIS TOKYO, Kenchiku Architecture」展を開催。

PARIS ↓ TOKYO

2014 ║ Novembre 11月

Paris Tokyo, Kenchiku Architecture
Axis Gallery, Tokyo
Du 14 au 26 novembre 2014
–
11月14日より11月26日まで東京、 アクシスギャラリーにて「PARIS TOKYO, Kenchiku Architecture」展を開催。

KA – Date clés

La dynamique des limites | Thomas Raynaud [BuildingBuilding]

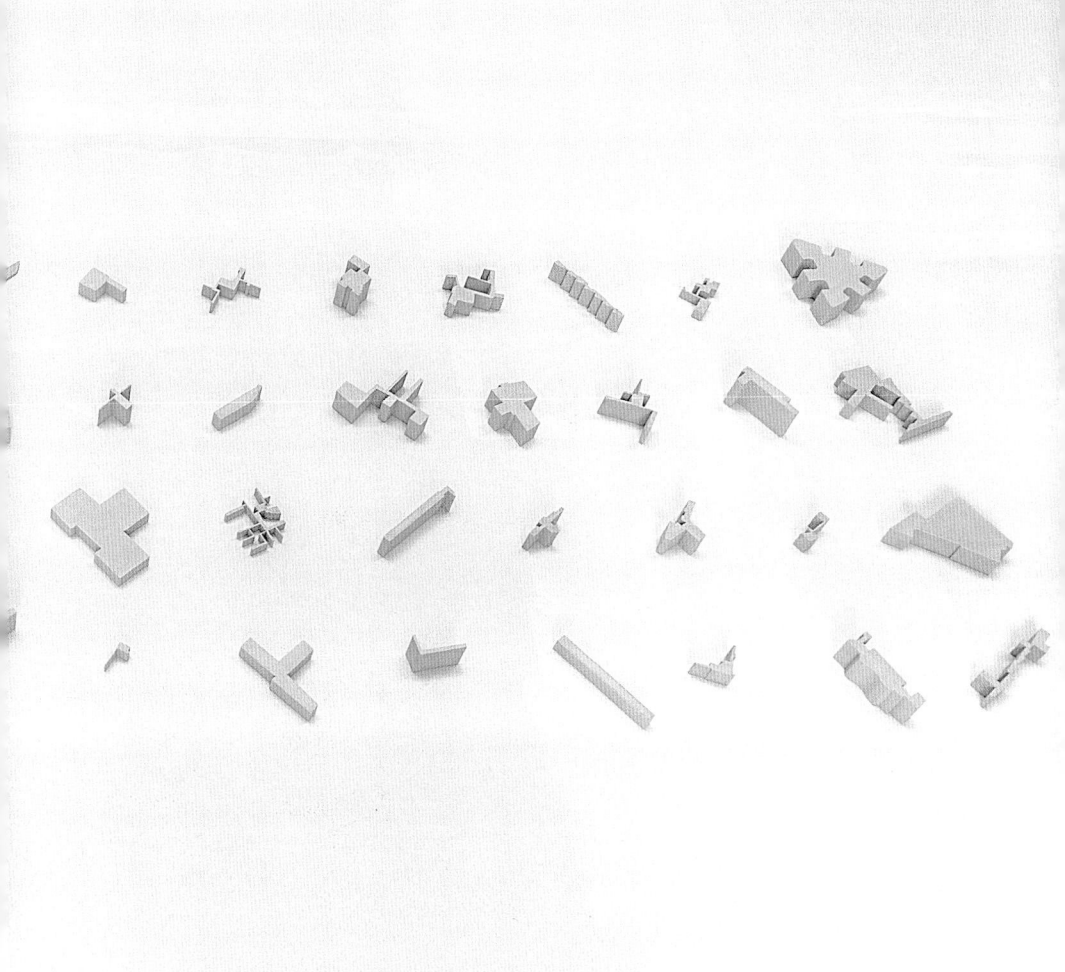

KIME de la ville | TNA

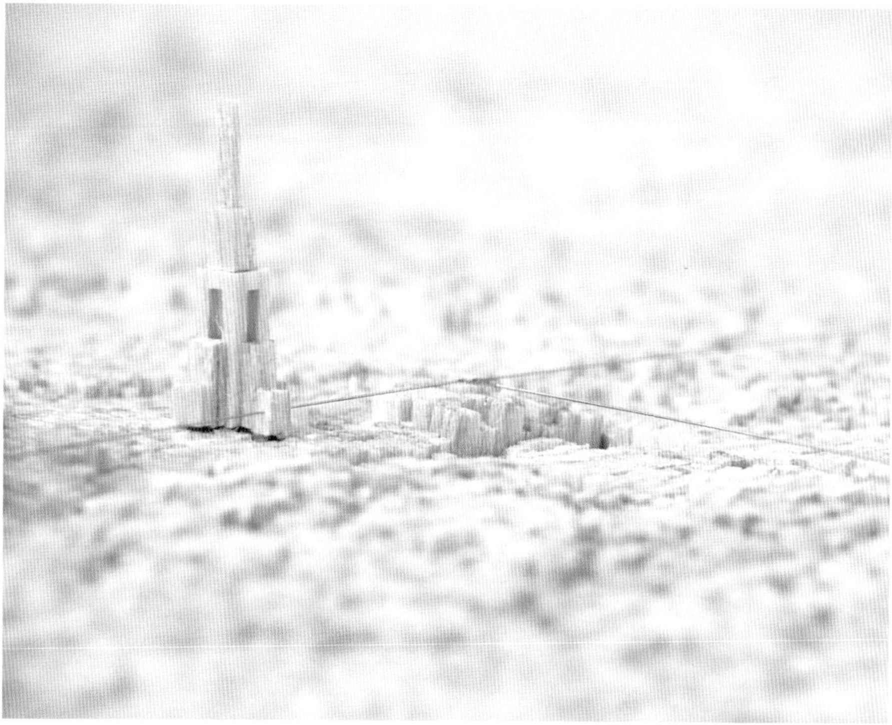

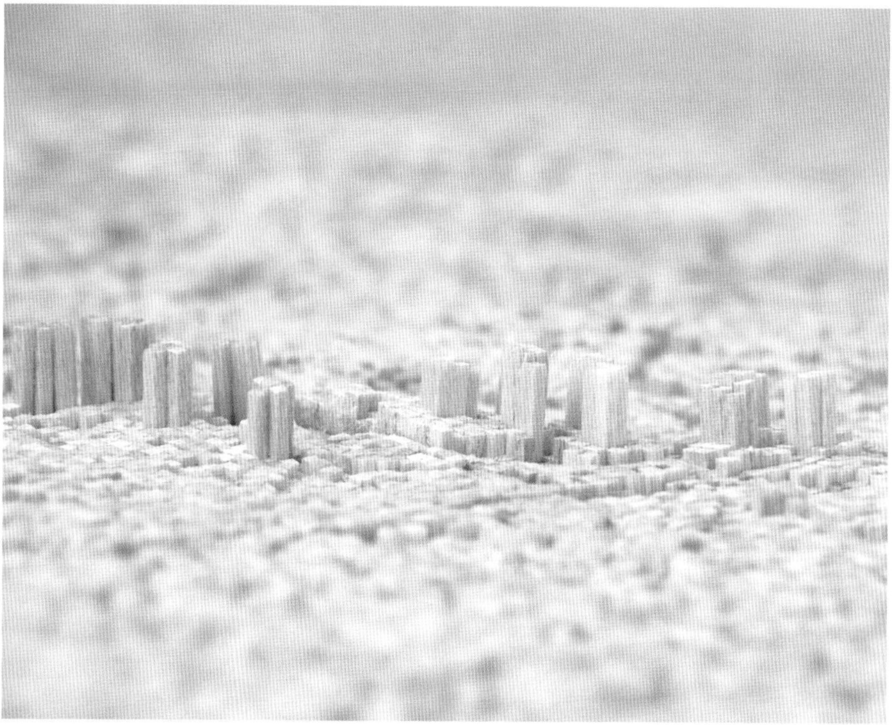

Ambigües frontières | Est-ce ainsi

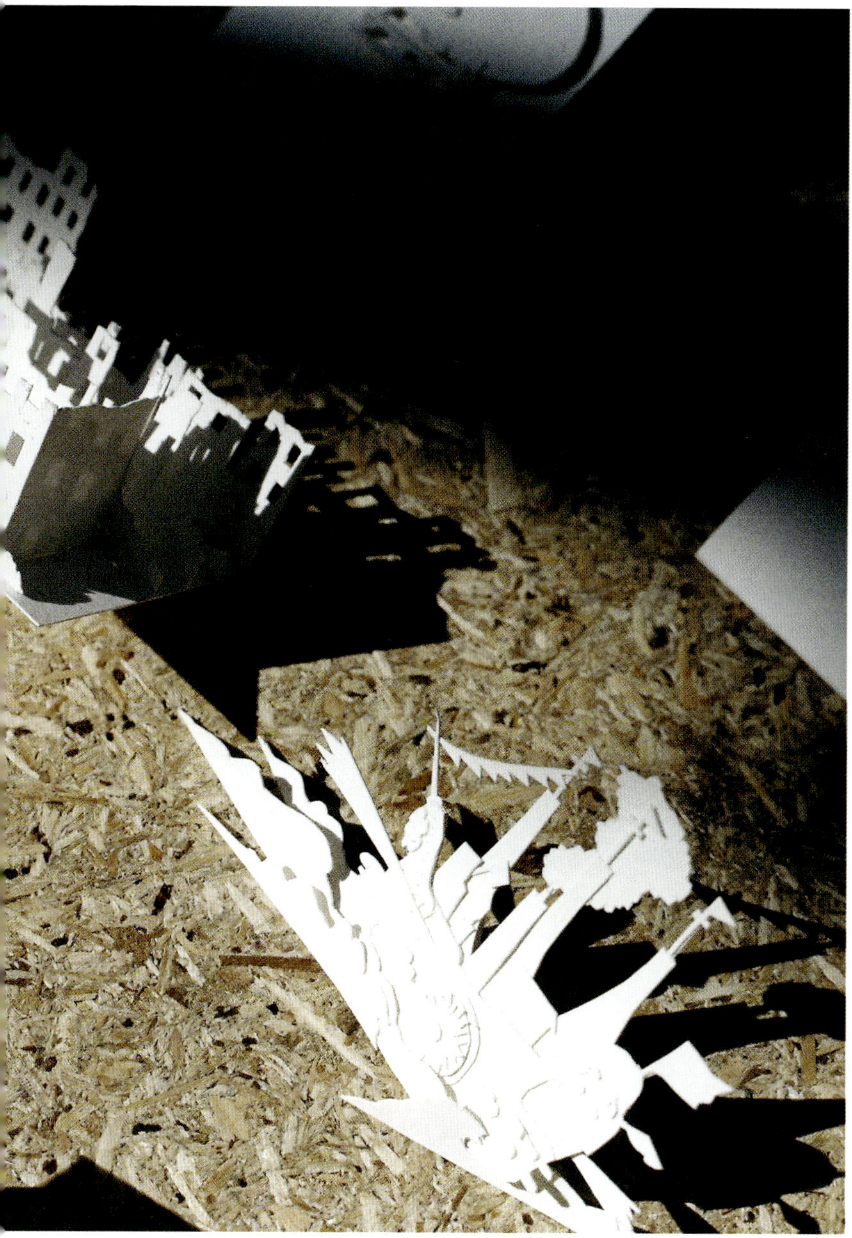

Relation sans relation | Jo Nagasaka [Schemata]

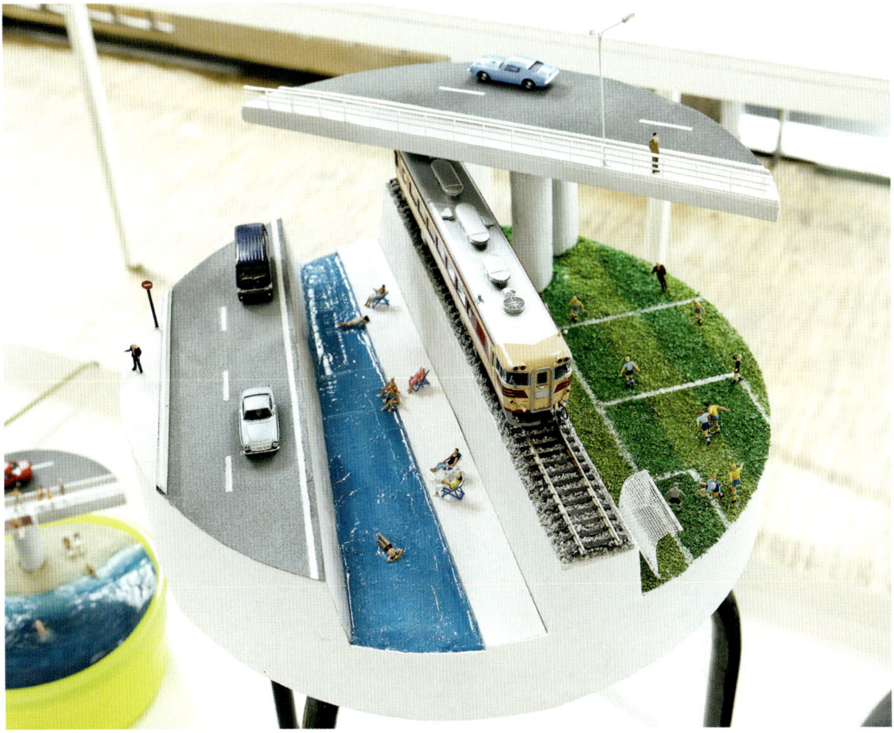

Relation sans relation | Jo Nagasaka [Schemata]

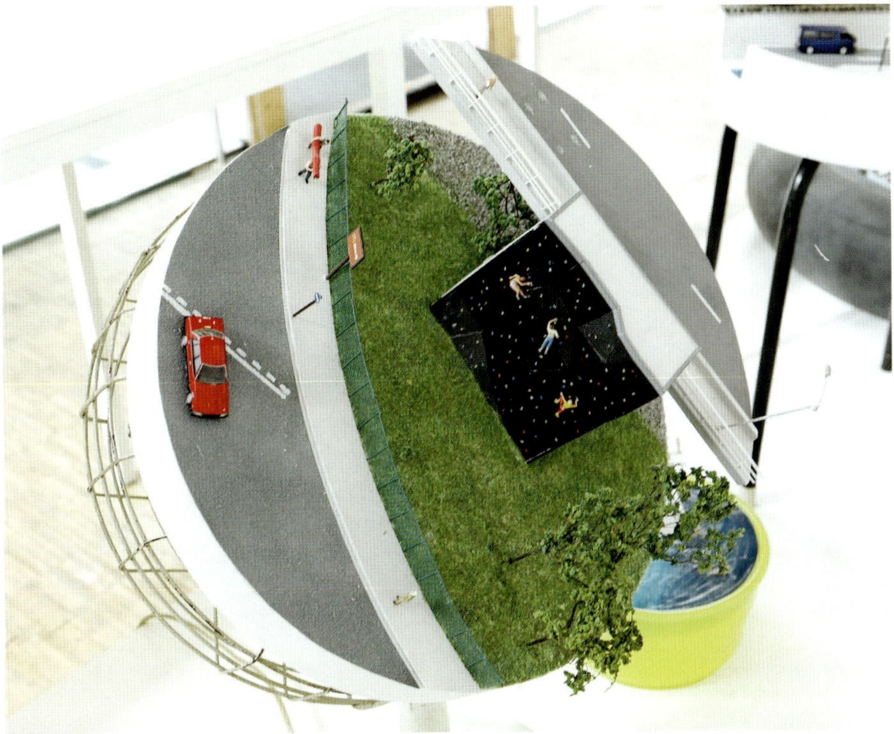

Lieux communs | NP2F

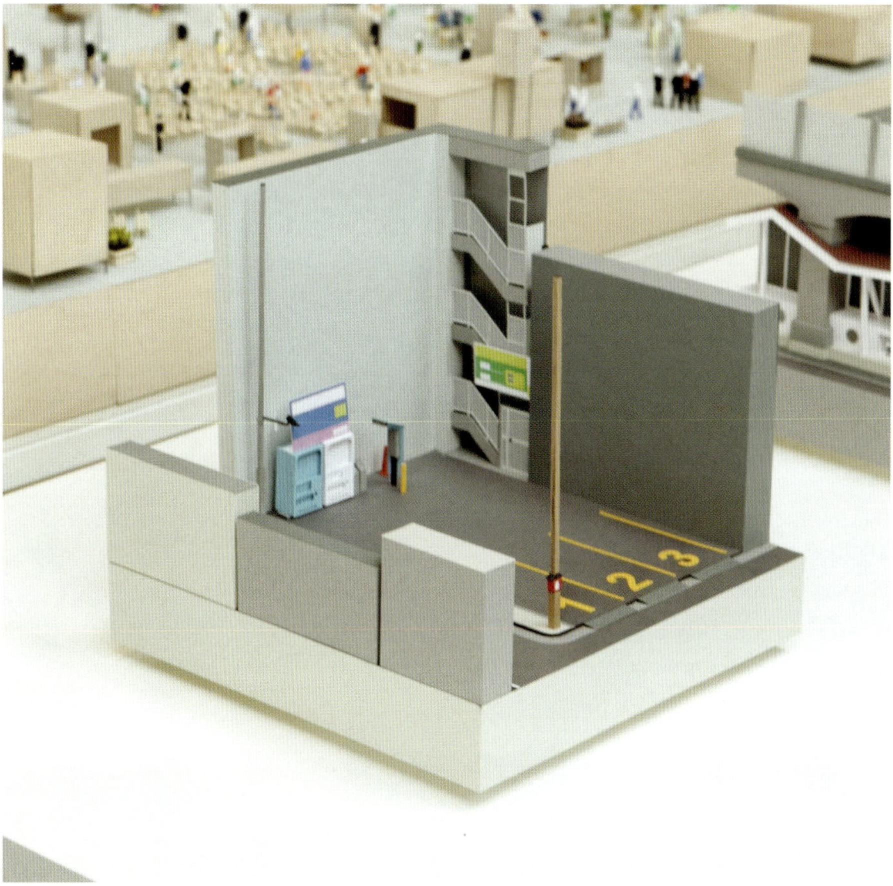
1
2
3

Ville invisible | ONDESIGN

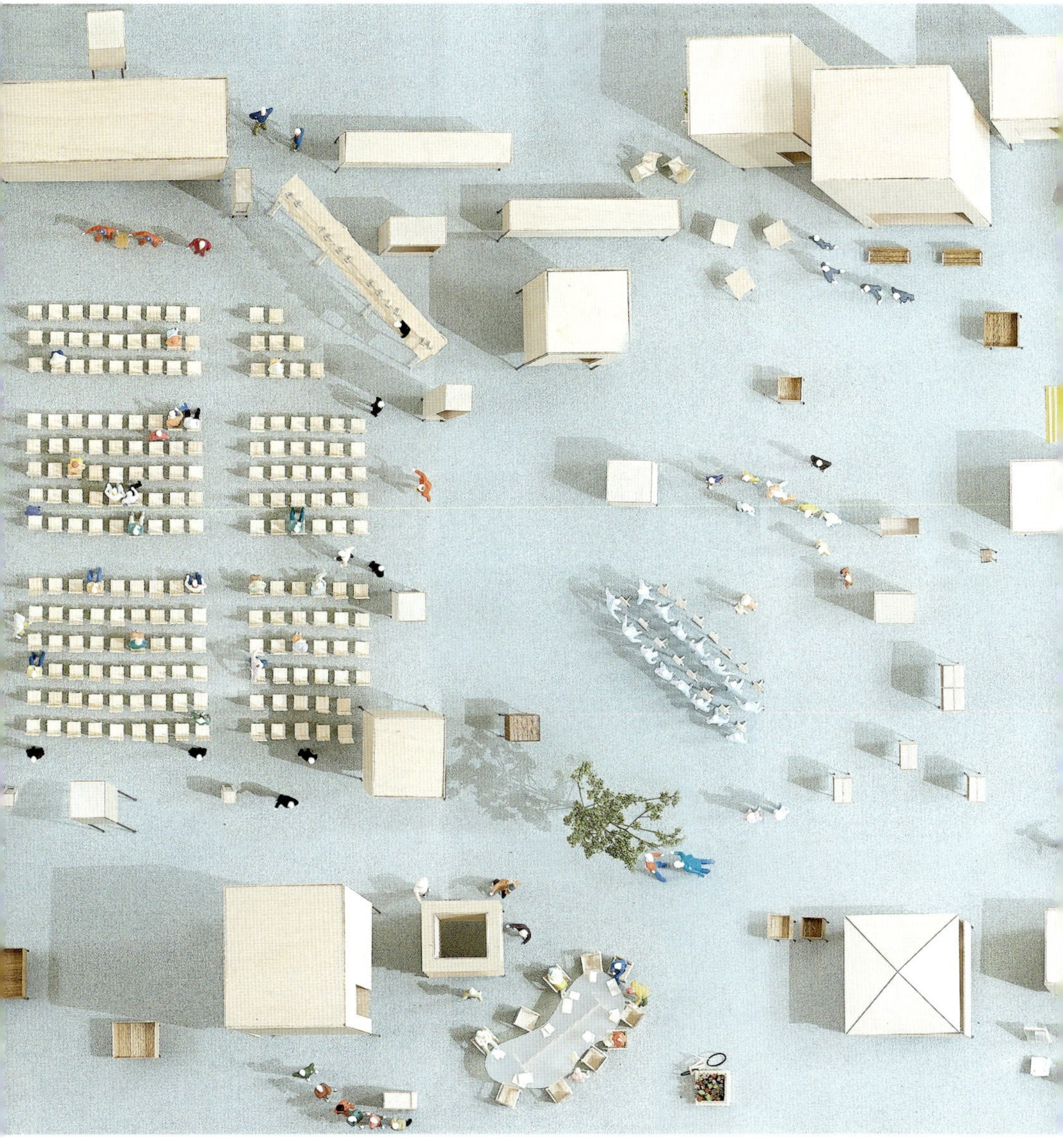

Ville invisible | ONDESIGN

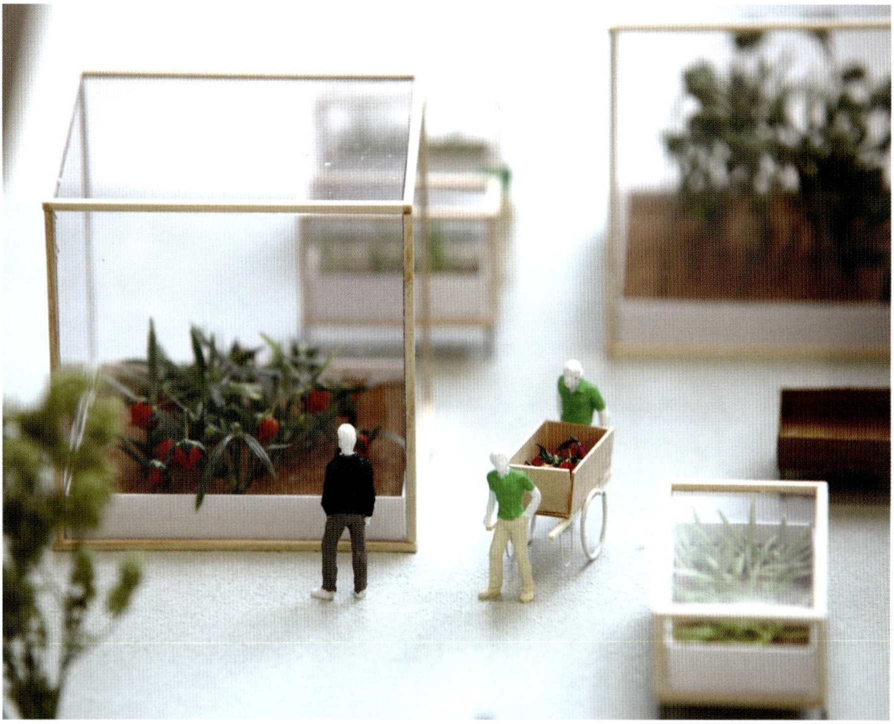

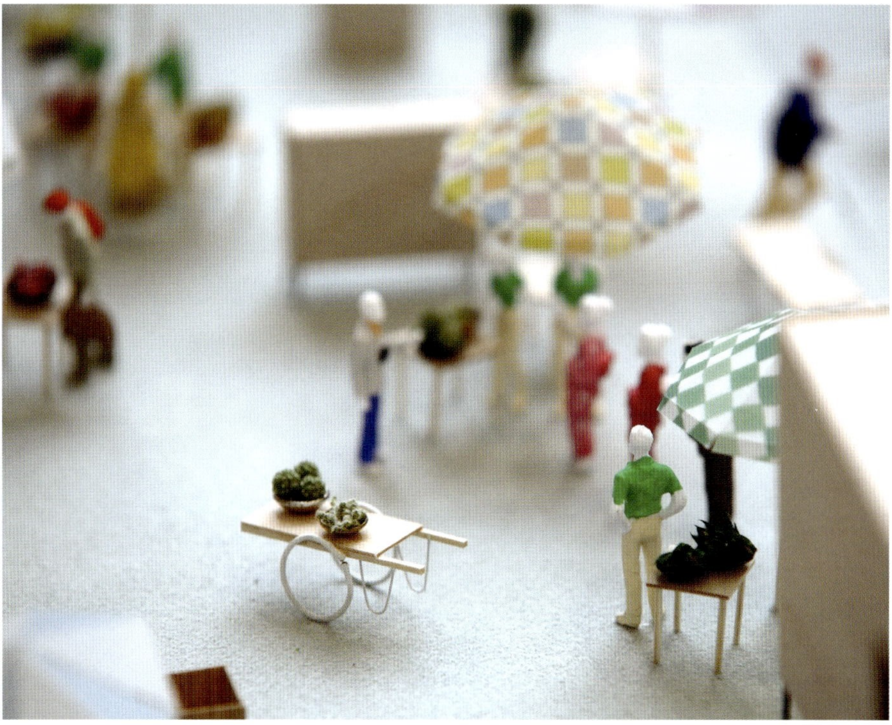

City Demolition Industry | RAUM

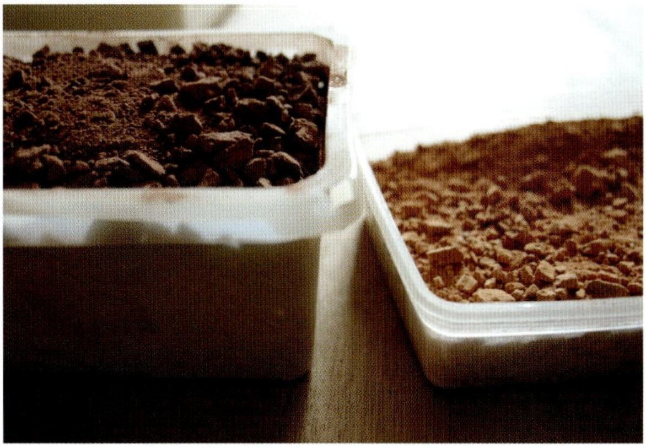

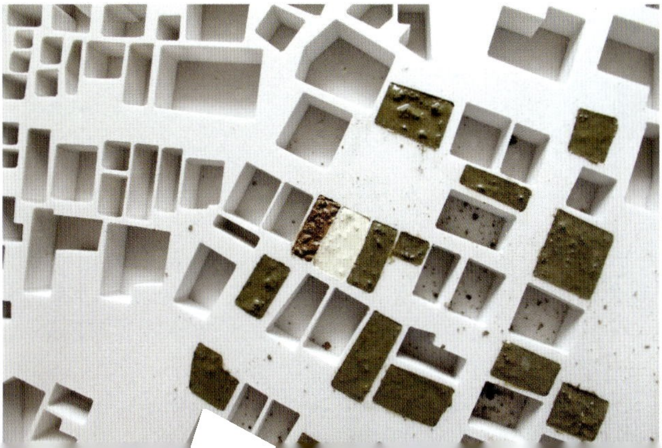

Dispositif de succession de mémoire de la ville | Yuko Nagayama

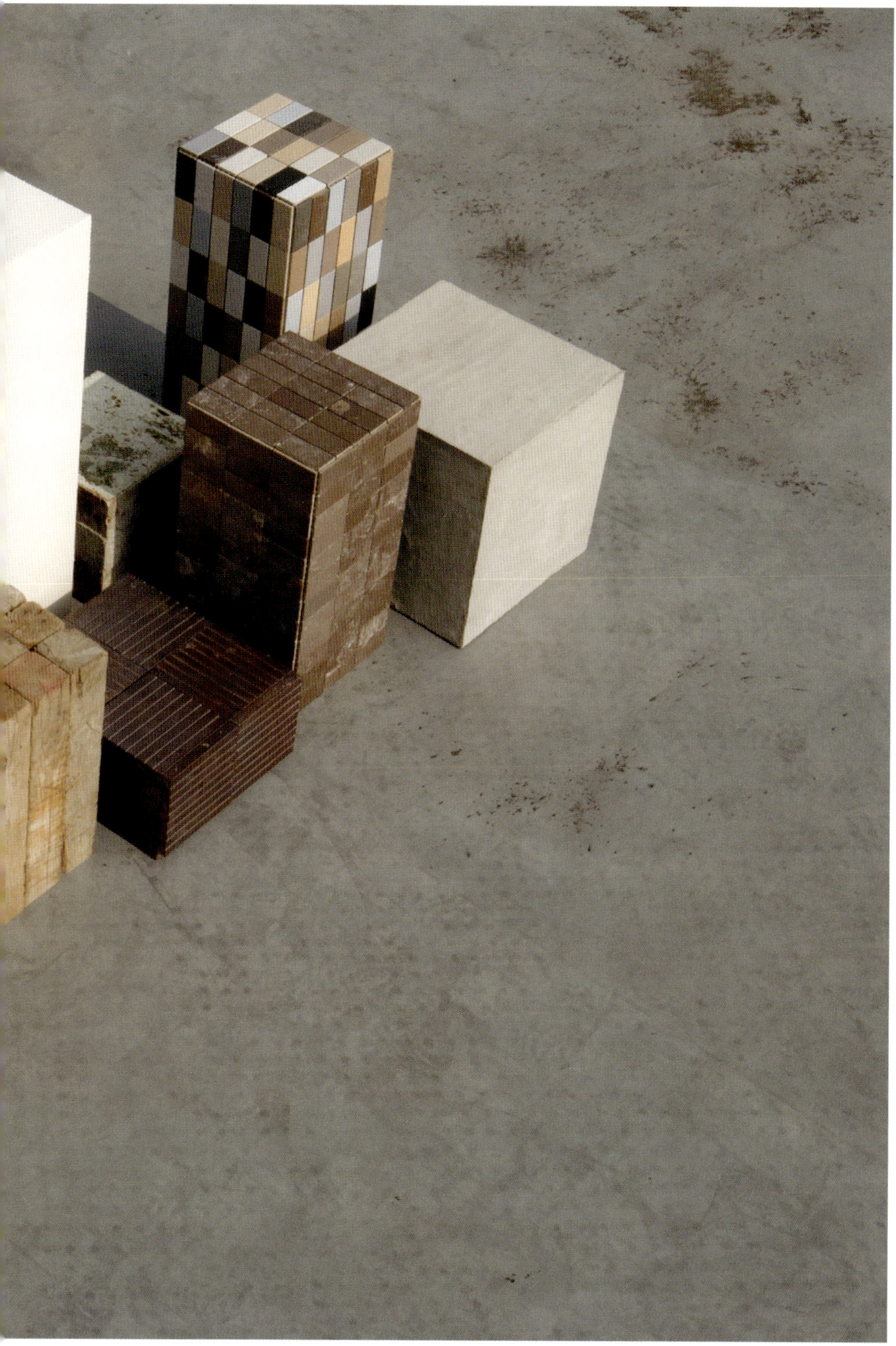

Dispositif de succession de mémoire de la ville | Yuko Nagayama

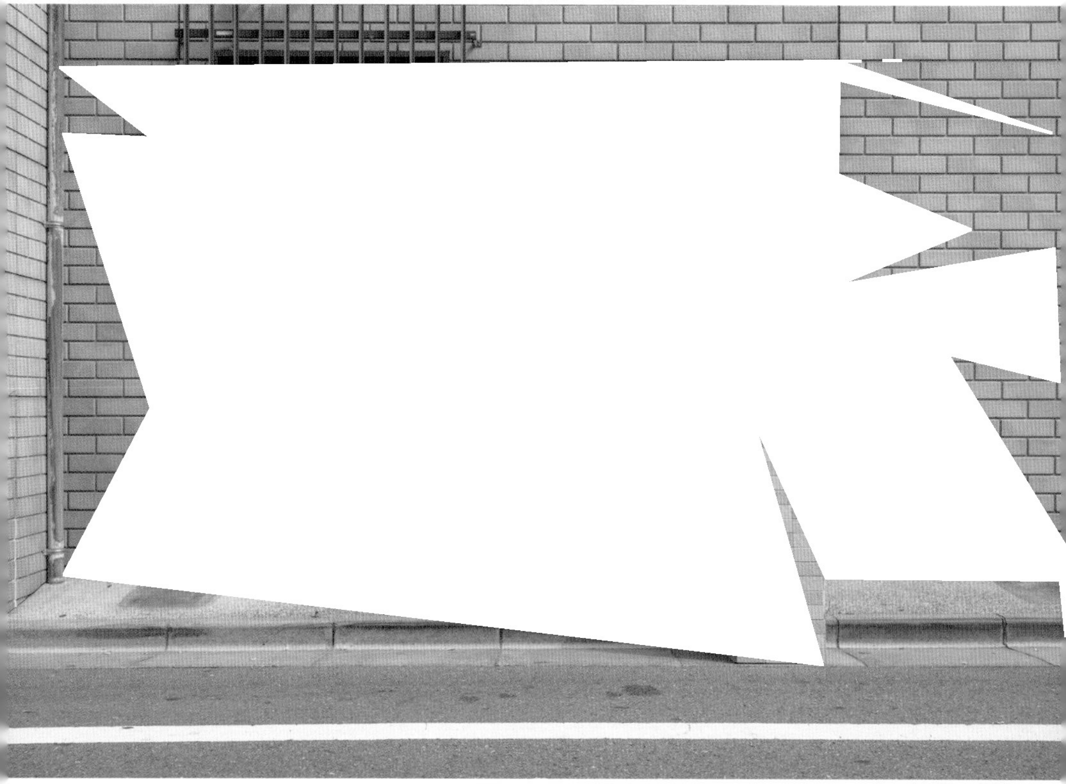

Spécificité ouverte | GRAU

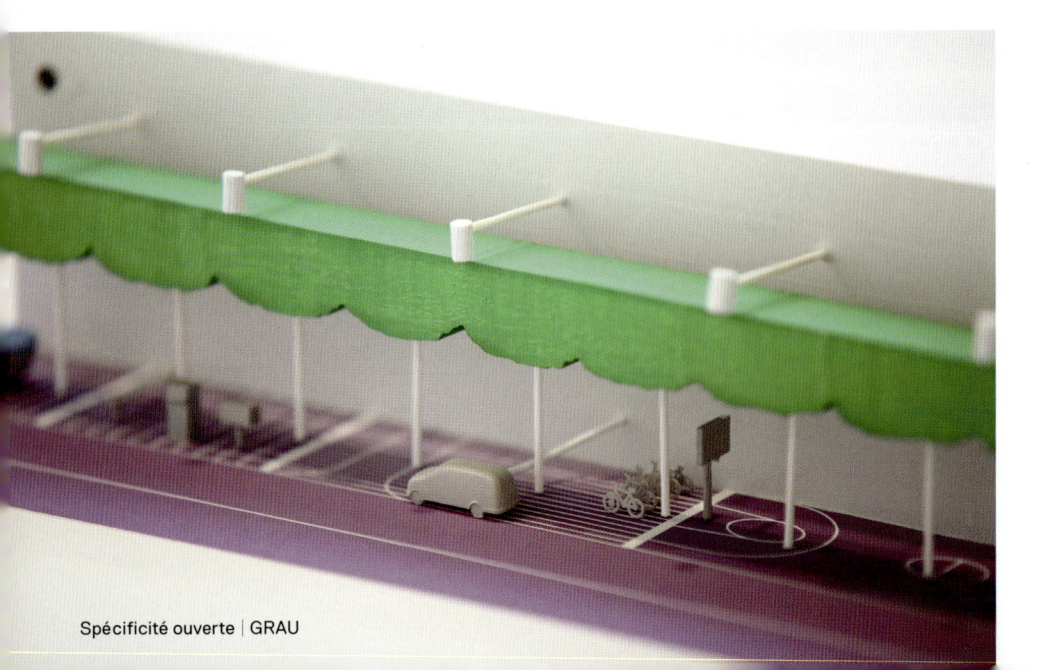

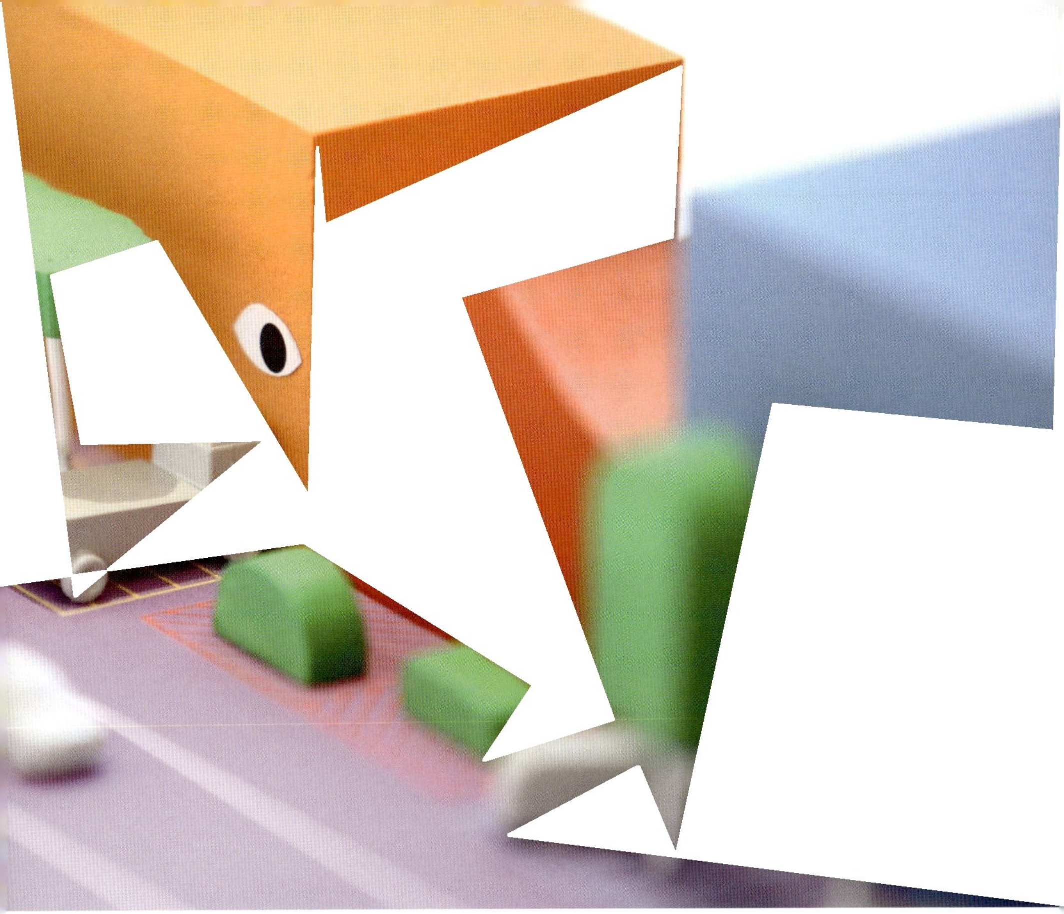

HAUSSMANNISATION 2.0 | Yasutaka Yoshimura

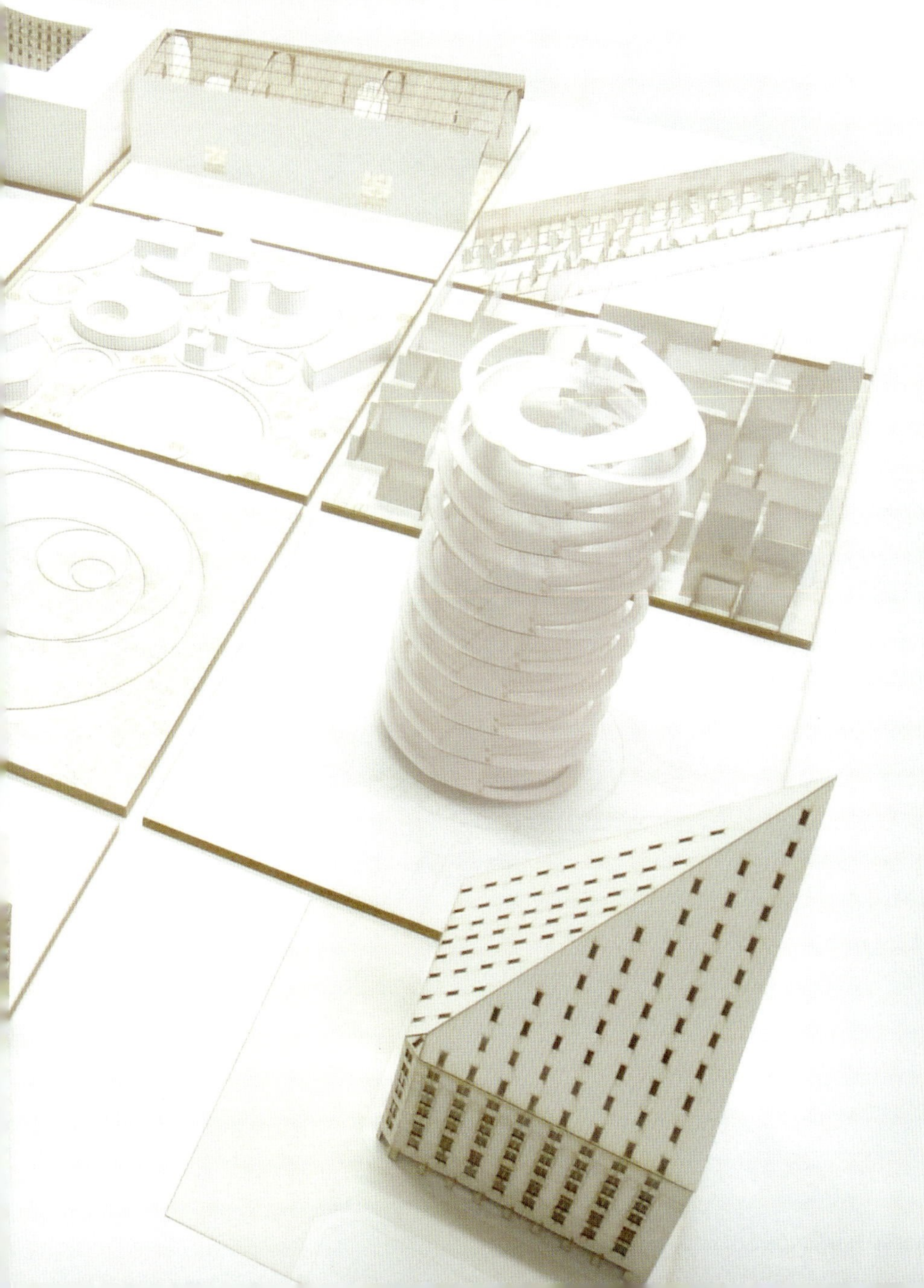

HAUSSMANNISATION 2.0 | Yasutaka Yoshimura

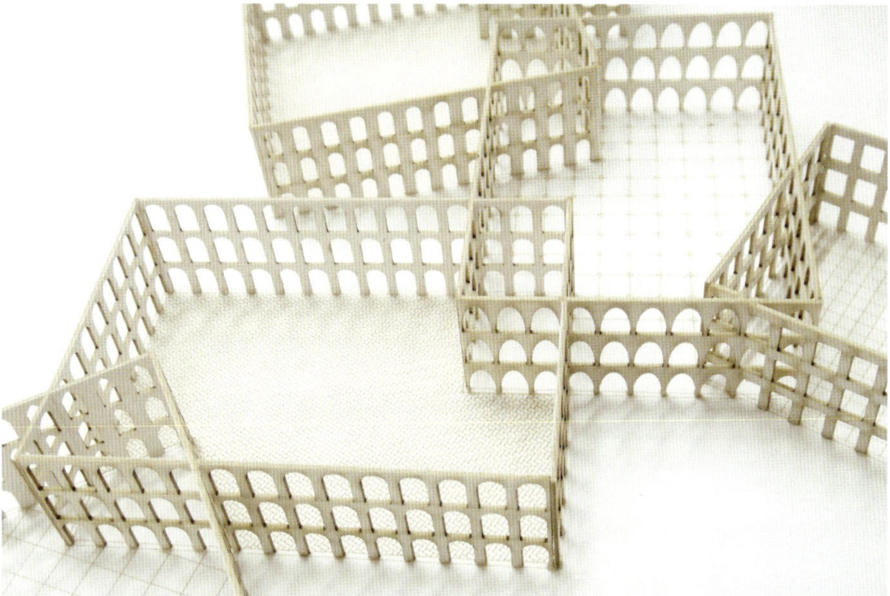

Linéaments | **La Ville Rayée** (David Apheceix, Benjamin Lafore, Sébastien Martinez Barat)

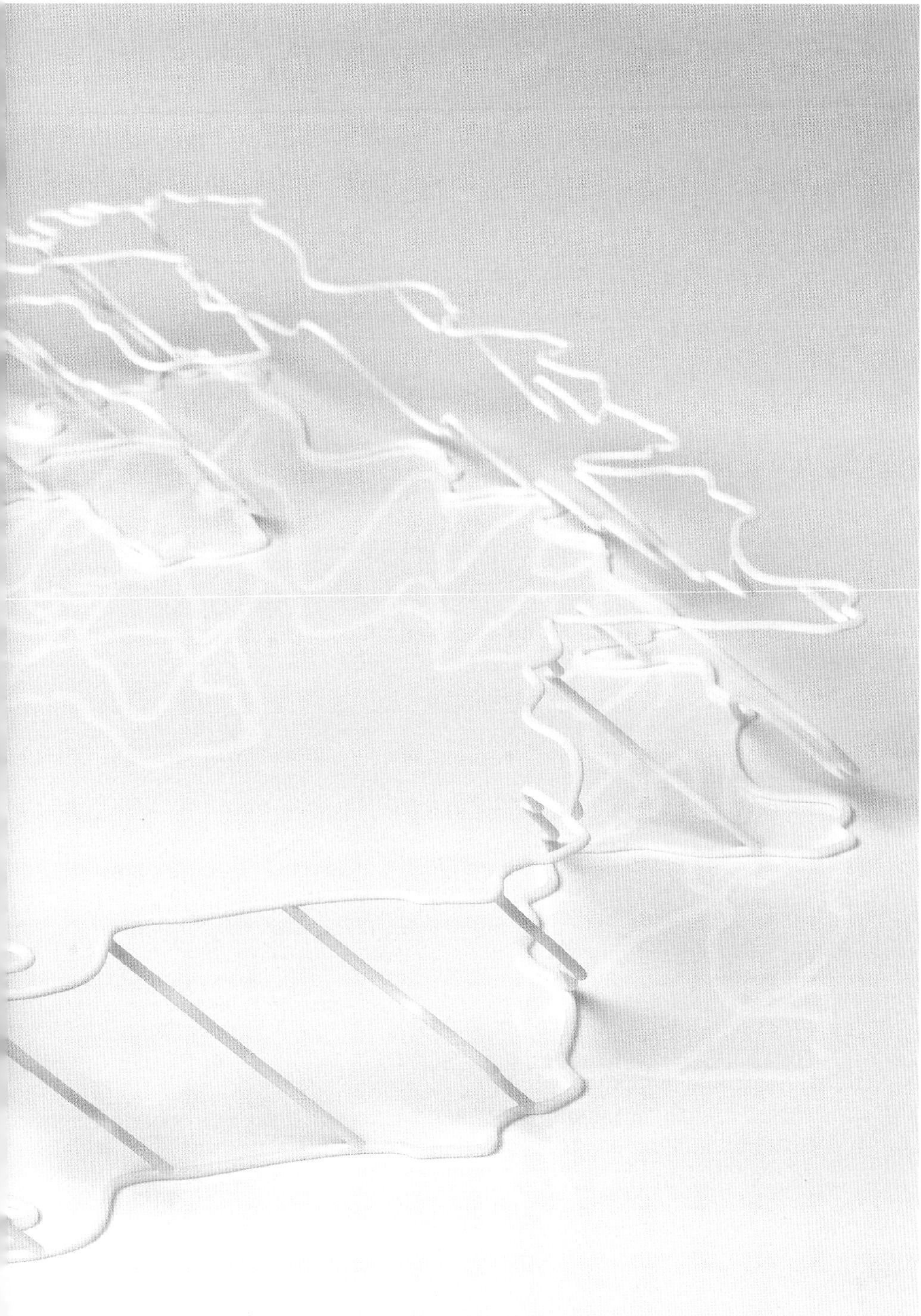

Linéaments | La Ville Rayée (David Apheceix, Benjamin Lafore, Sébastien Martinez Barat)

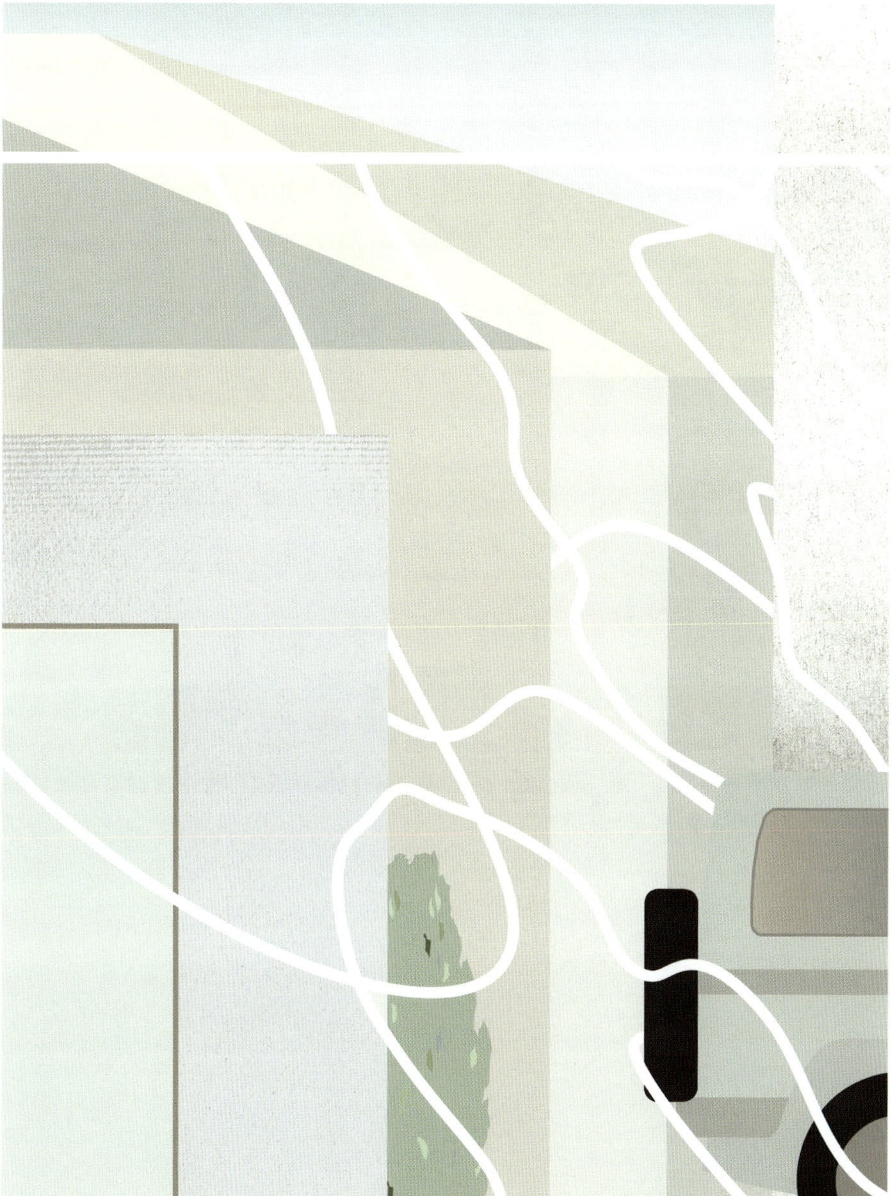

Format et règle du jeu | Ryuji Nakamura

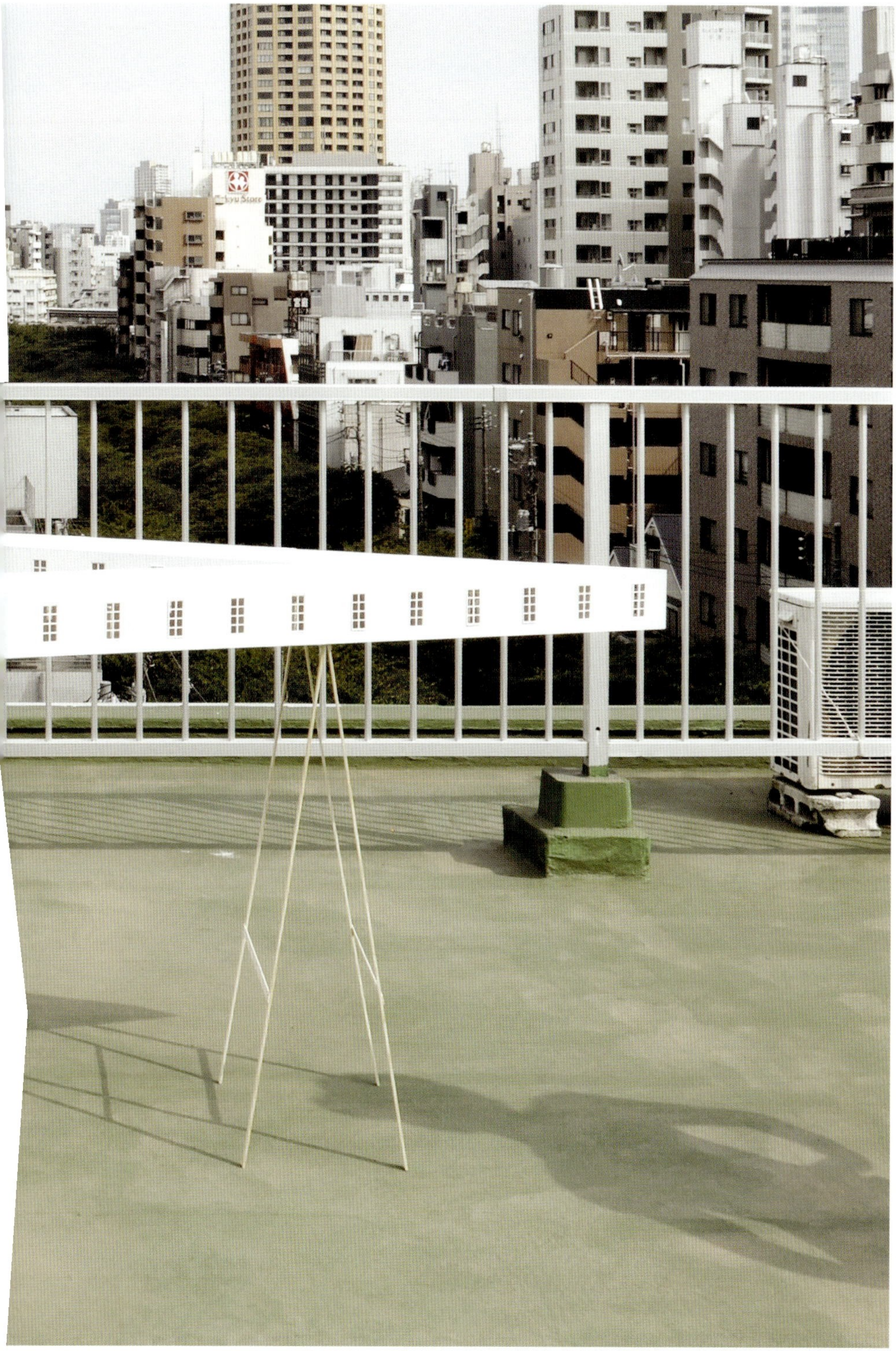
Store

Format et règle du jeu | Ryuji Nakamura

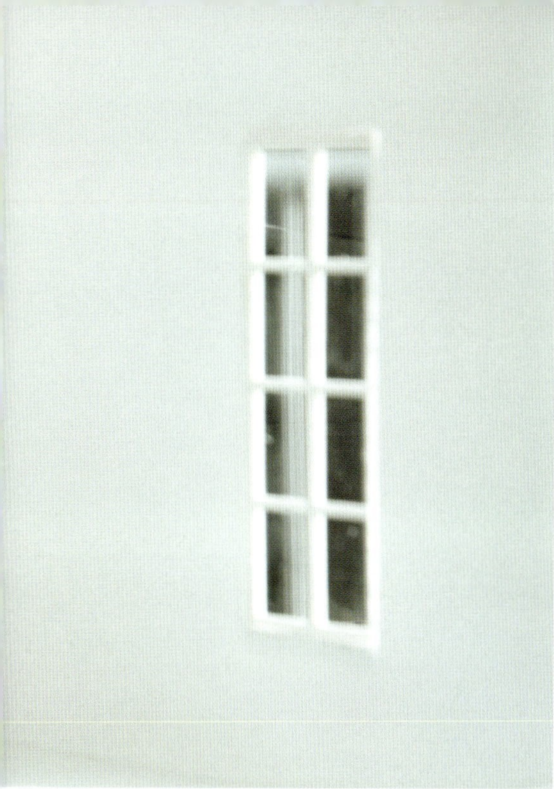

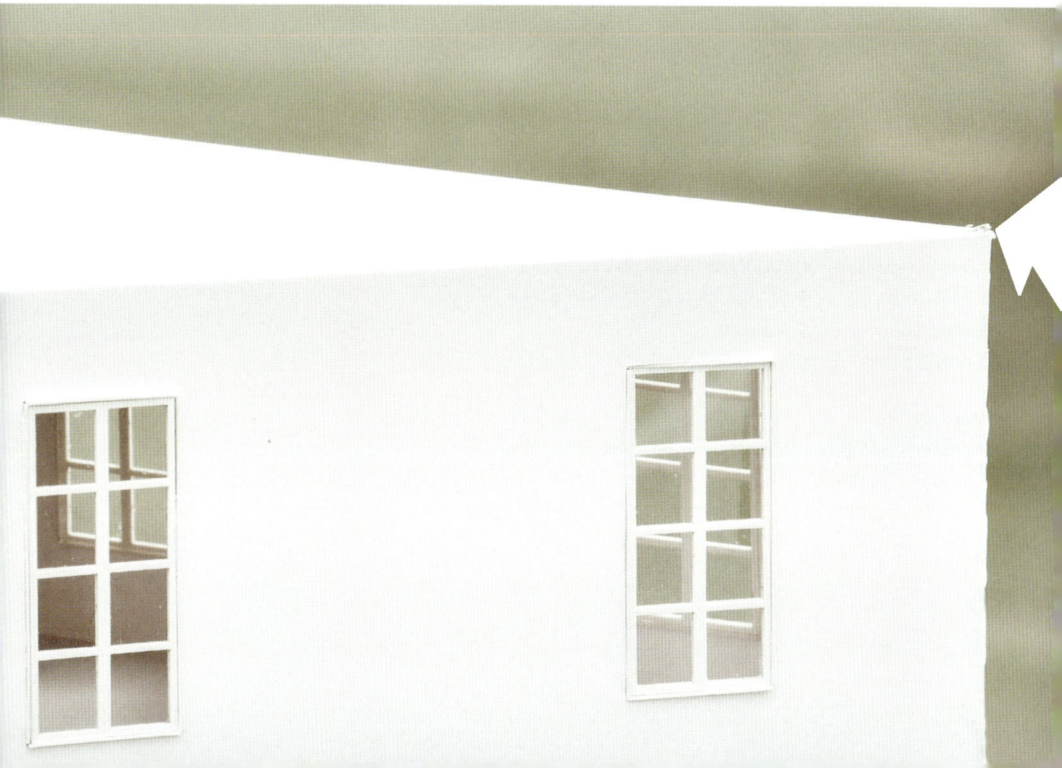

PARIS TOKYO
KENCHIKU | ARCHITECTURE

est un projet initié et organisé par
RAD (Kyoto / Paris), Research for Architectural Domain

Curateurs
Benjamin Aubry, Shinichi Kawakatsu Avec Hitomi Tamura

Conseil scientifique
Cédric Libert

Suivi éditorial
Ryusuke Wada

Conception graphique
ido (Shohei iida + Yu fukagawa)

Traductions
Mana Haraguchi
Du Français au Japonais ——— p68-75, p109-115, p127-133, p163-169, p145-151, p181-187, p199-205
Du japonais au français ——— p117-123, p135-142, p153-159, p171-177, p189-195, p207-213

Madoka Taniguchi
Du Français au Japonais ——— p10-13, p14-17, p55-57, p58-62, p63-67, p89-93
Du japonais au français ——— p18-25

Géraldine Oudin
Du japonais au français ——— p77-88, p96-104

& Hitomi Tamura

Photographie:
Antoine Espinasseau
——— H1, H2, H3, p2, p3, p4, p5, p12, p13, p16, p17, p22, p26, p32, p33, p38, p108, p109, p113, p114, p216
Kenta Hasegawa ——— H1, H2, p1, p2, p3, p4, p5, p121, p123, p216
Benoît Cavaro ——— p6, p7, p199, p216, p235, p236, p242, p243
Vincent Fillon ——— p7, p226, p227, p228, p229
Koichi Torimura ——— p117, p232, p233, p234, p235

Relecture
Benjamin Riado, Olivia Aubry, Philippe Henri Barot

企画・監修

RAD (Kyoto/ Paris), Research for Architectural Domain

キュレーション

川勝真一、バンジャマン・オーブリー、田村仁美

専門アドバイザー

セドリック・リベール

編集協力

和田隆介

装丁＋本文デザイン

ido（飯田将平＋深川優）

翻訳

原口麻奈

日本語訳 ——— p68-75, p109-115, p127-133, p163-169, p145-151, p181-187, p199-205
仏語訳 ——— p117-123, p135-142, p153-159, p171-177, p189-195, p207-213

谷口円香

日本語訳 ——— p10-13, p14-17, p55-57, p58-62, p63-67, p89-93
仏語訳 ——— p18-25

ジェラディンヌ・ウダン

仏語訳 ——— p77-88, p96-104

田村仁美

写真

アントワン・エスピナソー
——— H1, H2, H3, p2, p3, p4, p5, p12, p13, p16, p17, p22, p26, p32, p33, p38, p108, p109, p113, p114, p216

長谷川健太 ——— H1, H2, p1, p2, p3, p4, p5, p121, p123, p216

ブノワ・カヴァロ ——— p6, p7, p199, p216, p235, p236, p242, p243

ヴァンサン・フィヨン ——— p7, p226, p227, p228, p229

鳥村鋼一 ——— p117, p232, p233, p234, p235

校正

バンジャマン・リアド、オリヴィア・オーブリー、フィリップ・アンリ・バロ

Remerciements

Les curateurs, Benjamin Aubry et Shinichi Kawakatsu avec Hitomi Tamura tiennent à remercier les équipes d'architectes, les contributeurs et tous ceux qui ont participés à ce projet depuis ses débuts. Et plus particulièrement :

Monica Lebrao Sendra, Cédric Libert, Alexandre Labasse, Jean Sébastien Lebreton et l'équipe du Pavillon de l'Arsenal, Philippe Verhasselt, Christophe Mistou, Chantal Guilmain et Cécile Troquart, Éric Mollet, Djamel Klouche, François Decoster et Caroline Poulin, Melanie Morris, Simon de Dreuille, Benjamin Lambinet et Kanta Desroches, Benjamin Riado, Benoit Cavaro et Antoine Espinasseau, Philippe Henri Barot et Olivia Aubry, Ryosuke Motohashi, Hiromi Fuji, Jean Baptiste Dumon et Tove Dumon Wallsten, Jacqueline Renaud, Corentin Cohen, Benjamin Sportouch, Noriyuki Sugimoto, Junichi Shiomi, Kazutaka Morimoto, Yumiko Chiba, Yoshitaka Imayoshi, Riken Yamamoto, Yoshiharu Tsukamoto, Mitsuhiro Sakakibara, Shiniya Kimura, Tomoki Honma, Tetsuro Tsukuda, Daisuke Motogi, Ryusuke Wada, Shohei Iida, Yu Fukagawa, Kenta Hasegawa, Yohei Yamakado, Fuminori Hoshino, Hiromi Fujii, Chikako Yotsuyanagi, Yuji Okanishi, Diane Josse, Anne-Sophie Lenoir, Odile Decq et Marie-Hélène Fabre de l'ESA, Jean-Philippe Vassal, Chloé Valadié, Marie Ishizuka, Mana Haraguchi, Mizuki Saito Cruz, Nicolaï Maldavsky, Yuko Ohashi, Arnaud Auzouy, Gwendal Moisan, Géraldine Oudin, Madoka Taniguchi, Fréderic Migayrou, et Malte Terrasse.

Avec le mécénat de

Daiwa House, Kingfisher, l'Institut Français, la Japan Foundation, la Fondation franco japonaise Sasakawa, Nippon Cargo Airlines, Et le soutien du Pavillon de l'Arsenal

謝辞

川勝真一、バンジャマン オーブリー、田村仁美はキュレーターとして、参加建築家、寄稿者、ならびに本プロジェクトにかかわっていただいたすべての方々に感謝をささげます。

モニカ レブラ サンドラ、セドリック リベール、アレクサンドル ラバス、ジャン セバスチャン ルブルトン、フィリップ ベルハサルト、クリストフ ミスト、シャンタル グイルマン、セシル ロカルト、エリック モレ、ジャメル クルーシュ、フランシス デコスター、カロリン ポリーン、メラニー モリス、シモンド ドレイユ、バンジャマン ランベール、寛太 デ ロッシュ、バンジャマン リヤド、ブノワ カヴァロ、アントワン エスピナソー、フィリップ アンリ バロ、オリヴィア オーブリー、本橋良介、ジャンバティスタ ドュモン、トーヴェ ドュモン ヴァルステン、ジャクリーン レノ、コレンティン コヘン、ベンジャミン スポルトシュ、杉本則広、塩見純一、森本一隆、千葉由美子、今吉義隆、山本理顕、塚本由晴、榊原充大、木村慎弥、本間智希、佃哲朗、元木大輔、和田隆介、飯田将平、深川優、長谷川健太、山門洋平、星野文紀、藤井宏水、四柳千佳子、岡西雄二、ディアーヌ ジョス、アンヌ ソフィー ルノワール、ESAのオディルデック、マリー エレンヌ ファブレ、ジャン フィリップ ヴァッサル、クロエ ヴァラディエ、石塚まりえ、原口麻奈、斎藤クルス瑞葵、ニコライ マルダブスキー、大橋優子、アルノー オーズィ、グウェンダル モワザン、ジェラディンヌ ウダン、谷口円香、フレデリック ミゲルー、マルト テラス

協賛

大和ハウス工業株式会社、株式会社デザインアーク、キングフィッシャー、日仏学院、国際交流基金、日仏笹川財団、日本貨物航空、パヴィリオン・ド・ラーセナル

PARIS TOKYO
KENCHIKU | ARCHITECTURE

Version franco-japonaise

Edité par

RAD
80, rue du Faubourg St.Denis 75010, Paris. France
info@radlab.info   http://radlab.info

ISBN : 978-2-7466-6489-0

Imprimé au Japon par Fujiwara Printing CO. LTD
Dépot légal: novembre 2014

2014年11月14日 初版発行

編集・発行

RAD
604-8005 京都市中京区恵比須町 531-13 3F
075-241-9126
http://radlab.info

印刷・製本

藤原印刷株式会社

©2014, RAD Printed in Japan

PARIS TOKYO

NP2F
ONDESIGN
GRAU
Yasutaka Yoshimura
Est-ce ainsi
Jo Nagasaka
Thomas Raynaud
TNA
La Ville Rayeera
Ryuji Nakamu
RAU Nagayama
Yuko Nagayama

Curated by Shinichi Kawakatsu and Benjamin Aubry

Field trip in Paris
MAY 2013